donné par Gilles.
le 29 Juillet 2000

à Edith [...]RAN
45 rue Victor Hugo
92120 MONTROUGE

ILS PORTAIENT
L'ÉCHARPE BLANCHE

DU MÊME AUTEUR

LA DÉCENNIE DES MAL-APPRIS, Flammarion, 1990.
HENRI IV, LE ROI LIBRE, Flammarion, 1994 ; J'ai Lu, 1996.
LE DROIT AU SENS, Flammarion, 1996.
HENRI IV RACONTÉ, Perrin, 1998.

FRANÇOIS BAYROU

ILS PORTAIENT L'ÉCHARPE BLANCHE

L'aventure des premiers réformés
des guerres de Religion à l'édit de Nantes,
de la Révocation à la Révolution

BERNARD GRASSET
PARIS

Introduction

Sur les champs de bataille des guerres de Religion, les protestants portaient l'écharpe blanche, aux couleurs du roi de France. Dans les massacres et les souffrances, ils voulaient rester fidèles au souverain qui les combattait. Sans doute une manière aussi de suggérer que les catholiques factieux regroupés au sein de la Ligue avaient partie liée avec l'ennemi espagnol.

Cet affrontement dura presque quarante ans et la France manqua ne pas s'en relever.

Il s'est passé quelque chose dans l'histoire de l'Occident, vers l'an 1500, au milieu de notre millénaire qui s'achève : un tremblement de terre qui a ébranlé la foi, l'Eglise, la société royale, toute l'Europe, les familles et l'univers intime des consciences. A ce moment, l'Europe a inventé une autre relation à Dieu. La Réforme, ou plus exactement les Réformes, ont proposé aux croyants une forme nouvelle de religion. Mais tous les cadres de la société ont été atteints par cette secousse, tous ont été changés, y compris l'Eglise catholique, apostolique et romaine qui dut vivre à son tour sa propre réforme.

Les guerres de religion ne sont pas seulement le résultat de l'intolérance. Elles sont la conséquence de ce séisme à l'échelle des siècles, de ce changement du monde, et de l'impuissance des contemporains à comprendre la portée de l'événement.

Ce qui se trouvait en jeu, c'était le passage du monde de la vérité unique à celui de la vérité individuelle. Pendant des siècles, l'unité de la vérité a servi l'autorité de l'Eglise. Et soudain, en quelques dizaines d'années, une déstabilisation profonde, qui mûrissait en silence depuis longtemps, a fait exploser ce monde ordonné. Au même moment, ou presque, la pensée philosophique, la politique, l'histoire, les médias, et pour finir la religion, ont basculé. Une ligne de fracture est apparue, qu'on a crue accidentelle et facile à combler et qui n'a cessé de s'élargir, emportant tous les barrages. Séisme, tremblement de terre, faille : j'emploie des mots qui évoquent la dérive des continents. Je n'en connais pas de mieux adaptés. C'est une autre manière de dire que les forces tectoniques se moquent souvent de nos efforts dérisoires. Faibles humains, nous ne sommes pas à la mesure des énergies mystérieuses qui font dériver les continents. Et même, pendant des millénaires, nous n'avons rien deviné de ce mouvement. Nous avons cru qu'il s'agissait seulement du jeu des décisions individuelles, de la mauvaise ou de la bonne intention des uns et des autres. Souvent, nous apparaissons comme les passagers inconscients et impuissants de ces continents qui glissent l'un vers l'autre ou s'éloignent l'un de l'autre en produisant ces secousses qui broient et soufflent nos maisons.

C'est pourquoi il est si important d'essayer de comprendre le travail de ces forces mystérieuses, la sismique de ces ruptures. Comprendre ces grandes respirations, apprendre à les deviner dans le passé pour les chercher dans le présent, c'est construire ce qu'il y a de plus important dans une vie humaine : sa liberté.

Car pour qui saisit l'enjeu de son temps, il n'y a plus d'impuissance. Il comprendra qu'il est vain de vouloir reconstruire l'ordre ancien qui appartient désormais aux mondes abolis. Cette tentation serait meurtrière, comme le fut pour l'Ancien Régime la funeste révocation de l'édit de Nantes. Elle massacre les innocents et elle ruine jusqu'aux bases de l'ordre que l'on voulait reconstruire.

Le quatrième centenaire de l'édit de Nantes invite à découvrir cette aventure. Il y faut un grand recul pour prendre la dimension de l'événement, et la curiosité qui seule permet d'entrer dans l'histoire, à la suite des destins humains qui la composent. Très peu, parmi les contemporains et les acteurs du temps, avaient idée de l'histoire qu'ils écrivaient. Ils étaient pris dans leur lutte, habités par leur foi, nouvelle ou éternelle. Ils faisaient l'histoire, ils ne la lisaient pas. On a même parfois l'impression que l'histoire agissait en eux, plus qu'ils n'agissaient en elle.

C'est un grand sujet de méditation : quand on prend la distance nécessaire avec l'événement, avec ses détails et ses accidents, on mesure brutalement quelle était la logique profonde des temps. Tout se passe comme si de grands courants s'étaient formés, à des moments immémoriaux, et que, pour ces mouvements irrésistibles, les destins humains n'étaient que des fétus. L'histoire est traversée par ces courants, et ce sont eux, en vérité, qui décident de l'issue. Pourtant, quelques hommes réussissent, non pas seulement à surnager, mais à ouvrir un nouveau cours au fleuve de l'histoire. C'est en quoi l'on a raison de célébrer l'édit de Nantes. Les protestants protégés, le trône établi comme un lieu où se fait la paix et où s'ordonne l'équilibre entre communautés qui n'ont pas la même foi, une ère nouvelle de prospérité et de concorde peut être envisagée. En tout cas, une nouvelle page s'est ouverte, qui, sans la personnalité exceptionnelle d'Henri IV, n'aurait été écrite ni à ce moment, ni de cette façon. Quand une décision est juste, elle peut faire naître un monde nouveau. Alors ceux qui l'ont voulue, imposée, et parfois seuls contre tous, méritent un hommage particulier, un coup de chapeau admiratif au travers du temps.

Il est plus intéressant encore d'essayer de découvrir le fleuve alors qu'il n'est encore qu'à sa source. La Réforme est en formation bien avant l'éblouissement de la conversion de

Luther. J'ai voulu parcourir, à ma manière, les étapes pré-cédentes, celles qui pouvaient laisser présager que l'univers allait inévitablement trembler sur ses bases.

J'ai parcouru cette aventure, comme j'avais écrit la vie d'Henri IV, roi de France et de Navarre, en essayant de ne jamais oublier qu'elle est faite par des hommes de chair et d'os. Que les plus décidés doutent et hésitent, qu'ils ne sont ni tout noirs, ni tout blancs. Plus que des figures de l'histoire, ce sont des vivants que je cherche, non comme un historien, mais comme un observateur amical, sur l'autre rive du temps.

C'est que je n'oublie pas que nous aussi, contemporains du passage du deuxième au troisième millénaire, pouvons être aveuglés comme nos devanciers d'il y a quatre siècles. Quand Louis XIV abolit l'édit de Nantes, personne ne mesure la gra-vité de sa décision. Pire encore, à la cour, à la ville, c'est l'ovation générale ! Enfin, un grand roi ! Il faudra des années, peut-être des décennies, pour prendre l'exacte mesure de l'erreur commise. Au bout d'un siècle, on comprendra que quelque chose d'essentiel a été ruiné dans l'édifice de la monarchie française. L'opinion tout entière était du côté de la mauvaise décision. Tout conspirait à égarer le jugement du souverain. Notre temps peut se tromper comme se trompa le XVIIe siècle.

Dans cette aventure de trois cents ans qui commence au tournant du XVIe siècle et s'achève, peut-être, avec la Révolu-tion française, toutes nos passions nationales ont leur place : notre engouement pour les systèmes, notre goût pour les boucs émissaires, la séduction que les extrémismes excercent toujours sur les masses, notre enthousiasme pour l'excès, notre tentation de l'absolutisme. Contempler le drame du temps, c'est aussi se mettre en garde. Nous sommes, par tradi-tion nationale, des combattants de guerres civiles, et quand nous ne pouvons pas en trouver de grandes, nous en inventons des petites, non moins irréductibles, et non moins nuisibles.

Enfin j'ai écrit ce livre avec une question en tête : nous, contemporains de la fin du millénaire, à quoi sommes-nous aveugles et sourds ? A quelles passions nous livrons-nous, à quelles batailles courons-nous qui sont déjà jouées ? Nous entendons bien le craquement des déchirures. Mais il nous est plus difficile de dire ce qui se déchire, ce qui se rompt et se sépare, et où se préparent les continents nouveaux. Peut-être de visiter ces siècles enfuis, ces souvenirs enfouis, nous aidera-t-il à regarder autrement le monde en formation qu'il nous revient d'accoucher.

NANTES
LE DERNIER JOUR
DU MOIS D'AVRIL 1598

1598. Le mois d'avril à Nantes. Jamais Henri, par la grâce de Dieu roi de France et de Navarre, dans la quarante-cinquième année de son âge, chargé de combats, de travaux souverains, de soucis d'homme, de volonté royale, n'a été si près d'être grand.

Le 13 avril, le Roi a déjeuné à Chassais, maison de campagne de l'évêque de Nantes, « à une lieue de la ville », où il est reçu par l'ancien évêque, récemment nommé à Reims. Sur le coup de six heures du soir, il fait son entrée dans la grande ville par la porte Saint-Pierre. Aussitôt, « il alla descendre au château où le chapitre vint aussitôt le complimenter... La ville [*les magistrats municipaux*] lui rendit ses devoirs, en habits de cérémonie [1] ».

Il y a quatre ans qu'il règne. Il y a bientôt trente ans qu'il fait la guerre. Avant d'être le roi très-chrétien, il a été le chef des protestants et son panache blanc leur signe de ralliement. Six fois, depuis qu'il est enfant, la vie l'a obligé à passer de l'une à l'autre des deux religions, catholique ou protestante. Il a fini par rallier sous son autorité le royaume de France, et Dieu sait que ce fut difficile. Il a éteint la plus terrible guerre civile que la France ait connue et vient de mettre un terme à la guerre étrangère. Les Espagnols qu'il déteste depuis son enfance sont chassés du royaume de France.

Pourtant, il y a six mois à peine, l'affaire a été chaude. Les

---

1. Abbé Travers, *Histoire civile, politique et religieuse de la ville et du comté de Nantes*, t. III, Nantes, 1841, p. 104.

Espagnols, en prenant Amiens, ont manqué chavirer son aventure. Il en avait pourtant lancé, des avertissements ! Mais Amiens ne voulait rien entendre ! A tous ses conseils de prudence, à toutes ses mises en garde, les bourgeois d'Amiens avaient répondu qu'ils se défendraient bien tout seuls et n'avaient nul besoin des troupes que le roi leur offrait. A l'abri de leurs remparts, ils ne se sentaient pas, eux, dans le même danger que Calais, enlevée l'année précédente. Eux, ils sauraient sauver leur cité.

Henri avait été agacé de leur suffisance.

Un matin de mars 1597, un groupe de paysans portant des sacs de noix sur l'épaule se présente à l'une des portes de la ville. La garde distraite se contente d'un examen rapide de leur contenu. C'est alors que l'un des paysans, plus maladroit que les autres, en ouvrant son sac pour satisfaire à l'inspection, en laisse répandre le contenu sur le chemin. Les soldats se précipitent en riant pour ramasser les noix : distraction, friandises, tout est bon à prendre dans l'ennui d'une garde. Pendant ce temps, une charrette, sans doute ignorant l'incident, a continué son chemin, s'est glissée sous la porte. Sourires, animation, à la porte d'Amiens.

Les soldats eurent-ils le temps de voir la lourde charrette s'arrêter sous la herse, la bloquer, les chevaux libérés s'enfuir au galop vers la ville, l'éclair des lames qui sortaient des vêtements grossiers, le feu des pistolets arrachés au sac ? Quatre mille Espagnols déferlèrent sur la porte enlevée. Amiens était prise. La nouvelle, à Paris, consterna la ville, arracha des pleurs à la cour. Alors, Henri eut un des plus beaux mots de sa vie d'aventures, et ouvrit son chemin de gloire : « C'est assez faire le roi de France, il est temps de faire le roi de Navarre. » Il voulait retrouver l'audace de sa jeunesse et trancher dans le vif. A peine le temps d'effacer quelques semaines de fièvre importune, d'endosser son armure, de se remettre en selle, de voir se dérouler sous ses yeux l'admirable machine de Sully, les plus beaux canons d'Europe, l'armée la mieux organisée, les soldats les mieux nourris, le temps aussi d'avoir un peu de chance, Amiens était reprise, et la gloire du guerrier nourrissait la légende du roi.

Tant qu'on y était, l'audace guerrière qui avait été celle du roi de Navarre pouvait rendre encore un service au roi de France. Puisque l'armée avait été réunie pour enlever Amiens, il suffisait de lui faire faire demi-tour, vers la Bretagne, pour inciser le dernier des furoncles hérités de la Ligue : retranché dans Nantes, Philippe-Emmanuel de Lorraine, duc de Mercœur, s'était construit une souveraineté, presque un Etat indépendant et marchandait depuis quatre ans une soumission qui ne venait jamais.

Henri décide alors de marcher sur lui. Mercœur tremble, renvoie les Espagnols qu'il avait appelés à la rescousse, et se rend, contre espèces sonnantes et trébuchantes, pensions diverses, rétributions et compensations, en tout plus de quatre millions de livres.

A Châtellerault, on n'est qu'à une portée de canon de Nantes. L'Assemblée permanente protestante y est réunie. Cette marche royale dirigée contre Mercœur, et qui l'a fait plier, l'impressionne elle aussi. Depuis plus d'un an, des négociations ont commencé entre les représentants du roi, ses commissaires, de Thou, qui est catholique, Callignon qui est calviniste, Villeroy... et les députés huguenots, Constans, de Caze, Grimoult de la Motte, Chamier. Des deux côtés, on avait longuement tergiversé. Il était temps de conclure.

Début avril, une ultime rencontre, à Angers, entre les deux équipes d'émissaires s'accorde sur un projet de texte. Le 13 avril, le roi entre triomphalement à Nantes. Aux magistrats de la ville qui lui présentent les clefs de la cité, d'argent superbement dorées à l'or fin, et qui brillent sous le soleil, il répond qu'elles sont admirables, mais qu'il préfère de beaucoup les clefs des cœurs de ses sujets. Le Roi n'était pas tout à fait un novice en matière de mots pour l'histoire et d'émotion pour les peuples : l'alpha et l'omega de la « communication », comme nos contemporains en entendent ressasser la théorie.

Tout en réglant les affaires de Bretagne, en remettant aux Bretons l'ensemble ou presque des lourds impôts institués par Mercœur, en négociant la paix avec l'Espagne, en chassant, en se prêtant aux cérémonies et aux fêtes, Henri relit, avec ses juristes et secrétaires d'Etat, le texte du projet. Il le signe le 30 avril, décidé à le garder secret, par précaution à l'égard du pape et du roi-catholique. Edit de 92 articles, « sur la pacification des troubles du Royaume », « scellé du grand sceau de cire verte, sur lacs de soie rouge et verte », complété le 2 mai par 56 articles particuliers, « extraits des généraux, que le roi a accordés à ceux de la Religion prétendue Réformée, lesquels Sa Majesté n'a voulu être compris en ces dits généraux, ni en l'Edit, mais a néanmoins accordés... et seront entièrement accomplis et observés... » et deux « brevets », le 3 et le 30 avril, qui assurent des subventions, des avantages et des garanties temporaires.

Ainsi se tournait, en tout cas pour les livres d'histoire, la première page concrète de l'immense aventure de la tolérance.

Et depuis le 30 avril 1598, on dirait que n'a cessé de se vérifier le jugement du premier historien de l'édit de Nantes, le plus proche, le plus engagé, Elie Benoist, qui publie son *Histoire de l'Edit de Nantes et de sa Révocation* [1], en trois tomes et cinq volumes, à Delft, en 1693 : « Cette longue affaire se termina donc au regret des uns et au contentement des autres. Il y avait des Catholiques qui murmuraient de ce qu'on avait tant accordé. Il y avait des Réformés qui se plaignaient d'avoir si peu obtenu. Il y avait enfin des uns et des autres qui trouvaient l'avantage égal des deux côtés, et qui ne désirant que la

---

1. E. Benoist, *Histoire de l'Edit de Nantes et de sa Révocation, contenant les choses les plus remarquables qui se sont passées en France avant et après sa publication, à l'occasion de la diversité des Religions; et principalement les Contraventions, Inexécutions, Chicanes, Artifices, Violences, et autres Injustices ques les Réformés se plaignent d'y avoir souffertes, jusqu'à l'Edit de Révocation en octobre 1685. Avec ce qui a suivi ce nouvel édit jusqu'à présent*, 3 tomes en 5 vol., Delft, A. Beman, 1693-1695.

paix, estimaient tolérable tout ce qui pouvait la donner. » Les jugements de notre temps n'ont pas cessé d'être l'écho de cette controverse. Sans doute l'évolution des esprits a irréversiblement fait son œuvre, et on ne trouve plus de catholiques, comme au XVIIe siècle, pour soutenir qu'ils se sont fait arracher le plus précieux de ce que Dieu et l'histoire donnent à une société : l'unité de la Foi. Mais on rencontre nombre d'historiens pour soutenir que l'édit de Nantes a fait le plus grand tort à la Réforme et a consacré la victoire, à long terme, et la progression du catholicisme. On en lit souvent aussi qui regardent goguenards les commémorations autour de l'Edit, et soutiennent que c'est beaucoup accorder à un texte de circonstance, mal ficelé, sans le génie qu'ils imaginent naturel aux grands événements historiques.

LES SIGNES AVANT-COUREURS
DU GRAND SÉISME

Une religion nouvelle ! Notre temps en serait à peine distrait. Pour nous, les religions se comptent par dizaines. Et quant aux confessions, aux communautés, aux prophètes de tout poil, aux sectes et à leurs avatars fantaisistes ou dangereux, nous ne savons même plus en faire le compte, tant la divagation vaguement religieuse est une des traductions de nos incertitudes et de nos manques.

Il nous faut un violent effort d'imagination pour concevoir, même de loin, ce qu'étaient nos devanciers, si proches et si lointains, qui eurent à vivre ce séisme : l'effondrement de la société unie autour de la religion unique. Il n'y a guère plus de quinze générations entre eux et nous, quinze vagues de femmes et d'hommes. A l'échelle de l'histoire de l'humanité, c'est comme un instant. Même si nous l'ignorons, ils sont encore en nous, de toutes leurs fibres. Leurs émotions ne se sont pas effacées, elles se sont enfouies. Le long chaos dans lequel ils vont entrer, tous les cadres de la vie remis en cause et chamboulés, le trône, l'autel, aussi bien que la rue, le frère devenu ennemi, le prêtre rendu étranger, les querelles, les massacres, le soupçon généralisé, notre mémoire consciente ne les a pas conservés. Mais il y a en nous une autre mémoire, plus profonde, plus obscure, un inconscient des sociétés qui n'oublie rien. Nous savons désormais que la Bible avait raison : « Les pères mangeront les raisins verts, et les dents des enfants en seront agacées. » Les épreuves et les fautes des générations continuent à être payées inconsciemment par les générations suivantes, d'autant plus lourdes à porter qu'on les ignore davantage.

Voilà pourquoi il n'y a pas de plongée dans l'histoire qui ne soit pèlerinage en nous-mêmes, méditation sur notre temps, sur notre nature d'homme et de société, sur le visage irrémédiable que nous ont ainsi sculpté le hasard et la nécessité.

Une religion nouvelle quand toute la société est construite autour de la religion unique, c'est un tremblement de terre, une bombe atomique de subversion. Encore le mot de « religion nouvelle » est-il faible. D'une certaine manière, une religion étrangère, un prophète nouveau, une foi autre et opposée, cela aurait-il été plus facile à traiter. Un autre islam, un autre Zoroastre, bloc contre bloc, vérité contre vérité, vérité contre hérésie, cela aurait été un choc au grand air, en pleine lumière. Ce ne sont pas les plus dangereux. On l'avait vu. L'hérésie cathare, avec ses idées venues de l'Orient était si loin du christianisme qu'elle avait pu être contenue. Le monde chrétien n'en avait pas été ébranlé. Les séismes les plus meurtriers, ce sont les plus profonds. L'onde de choc chemine sous la terre, l'on n'en ressent que l'immense grondement, on n'en voit rien, puisque l'explosion est au cœur même de ce que nous sommes. Alors le déchirement est dans notre substance, les failles se creusent sous nos pas, et pas un mur n'échappe à l'ébranlement jamais achevé. En vérité, la Réforme n'était pas une religion nouvelle : c'était la même foi, le même Dieu, le même Christ. On ne pouvait pas se défendre contre la Réforme, comme on le fait contre une attaque étrangère. C'est de l'intérieur que venait le danger. De l'intérieur, la subversion de la religion de l'Europe, le doute porté sur toute autorité, le soupçon sur toute vérité, avec des raisons que nul, de bonne foi, ne pouvait mépriser. Si la Réforme était si déstabilisatrice, c'est qu'elle était greffée sur le vieux tronc chrétien. Et l'arbre catholique allait si mal que, parmi les fidèles, même les plus convaincus étaient éperdus d'inquiétude.

La papauté se ruine elle-même

C'est un temps terrible pour l'Eglise que le milieu du millénaire, la charnière entre le xvᵉ et le xvⁱᵉ siècle. Le xvᵉ siècle qui s'achève a vu s'accumuler les crises. Au sommet de la chrétienté, la papauté a été à l'image du temps : tourmentée, brillante et désespérante. Brillante, nous le vérifions encore aujourd'hui. Il suffit d'énumérer : Giotto, Masaccio, Donatello, Botticelli, Léonard de Vinci, Piero della Francesca, Raphaël, Titien. Pour beaucoup de ces artistes, leurs contemporains, les papes se sont fait mécènes. Tous, ou presque, ont eu le goût de l'esprit, la finesse du juriste ou la vivacité du philosophe. Mais, dans le même temps, les luttes du pouvoir ont mêlé la noire intrigue et le sang versé. Un pape, c'était souvent le pouvoir pour sa famille. C'est de cette époque qu'est inventé pour les papes le mot « népotisme », cet abus de pouvoir, cette préférence qui distribue aux plus proches les avantages et les prébendes, au sens propre en direction des neveux. Sixte IV, par exemple, en avait quinze. Il fit deux d'entre eux cardinaux, un troisième préfet de Rome, un quatrième gouverneur, et prépara pour chacune des filles les plus riches mariages. Pas méchant homme, pourtant, et pour lui-même insoupçonnable, ami des arts, constructeur de la chapelle « Sixtine », qui fit venir auprès de lui tous les Botticelli de son temps. Son successeur, en 1484, s'appela Innocent, huitième pape de ce nom. Il aimait la poésie, sans doute. Mais par ailleurs, si profondément faible, dans tous les domaines. Ce qui dominait la Curie, l'administration des papes, c'était l'argent. Sous Innocent VIII, on découvrit qu'un bureau fabriquait, contre argent sonnant, toutes les autorisations dont pouvaient rêver ceux qui ne supportaient pas la morale religieuse. Ce bureau autorisait tout, jusqu'au concubinage des prêtres. D'ailleurs, on connaissait au pape deux enfants illégitimes, dont l'un fut marié par le souverain pontife lui-même avec la fille de Laurent de Médicis !

En 1492, l'année même de la découverte de l'Amérique par Christophe Colomb, on touchera le fond. Innocent VIII vient de mourir. Son successeur s'appellera Alexandre VI Borgia. Immensément riche, il a longuement intrigué pour obtenir la tiare des papes. L'argent, le pouvoir, le luxe, les plaisirs de la table et ceux de la chair : telles sont les passions du pape ! Avant le pontificat, il avait eu quatre enfants de sa maîtresse Vanozza Cattanei, dont deux seront célèbres : César Borgia et Lucrèce Borgia, tous deux grands seigneurs scandaleux. César, nommé archevêque à sept ans, a été fait cardinal : il se défroquera. Lucrèce est mariée par son père au Vatican dans des fêtes à la magnificence sans précédent. Elle humiliera son mari aux yeux de tous et finira par divorcer, causant un immense scandale. Pour couronner le tout, on soupçonnera César d'avoir fait assassiner son frère aîné, retrouvé poignardé dans le Tibre. Avec cela, naturellement, ami des arts et de la beauté. Mais à quel prix ! En 1499, une bulle du pape décide que les fidèles pourront racheter des indulgences, obtenir le pardon de leurs fautes ou celles de leurs proches disparus, en versant des dons pour la restauration de Saint-Pierre de Rome. Cette affaire des indulgences commençait à peine : elle aurait bientôt, dans la chrétienté, la puissance de déflagration d'une bombe.

Désespérés, ceux qui rêvent d'un saint pape pour une chrétienté en crise vivent avec effarement les onze ans de règne d'Alexandre Borgia. Le pape a changé de maîtresse : il s'est lassé de la Vanozza et l'a remplacée par une plus jeune beauté, Julie Farnèse, qui lui donne deux enfants supplémentaires. Il n'a de cesse d'ailleurs de tromper sa nouvelle maîtresse au vu et au su de tout le monde romain ! Les motifs de scandale ne s'arrêtent d'ailleurs pas à la sensualité du pape. Tout Rome bruit de la même rumeur : on sait comment finissent les cardinaux issus de familles nobles qui ont la malchance d'être riches. Un soir qu'ils ont bien dîné avec le pape, ils sont pris de malaise : ils ne passent pas la nuit.

Ainsi aussi des seigneurs qui ont la prétention d'être en désaccord avec le pontife. Le pape Borgia, son fils et sa fille, sont des empoisonneurs ! La fortune du pape ne cesse de s'accroître, dit-on, de ces héritages et son opposition de s'affaiblir de ces morts douteuses. Le poison des Borgia, vrai ou supposé, on le mettra en cause dans la disparition même d'Alexandre. Un soir étouffant de l'été 1503, le pape et son fils dînèrent à la fraîche sous la pergola du cardinal de Corneto. Le lendemain, l'un et l'autre furent pris d'épouvantables fièvres, tordus de douleur. César survécut, Alexandre passa. Pour le peuple de Rome, il n'y avait pas de doute : le poison qui était la cause de la mort n'était pas là par hasard. Il avait été préparé à l'intention du cardinal par les Borgia eux-mêmes et on le leur avait servi par erreur. Le pape était bien puni par où il avait péché. C'est Machiavel le Florentin, son cynique contemporain, qui eut le dernier mot : « L'esprit du glorieux Alexandre fut alors porté parmi le chœur des âmes bienheureuses. Il avait auprès de lui, empressées, ses trois fidèles suivantes, ses préférées : la Cruauté, la Simonie [1], la Luxure. »

Sixte le népotiste, Innocent le faible, Alexandre le scandaleux, cette triade de la décadence pontificale venait comme la conclusion d'un siècle. Le quattrocento, paradis des artistes, fut un enfer pour les fidèles de bonne foi. On sortait pourtant de trois siècles de *chrétienté*. Les peuples d'Europe y avaient communié dans une conception unique du monde et de l'histoire. Ils s'étaient croisés pour délivrer le tombeau du Christ. Ils avaient, à force de générations, d'un effort séculaire et têtu, construit, autour d'un même plan, les cathédrales de l'Occident chrétien.

Mais la confusion entre le pouvoir temporel et le pouvoir spirituel avait fait des ravages, frappant l'Eglise en son sommet, au siège de Pierre.

---

1. Le commerce des choses spirituelles.

Le mal vient de loin

Depuis bientôt deux siècles, la papauté est secouée par de terribles crises. Au début du XIVe siècle, au temps où la France, toute-puissante au sein de l'Eglise, suscitait la jalousie de toutes les autres puissances européennes, un pape français avait décidé de s'installer, provisoirement pensait-il, à Avignon. Après lui, cinq de ses successeurs choisirent la même résidence, abandonnant Rome à ses passions et à son chaos.

Ce fut là un double motif de scandale. La chrétienté ne tolérait pas que la France fût à la fois détentrice d'une telle influence et du siège pontifical. Depuis les débuts de la chrétienté, le pape était évêque de Rome, pas évêque d'Avignon. Et quant au Sacré Collège, l'assemblée des cardinaux, comment aurait-on pu accepter sans broncher qu'il soit formé de vingt-deux Français sur vingt-cinq membres ?

Bien entendu, il aurait suffi d'attendre que les Français se disputent, ce qu'ils font avec régularité, comme ils ne manquèrent pas de le prouver quelques années après. Mais l'Europe était impatiente de dénoncer ce scandale français. Sainte Brigitte de Suède, qui avait le don de prophétie, assura que le Christ lui-même était venu lui rendre visite pour lui indiquer que la seule présence des papes au bord du Rhône était un signe de la fin des temps. Catherine de Sienne fit elle-même le voyage pour ramener le pape[1] dans la ville de Saint-Pierre.

Mais le mal était plus profond. Quand elle eut convaincu le pontife de regagner la ville éternelle, elle ne put l'empêcher de mourir. Son successeur[2] hélas ! fut un tonitruant. Violent et frénétique, il entreprit de réformer comme on matraque. Les cardinaux qui lui résistaient étaient couverts

---

1. Grégoire XI (1330-1378).
2. Urbain VI.

d'injures devant le peuple tout entier. Lorsque certains par-
lèrent à mots couverts de faire constater sa folie, il les fit
condamner à mort et exécuter, après les avoir promenés
dans Rome, dépouillés de leur mitre et ficelés sur des
mules !

Alors une quinzaine d'entre eux, réunis sous la protection de troupes gasconnes et navarraises, déclarèrent nulle
l'élection du pape et en élirent un autre, une sorte de
contre-pape [1], qui revint à Avignon. Pour nous, plus de six
siècles après, nous sommes tentés de sourire. Mais qu'on
songe à la profondeur de la blessure de cette chrétienté
pour qui le pape était la plus haute et la seule autorité spirituelle. Le monde chrétien est coupé en deux. Il le sera
bientôt en trois : pour essayer de le rassembler, on propose
d'annuler les deux papes, pour en élire un troisième. Naturellement, les deux premiers refuseront et le troisième se
maintiendra. Le monde est fondé sur l'Eglise et l'Eglise
est fondée sur l'autorité du pape. Il n'y a plus de pape et
plus d'autorité.

Il faudra longtemps [2] pour sortir de cette terrible crise. Les
séquelles morales ne s'effaceront pas. Jusqu'à la Réforme, et
au-delà, la question demeurera posée de la légitimité du pouvoir du Saint-Siège. De grands esprits, nous le verrons, défen-
dront l'idée que c'est de l'Eglise que vient l'autorité, et non
plus du pape. C'est donc le concile qui est souverain.
D'autres, dont les rois, construiront une Eglise nationale française qui refusera, jour après jour, sa soumission à Rome. Le
gallicanisme ne cessera d'instaurer dans les faits comme une
rupture de la chrétienté, contre laquelle les papes mobiliseront
leurs forces, mais en vain.

---

1. Clément VII.
2. Jusqu'en 1417 (concile de Constance).

Quand s'éloignent les continents

Depuis deux siècles, le monde glisse, le monde se fissure, un immense mouvement commencé dans le silence et qui s'achèvera dans le bruit et la fureur, impossible à arrêter, impossible à contrôler. Comme toujours, tout a commencé au moment exact, à la minute rayonnante où l'ordre chrétien paraissait à son apogée. Depuis l'an mil, on sentait que le long effort de construction de l'univers chrétien allait porter ses fruits. En Occident, une langue unique, le latin, une autorité unique, le pape, une vie intellectuelle unique, dont la Sorbonne est l'épicentre. De toute l'Europe, les étudiants se croisent d'université en université, d'Oxford à Cologne, de Salamanque à Prague, de Coimbre à Bologne et convergent vers l'Université des universités chrétiennes, à Paris, en Sorbonne, la « nouvelle Athènes ». Dans ces universités, la vie intellectuelle du monde connu et celle de l'Antiquité ont rencontré le christianisme : dans le monde intellectuel, tout le monde parle latin. C'est la langue de l'univers. A Paris, le quartier des collèges et de l'université est devenu le Quartier latin. Quel que soit le pays où l'on vient étudier, où l'on va enseigner, lorsqu'on est reconnu savant, on en possède la langue. Du Nord au Sud de l'Europe, le passeport latin est universel. Les grammairiens, les philologues, les historiens que l'on fréquente, les maîtres en mémoire ou en éloquence, s'appellent Donat, Cicéron, Quintilien. Bientôt l'univers s'ouvrira. Car l'Occident va vivre l'extraordinaire découverte intellectuelle du monde arabe.

C'est d'Espagne surtout, de l'Espagne reconquise que viendra cette intimité. A Cordoue, à Tolède, l'arabe est toujours langue d'enseignement, longtemps après la *reconquista*. L'engouement pour la pensée arabe, pour la langue des grands scientifiques et des grands philosophes de l'Islam, Avicenne ou Averroès, ou des philosophes juifs d'expression arabe, comme les Maïmonides, gagne tout l'Occident. Mais surtout, au travers de la culture arabe, le Moyen Age découvre un autre continent, plus proche, et jusque-là oublié, le continent grec. Avec passion, après l'arabe, on se met à l'étude du grec. On va le découvrir là où de vieux savants en ont encore quelques bribes de connaissance : en Sicile, par exemple ou dans le sud de l'Italie. On s'en imbibe : dialogue après dialogue, on traduit Platon et les néo-platoniciens. Puis, c'est Archimède, les pères de l'Eglise, jusqu'au moment où l'université chrétienne heurte une météorite de première grandeur : Aristote. L'univers chrétien est saisi de l'impression que les penseurs grecs n'avaient pour but que de produire Aristote et Aristote que de servir de trait d'union, de justification réciproque, entre la cité grecque et le monde chrétien.

C'est une histoire d'amour entre Aristote et la philosophie du Moyen Age. Comme beaucoup d'histoires d'amour, elle commence par un affrontement, qui n'est rien d'autre que la traduction d'une fascination.

C'est par Averroès que l'on découvre Aristote, et cette découverte paraît entrer en violente opposition avec l'esprit chrétien. Le philosophe musulman de Cordoue a retenu du philosophe grec son appel à la raison. Il en vient à découpler complètement la raison et la foi, à les décrire comme deux approches radicalement différentes du monde, impossibles à réconcilier. Le premier mouvement de l'Eglise est donc forcément de refuser la doctrine qui lui revient depuis la nuit des temps, quinze siècles après qu'elle eut été formulée.

Mais la fascination ne cesse pas. Car avec la découverte des textes d'Aristote s'ouvrent des portes jusque-là fermées, des pans complets du savoir qui échappaient à la réflexion, entièrement abandonnée à l'autorité de l'Eglise. La découverte d'Aristote offre à l'esprit des maîtres et des étudiants une réflexion sur la physique, une physique ordonnée où la question centrale est celle du changement, du mouvement du passage des corps d'un lieu à un autre, d'un état à un autre. Mais pour qu'il y ait mouvement, il faut qu'il y ait un moteur, quelque chose qui transmet le mouvement. Au centre de la physique d'Aristote, il y a donc un Premier Moteur immobile et unique.

Vient ensuite la métaphysique qui explicite la nature du premier moteur. En le décrivant, Aristote voit dans chaque être la puissance d'une sorte d'attente mystérieuse, une espèce d'« amour », qui fait tendre les réalités imparfaites vers les réalités parfaites.

Enfin l'éthique permet de répondre à la question du but de la vie humaine, l'excellence, la perfection, qui est inscrite au cœur de notre nature. C'est la volonté qui permet d'atteindre le bonheur parfait, « mise en acte d'une vie parfaite selon la vertu parfaite ».

Sans doute, de son IVe siècle avant Jésus-Christ, Aristote ne parlait pas pour le peuple chrétien. Encore moins de sa Grèce lumineuse, de l'académie de Platon où il fit ses études, avant de s'en aller par dépit de n'avoir pas été choisi pour successeur à la mort de son maître, de Macédoine où il guida la formation du jeune Alexandre, du « Lycée », l'école « péripatéticienne », où l'on se formait en marchant, qu'il installa à Athènes avant d'en être chassé, Aristote, le « cerveau » comme on le surnommait dans sa jeunesse n'envisageait-il aucune des angoisses et aucun des choix du monde médiéval. Mais on voit bien où la greffe se fit. Sous chacune des questions que soulève Aristote, tant dans sa morale que dans sa conception du monde, sous chacune des pièces du puzzle d'Aristote, on voit se recomposer le visage unique du Dieu de Moïse, d'Abraham et de Jacob. Si l'univers n'est concevable, dans sa physique et sa métaphysique, que par une énergie initiale qui lance le mouvement universel, cette énergie, pour un chrétien du Moyen Age, a un nom : elle s'appelle Dieu. Si le but de la vie est d'atteindre l'excellence, cette excellence a un nom : la sainteté. Et si la volonté humaine doit intervenir dans le destin des âmes pour les conduire à la perfection, ce choix a un nom : c'est la liberté de l'âme chrétienne. Pour peu qu'elle soit préparée à les entendre, les concepts d'Aristote sonnent curieusement à l'oreille chrétienne : ils parlent une langue aux consonances maternelles. Ils construisent une voûte dont il ne manque que la clef : la puissance du Dieu de la Bible et le visage du Christ.

Le bœuf angélique

Encore fallait-il, pour conduire cette greffe à la réussite absolue, une main sûre et un cœur amoureux. L'amoureux d'Aristote se nomme Thomas d'Aquin. Il déboule dans la philosophie du siècle comme un bulldozer. Depuis ses quinze ans, ce fils de grande famille a décidé, contre ses parents et tous les siens, qu'il entrerait dans les ordres, dans l'ordre de saint Dominique. Thomas, c'est un monument de volonté et d'énergie. A vingt-sept ans, il a tout lu, tout enregistré dans le plus profond esprit de son temps. Ses camarades, écrasés par la puissance de travail et le regard doux de ce grand garçon massif, l'ont surnommé le « bœuf muet ». Et leur maître, à l'université de Cologne, Albert le Grand, se redresse brutalement en les apostrophant : « Vous le nommez Bœuf, et dites qu'il est muet, mais je vous le prédis, ce bœuf mugira si fort que le monde en sera ébranlé ! » D'un bout à l'autre de l'Europe chrétienne, on se presse aux premières leçons de ce professeur qui n'a pas trente ans. Le pape, lui-même, a décidé de le nommer en Sorbonne. Il est reconnu d'emblée comme le plus grand philosophe de la chrétienté. Il devient le conseiller du Saint-Siège pour tout ce qui est théologie. Il assistera ainsi quatre pontifes.

Thomas enseigne à la Sorbonne, six années durant, des

foules toujours plus nombreuses. Il fonde l'université de Milan. Il est appelé en consultation partout en Europe. Et chaque jour, chaque nuit, Thomas écrit, Thomas dicte, à quatre ou cinq secrétaires à la fois, l'œuvre la plus foisonnante, la plus construite, la plus puissante du Moyen Age européen. Il n'est pas de problème pour son temps que le Bœuf angélique n'ait ruminé, dont il n'ait tiré la sève et la fibre pour construire un univers ordonné.

L'ordre de Frère Thomas est perçu, dans son temps lui-même, comme une révolution merveilleuse pour l'intelligence. Son premier biographe, Guillaume de Tocco l'écrit en son temps : « Frère Thomas soulevait dans son enseignement de nouveaux problèmes, inventait une nouvelle méthode, et mettait en avant des preuves nouvelles ; et à l'entendre ainsi enseigner une doctrine nouvelle avec des arguments nouveaux, on ne pouvait douter que Dieu, par le rayonnement de cette nouvelle lumière, et par la nouveauté de cette inspiration, lui avait donné d'enseigner, par la parole et par l'écrit, de nouvelles opinions et un nouveau savoir. »

La révolution de Thomas, c'est celle de l'Unité. Car par la puissance de son génie, il autorise la réconciliation de la raison et celle de la foi. Au lieu de nier la capacité de la raison, de lui demander de reculer devant la foi, il réconcilie ces deux démarches par la source unique dont elles proviennent et l'horizon unique qu'elles envisagent. Car si Raison et Foi ont toutes deux leur légitimité, elles ont une référence commune : la vérité qui est une, depuis toujours, et pour l'éternité. Et l'univers qu'elles cherchent à comprendre est un, lui aussi : la nature est grande et digne d'intérêt, elle a ses lois et sa logique, et c'est parce que ses lois ont une cohérence que la science peut se construire et progresser. La cohérence et la logique de la nature permettent à la raison de se mettre en place et de construire une science. Et lorsque la science se posera la question de l'origine et du destin de la nature, c'est forcément Dieu qu'elle rencontrera. Au lieu d'opposer la raison scientifique et la démarche de la foi, Thomas le Croyant rassure son temps en lui permettant de les saisir comme deux démarches convergentes vers la vérité. De la même manière, le corps et l'âme ne sont pas distincts et opposés, constamment plongés en un combat douteux. Ils sont un, pas seulement comme des matérialistes le diraient parce que le corps contient l'âme, mais parce que l'âme contient le corps en lui donnant son origine et son horizon.

Thomas entreprend deux réhabilitations : aux yeux de ceux qui n'étaient intéressés que par l'expérience mystique, il réhabilite la claire raison, la capacité pour l'homme de comprendre avec son esprit le monde dans lequel il vit, la nature qui l'abrite et qui l'habite. Et du même mouvement, il réhabilite ce qui était jusque-là méprisé par les penseurs héritiers de Platon : l'humanité de l'homme, sa réalité charnelle, ce qui lui donne des racines dans la réalité de la terre et des sens. A tout cela, jusque-là rejeté, il va donner la dignité la plus haute. De la pierre qu'avaient rejetée les bâtisseurs orgueilleux, les intellectuels purs, les idéalistes, il va faire la pierre d'angle. La création entre tout entière dans la pensée.

Et si la vérité est une, le monde l'est aussi. La manière de le comprendre et de le conduire s'unifie ainsi à son tour. La société des hommes n'a qu'un principe, et qu'une autorité. Au sommet de la société, comme au sommet de la voûte de la cathédrale, il n'y a qu'une clef, la vérité divine et son interprète autorisé, le pape.

On essaiera bien de combattre Thomas, avant et après sa mort, qui surviendra à moins de cinquante ans, le 7 mars 1274, alors qu'il obéissait au pape en se rendant au concile convoqué à Lyon. Quelques-unes de ses thèses seront condamnées. Mais chacun le sent bien, c'est un monument qui s'est ainsi manifesté. A sa mort, la Sorbonne qui, au gré des modes, ne sera pas toujours tendre avec lui demandera à garder son corps : « Il était l'étoile qui guida le monde, le *grand luminaire* dont parla la Genèse, le soleil qui préside au jour. » Canonisé en moins d'un demi-siècle, reçu au nombre des docteurs de l'Eglise, le « docteur angélique », comme son siècle l'aura nommé pour l'avenir, le « bœuf muet » au regard intérieur aura, en effet, construit un ordre nouveau, dont la cathédrale sera l'image et le symbole.

L'unité remise en question

L'histoire est prodigue en signes. Il y a moins de quinze ans entre la mort de Thomas d'Aquin et la naissance de celui qui portera les plus rudes coups à l'ordre universel que le docteur angélique avait bâti au nom de toute la chrétienté.

Guillaume d'Ockham naît à la fin du xiiie siècle, en Angleterre, dans le Surrey. Saint Thomas était dominicain, il sera franciscain. Saint Thomas était homme de réunion, il sera, avec intelligence et pénétration, sans jamais faiblir, un homme de rupture et d'affrontement.

Il est encore étudiant à Oxford lorsqu'il commence à faire parler de lui, en s'en prenant avec vigueur au pape. De l'œuvre immense de Thomas d'Aquin, il s'attaquera à l'un des piliers seulement, mais le plus sensible. S'abritant, lui aussi, sous l'autorité universelle d'Aristote, il se concentrera sur la réflexion logique. Comment se constitue une certitude ? C'est une question centrale pour qui s'intéresse à la vérité. Guillaume affirme d'abord qu'une certitude se construit à partir de l'expérience, celle de tous les jours, l'expérience que nous recueillons au travers de nos sens et des événements de notre vie. De toute vérité, chacun possède sa propre approche. L'important, c'est l'expérience individuelle. Tout le reste, toute vérité universelle, construite à partir d'un raisonnement général, d'une réflexion logique, par une déduction de l'esprit, tout cela peut être détruit par la même réflexion.

Pour Thomas, la raison humaine pouvait avoir accès à des vérités universelles. La théologie elle-même, la découverte de Dieu, était accessible par la raison. Pour Guillaume, c'est le contraire. Ni l'âme spirituelle, ni le Dieu créateur ne sont accessibles par la raison. Ce qui est ainsi proposé, c'est ni plus ni moins que la ruine de cet univers réconcilié, que symbolisaient en se rejoignant dans la voûte les piliers et les arcs de la cathédrale. Et Guillaume fait de cette ruine une traduction pour la société. Il concentre sa fougue sur la clef de voûte, celui qui réunit le monde spirituel et le monde terrestre : le pape devient l'objet de toutes ses querelles, de toutes ses fureurs.

D'abord il prend parti contre lui, en tant que puissance politique. Le combat commence sur un sujet émouvant, celui du vœu de pauvreté de son ordre, les Franciscains. Comment être un ordre mendiant, et que faire des aumônes que l'on rassemble ? Comment demeurer dépouillé de tout, et avoir cependant les moyens de répondre à l'exigence de développement d'un ordre appelé à multiplier les fondations ? Le pape finit par se mêler de cette question en codifiant le droit de propriété des mendiants. Guillaume prend le parti de la fraction la plus rebelle de son ordre et se dresse contre le pape. Il combat ses décisions qui permettent à l'ordre de gouverner des couvents, les fondations, les propriétés léguées par les fidèles.

Très vite, la contestation de Guillaume s'élargit et prend de l'ampleur. Un conflit a éclaté, en ce début de xive siècle, entre le pape et l'Empereur. Guillaume prend violemment le parti de l'Empereur. La lutte contre le pape est devenu le centre de son engagement. Le pontife meurt peu après. Mais la haine de Guillaume, loin de s'éteindre avec lui, se reporte sur son successeur. L'empereur lui-même essaie-t-il de modérer son ardeur que Guillaume lance la théorie de son ressentiment. Dans un « bref discours sur la puissance du pape », il soutient une thèse révolutionnaire : ce qui compte dans l'Eglise, c'est l'autorité de l'Ecriture. La foi transmise par le Christ et les apôtres ne peut être soumise à quelque pouvoir absolu que ce soit et, en particulier, pas à celui « des tyrans qui pour le plus grand dommage du monde se vantent de siéger sur le trône de Pierre ». La vérité de la foi, personne n'a autorité sur elle, ni le pape, ni même le concile : un croyant peut avoir raison contre le pape et contre tous. L'individualisme dans l'ordre de la raison conduit tout droit à l'individualisme dans l'ordre de la foi.

Guillaume sent bien qu'il est difficile de construire ensemble lorsque se dissolvent tous les liens de l'autorité. Qu'y a-t-il pour rassembler toutes ces aventures individuelles, toutes ces convictions singulières ? Une seule réponse : l'Ecriture. Les siècles qui viennent s'en souviendront.

Lorsque meurt Guillaume d'Ockham, aux alentours de 1350, il n'a pas la renommée et la puissance universelle que soixante-dix ans auparavant avaient acquises la personnalité et la pensée de Thomas d'Aquin. La preuve : on ne connaît ni la date exacte ni les circonstances de sa mort, ni les positions qui étaient les siennes quand elle survint, contemporaine d'un nouvel empereur et d'un nouveau pape. On pouvait croire que cette pierre jetée dans la mer demeurerait sans conséquence. On se trompait. La puissance d'une onde ne se mesure pas, dans le domaine de l'esprit, au bruit contemporain. La ruine de la cathédrale était commencée. La dissolution de l'unité de l'intelligence chrétienne, de l'autorité des papes et de l'Eglise, la séparation de la foi et de la raison, de l'Eglise et de la vérité de l'Ecriture, tout cela allait cheminer souterrainement, sans bruit, mais irrésistiblement, jusqu'au grand tremblement de terre, un siècle et demi plus tard.

La fracture de l'histoire

Dans l'histoire des hommes, tout marche du même pas. La dislocation de la vérité allait s'accompagner, durant le xive et le xve siècle, de la dislocation de l'histoire. Il y avait mille ans que l'Europe, chrétienne à l'Occident, était habituée à trouver son double en Orient, à Constantinople. Là aussi, il fallut deux siècles pour ruiner cet équilibre.

Car au milieu du xive siècle, une nouvelle puissance apparaît sur la scène du monde. Dans l'univers bariolé des clans, des tribus, des émirats que le reflux des Mongols a laissé sur les ruines de l'ancien empire des Seljoukides, un clan s'affirme, porté par d'exceptionnelles vertus guerrières. Sans doute ce clan était-il dès l'origine composé de *ghazi*, de combattants professionnels de la guerre sainte de l'Islam, dont l'exaltation religieuse et guerrière exerçait un puissant attrait sur tous ceux dans cette région de Turquie à qui la lutte contre le Chrétien servait de signe de ralliement. Son fondateur s'appelle Osman ou Othman. La puissance qu'il fonde va faire trembler l'Occident pendant six siècles : ce sera l'empire *ottoman*.

Sa puissance, c'est d'abord celle des armes. Les *janissaires* sont des professionnels de la guerre, organisés en unités permanentes, rompus à la sauvagerie et à la technique des combats les plus durs, souvent recrutés parmi les enfants des peuples vaincus. Très vite, la force de l'administration s'ajoutera à celle des armes.

Mais en ces xive et xve siècles, la priorité est à la conquête. En Asie Mineure d'abord, puis en Anatolie, dans les Balkans, la poussée ottomane paraît invincible. Orkhan, fils d'Osman, a relevé le titre de Sultan, tombé en désuétude. Son fils Soleiman, son petit-fils Mourad, passent les Dardanelles, se jettent sur la Thrace. Les souverains de l'Europe orientale, autour du roi de Hongrie, sont écrasés en 1371. Il faut presque vingt ans pour refaire une coalition, c'est à Kosovo, au Champ des Merles, malgré la mort de Mourad, que la Chrétienté des Balkans s'effondre militairement. Bayézid, qu'on appelle en Occident Bajazet, achève la conquête de la Serbie et prend Salonique. C'est un coup de tonnerre en Occident. Constantinople va-t-elle tomber ?

Alors Français et Bourguignons, Allemands et Anglais se croisent. Ils se précipitent à la rencontre du Turc. L'attendra-t-on à la frontière hongroise ? Ce ne serait guère chevaleresque. On met le siège devant Nicopolis. Soudain l'armée ottomane apparaît à l'horizon. Cent mille hommes ! Les croisés avaient l'étendard de la Vierge à la main, les janissaires firent d'eux un carnage. Byzance tomberait-elle au tournant du xve siècle ? Encore un instant, Monsieur le Bourreau. Ce fut le souverain de Samarkand, Timour qu'on appelait Leng, le boiteux, *Tamerlan* pour la postérité, qui arrêta pour un moment le bras de l'Histoire. De massacre en massacre, en deux ans, il se mit en devoir de conquérir la Mésopotamie, la Géorgie, l'Arménie, une partie de l'Inde. Le monde retient son souffle. Il occupe l'Asie Mineure. L'armée de Bajazet, l'armée de Tamerlan : les deux géants s'affrontent en 1401 sur le plateau d'Ankara. Entre le sultan ottoman et le chef de guerre turc, c'est une lutte à mort. Tamerlan sait se battre, Bajazet est trahi et fait prisonnier. L'armée ottomane est mise en déroute. Bajazet en mourra de chagrin. Et quand Tamerlan tourne bride pour rechercher vers l'Asie de nouvelles conquêtes, Constantinople se croit sauvée.

La défaite de Bajazet a d'ailleurs ouvert pour l'empire ottoman un temps d'incertitude. Les troubles intérieurs se multiplient. Etait-ce l'heure de la contre-attaque ? Pour libérer Byzance, il eût fallu qu'un même mouvement saisît l'Orient et l'Occident, leur permettant de différencier l'essentiel de l'accessoire, de ressaisir leurs forces, de se détourner de leurs querelles intestines. Mais l'Europe a d'autres chats à fouetter. Au moment où se décide le sort de l'empire d'Orient, dans les trente années décisives qui séparent 1420 de 1450, les deux grandes puissances du temps, la France et l'Angleterre vivent le dernier acte de la guerre de Cent Ans. Français et Anglais s'étreignent en une lutte pour la survie. Quand s'ouvrent ces trente années décisives, la France est menacée de ne plus être. Le roi d'Angleterre s'est fait reconnaître roi de France. Armagnacs et Bourguignons sont en guerre civile. Et le pauvre dauphin Charles avait contre lui le duc de Bourgogne et les puissances de France, Paris la grand-ville, la Sorbonne et le parlement, la force armée et la force morale de l'Angleterre triomphante, et le nombre de ceux qui toujours se tournent vers les puissants. Il n'avait en sa faveur que la lassitude du peuple contre l'Anglais et la certitude qui lentement mûrissait dans le cœur d'une pucelle de Lorraine. La marche triomphale de Jeanne d'Arc a lieu au printemps et au début de l'été 1429. Charles VII est couronné à Reims le 17 juillet. C'est l'année suivante qu'elle est prisonnière, en 1431, le 30 mai, qu'elle est suppliciée. Pourtant la guerre a basculé. Les vingt ans qui suivront verront le roi légitimé par son sacre reprendre peu à peu son royaume. Les deux grandes puissances de l'Europe occidentale en guerre l'une contre l'autre, l'Allemagne tournée vers la Bohême où s'achevait à peine la rébellion hussite, l'Italie plongée dans l'anarchie, où étaient les porte-drapeaux de l'Europe latine qui auraient pu s'engager pour sauver Byzance ?

Il fallut un roi de Hongrie, un roi polonais de seize ans, Ladislas III, et un chef de guerre venu de Transylvanie, Jean Hunyade, le « chevalier blanc », pour faire courir aux Turcs le risque de la dernière croisade. Par trois fois, dans les Balkans, les ottomans furent défaits. Ils supplièrent pour obtenir la paix. Byzance était-elle sauvée ? Ladislas n'était qu'un adolescent, mais il était roi. Il crut qu'il pouvait tout tenter.

On obéit à sa légèreté. Il se précipite en terre ottomane vers la mer Noire avec l'idée de redescendre ensuite vers Constantinople. Il s'est coupé de ses bases. La contre-attaque des Turcs, à Varna, va anéantir son armée, et laisser Byzance sans défense.

Car l'empire d'Orient n'a plus d'alliés. Les plus avertis de ceux qui la dirigèrent, et plusieurs sur le trône même d'Orient, Jean V Paléologue, Manuel II au moment de Tamerlan, Jean VIII Paléologue, tous avaient fait le voyage d'Occident, pour sortir leur empire de l'isolement qui le condamnait à sa perte.

Ils le firent, avec courage, contre leur opinion publique elle-même. Car les griefs de l'église d'Orient contre l'église d'Occident depuis la rupture de 1054 s'étaient durcis jusqu'au fanatisme. Comme toujours, c'était la surface des choses que l'on retenait d'abord. L'hystérie populaire se déchaînait contre les prêtres rasés, alors que la marque du clergé oriental était précisément la barbe que le fer ne touchait pas. Un autre scandale était que dans les églises d'Occident la coutume s'était établie que la communion fût donnée avec des hosties de pain sans levain, de pain *azyme*, alors que la présence de levain dans la pâte était selon la parole du Christ lui-même une image de la mission des Chrétiens dans le monde. Théologiquement, on se battait autour de la situation réelle des âmes retenues au purgatoire. Enfin, la grande question théologique était celle du Saint-Esprit. Dans la Trinité indissoluble, procédait-il du Père par le Fils comme le soutenait l'église d'Orient ou du Père et du Fils, *patri filioque,* comme c'était acte de foi dans l'église d'Occident? La querelle du *filioque* avait provoqué le schisme. Dans un temps affamé de vérité divine, elle n'était pas éteinte. Il fallait enfin régler la question de la prééminence dans l'Eglise entre Rome et le patriarcat d'Orient.

Les efforts désespérés des empereurs d'Orient faillirent porter leurs fruits. Un concile en 1438 après bien des passions théologiques présenta les termes d'un accord. Mais les délégués de l'église d'Orient manquèrent être lynchés à leur retour à Constantinople. Ils avaient vendu leur âme au diable ! Combien avaient-ils touché pour leur trahison ? Renégats, azymatiques ! Trahison ! On ne put ratifier l'accord. Il fallut attendre les derniers mois de 1452, la situation de la ville se révélant désespérée, pour que l'acte d'union soit proclamé, à la grande fureur de la foule aveugle et des démagogues qui excitaient sa passion. On entendit alors, en décembre, ces mots que tout politique devrait garder sous les yeux : sous les ovations de la foule haineuse, on cria à Constantinople, du balcon de dignitaires, la phrase qui dit tant de l'histoire des hommes : « Plutôt voir régner à Constantinople le turban des Turcs que la mitre des Romains ! » L'histoire qui entend tout et n'oublie rien allait le leur faire bien voir.

Car la vieille prophétie ottomane était en passe de se réaliser. On disait parmi les Turcs que Byzance serait apportée à l'Islam par un sultan de vingt ans et que sa gloire atteindrait celle du Prophète. Justement le nouveau Sultan, le fils de Mourad, a vingt et un ans et il se nomme Mahomet. Mahomet II est un conquérant, un guerrier. Il est sûr qu'il peut emporter la citadelle imprenable. Pour cela, il lui faut des hommes, plus nombreux et mieux organisés qu'aucun de ses prédécesseurs n'en eut jamais. Il lui faut des armes pour ouvrir des brèches dans les murailles les plus fameuses de l'univers : le plus grand canon du monde, fondu par le plus grand concepteur de son temps, le Hongrois Urbas, le démesuré. Il lui faut enfin l'imagination tactique la plus débridée pour tromper la ville rompue aux sièges et aux défenses. Il met le siège devant Byzance au début de l'année 1453. La ville a deux défenses : la triple rangée de murailles où tous les assiégeants, depuis mille ans, se sont cassé les dents. Et les immenses chaînes de fer qui barrent, de Stamboul à

Galata, le détroit garantissant, du côté de la mer, la tranquillité de la Corne d'Or et de son port. Pour transporter le canon de vingt mètres, on le traînera sur une chaussée de rondins de bois, bien huilés, sur une distance de trois cents kilomètres depuis la capitale du sultanat jusqu'aux remparts de Constantinople. Sur son cheval noir, Mahomet observe les attelages ahanant, de part et d'autre du canon démesuré. Le premier boulet, la détonation à nulle autre pareille, sèment la panique sur les remparts de Byzance. L'empereur Constantin, revêtu des insignes impériaux, les mêmes que dans l'antiquité romaine, rameute l'énergie des siens. Les 200 000 habitants de la ville assiégée, pour se rassurer, regardent vers la mer. Car tranquillement ancrées au port, à l'abri, les galères byzantines narguent la flotte ottomane. Les vaisseaux turcs sont des moustiques : ils ne franchiront pas les chaînes de la Corne d'Or.

Mahomet s'impatiente : il lui faut frapper les esprits à défaut de pouvoir emporter, par la poudre ou par l'assaut, les murailles les plus célèbres de l'univers. Quatre galères génoises, déjà, ont pu rejoindre le port, s'y mettre à l'abri, apporter du blé et des armes. Quatre galères, ce n'est pas beaucoup, mais qui sait ? C'est le port qui est le point faible de son dispositif. C'est la flotte qu'il fixe, l'impuissance où le réduit la sécurité de la Corne d'Or. Alors il se souvient du cheminement du canon. En grand secret, il fait abattre des arbres. Entre la Corne d'Or et la mer, il y a trois kilomètres de collines, une dorsale de pierre aride et de maigre forêt. Il ordonne qu'on apporte des milliers de rondins, des tonneaux d'huile, des centaines d'attelages de mulets, d'ânes et de chevaux. Il faut des jours, en grand secret, pour constituer ces réserves. Une nuit de mai, les ordres de Mahomet retentissent, inouïs : des dizaines de milliers d'hommes, comme une armée de fourmis, bâtissent un chemin de rondins qui prend d'assaut la colline et la roche. D'une mer à l'autre, depuis le Bosphore jusqu'à la Corne d'Or, des dizaines de bateaux sont tirés à terre, placés sur des traîneaux, et halés dans l'ombre. Ce qu'aucun capitaine n'aurait imaginé se réalise en quelques heures : la flotte turque a tourné les chaînes invincibles. Au matin, Constantinople se réveille dans le pire de ses cauchemars. La Corne d'Or est la proie des Turcs !

Un mois encore, les destins hésiteront. Dans un mouvement de hardiesse inimaginable, une embarcation byzantine, un brigantin avec un équipage d'une dizaine d'hommes, sous couleurs turques, réussit à forcer le blocus, à traverser les Dardanelles pour avertir les alliés Vénitiens ou Génois. Mais l'Europe est sourde aux appels de sa sœur orientale. Sainte-Sophie abandonnée à l'Islam ? Plus personne ne semble accorder la moindre pensée à ce risque, dans une Europe plongée dans les querelles intestines. Les forces ottomanes, décuplées par des siècles de désir et de frustration, trouvent là leur revanche. L'assaut final dura plus de vingt heures, le 29 mai 1453. Des heures durant, les vagues d'assaillants, des bachi-bouzouks inexpérimentés aux janissaires dont la guerre était la vie, se brisèrent sur les remparts de Théodose et de Justinien. Y eut-il une porte ouverte dans la nuit, une porte oubliée dans la dernière muraille ? Qu'importe ! L'histoire avait depuis longtemps disposé de la fin de Constantinople. Quand la digue céda, commencèrent les massacres et le sac de la ville. Mahomet avait promis à ses troupes exaltées trois jours de pillage, trois jours de viols et de massacres. Dans la basilique, on égorgea des milliers de chrétiens en prière. Cinquante mille habitants de Constantinople furent vendus comme esclaves. Tous les dignitaires survivants furent mis à mort. L'empereur byzantin fut retrouvé sous un tas de cadavres, reconnaissable seulement à ses sandales pourpres aux aigles d'or, et sa tête clouée au fronton du Palais. Ponctuellement, au troisième jour, Mahomet entrait dans Sainte-Sophie, pendant que s'écroulait la croix de la coupole sainte. Pour la première fois retentissait sous les voûtes lumineuses et presque millénaires, l'appel de l'imam à la prière.

Imagine-t-on ce que fut pour l'Occident la chute de Constantinople? Pas seulement pour les livres d'histoire qui fixent à cet instant précis où s'élève dans la basilique des chrétiens d'Orient l'appel à la prière musulmane, la fin du Moyen Age et l'entrée dans les temps modernes, le début d'un nouveau monde. Mais pour les consciences chrétiennes! C'est toute l'architecture du monde qu'il convient de revoir : pour toute l'Europe chrétienne, il n'y a plus d'Orient. Rome, Byzance, les deux empereurs, les deux empires symétriques, l'équilibre millénaire est à jamais rompu!

La chrétienté explose en nations

L'empire romain s'effondre à Constantinople. Il se fracture à l'Occident. Au marbre unique de la langue latine, du droit romain, du pontife spirituel et de l'empereur, les esprits vont prendre l'habitude de substituer une mosaïque.

Comme souvent, c'est la langue qui précède et annonce les réalités historiques. L'Europe de l'unité latine se fracture. Les patois deviennent des langues. Dante se fait le chantre d'un monde qui s'en va. Il écrit l'hymne de sa grandeur et de sa nostalgie. Mais il l'écrit en italien. Les humanistes ont découvert le grec. Mais plus encore, c'est le français, l'anglais, l'allemand qu'ils explorent. Il faut nourrir ces langues nouvelles de vocables précis. Souvent, c'est dans le fonds français que l'on va rechercher le mot qui manque. Les intellectuels français, eux, vont jusqu'au grec. La Pléiade trouvera un joli nom pour désigner cette quête de mots nouveaux pour enrichir la langue : le *provignement*. Bientôt, en 1539, l'ordonnance de Villers-Côtterets imposera l'usage de langue nationale pour tous les actes de la vie publique du royaume de France, consacrant la fierté de la langue du sol, cette révolte des particularismes nationaux contre l'ordre latin. Dans l'ordre politique, la grande nouvelle c'est la naissance des nations. C'est de l'Ouest que l'idée viendra, des deux puissances ennemies, de plus en plus affirmées, que sont la France et l'Angleterre. Peu à peu, au fil des guerres, se fera de plus en plus présente l'idée des liens privilégiés qui existent entre l'individu et le peuple auquel il appartient. L'idée même de peuple ou de nation s'ouvre. Jusqu'alors, « nation », c'est la naissance. A l'université de Paris, les étudiants se répartissent en quatre « nations », la française, la normande, la picarde et l'anglaise, bientôt remplacée à la fin de la guerre de cent ans par l'allemande. Bientôt « nation », ce sera l'appartenance au royaume. Le lien de dépendance se renverse. J. Strayer [1] écrit : « Pour les hommes du Moyen Age la hiérarchie des allégeances était la suivante : je suis d'abord chrétien, ensuite bourguignon, enfin seulement français. » Mais déjà en 1422 Alain Chartier pose un regard nouveau sur le sentiment national : « Après le lien de foi catholique, Nature vous a, devant toute autre chose, obligés au commun salut du pays de votre naissance. » Le temps n'est plus loin où même la religion deviendra nationale. C'est en 1438, à Bourges, que Charles VII, prendra la *Pragmatique sanction.* Ce nom juridique définit certaines décisions des souverains, prises après consultation solennelle d'une assemblée de juristes, pour trancher un problème pendant depuis longtemps. Signant la *Pragmatique sanction*, le roi de Jeanne d'Arc, le souverain de la Guerre de Cent Ans, déclare, au-delà de l'indépendance du royaume, l'indépendance de l'Eglise de France. L'acte restreignait considérablement les pouvoirs de la papauté, en particulier en ordonnant la libre élection des évêques par les chapitres de chanoines et en limitant les pouvoirs des juridictions de l'Eglise.

---

1. J. Strayer : « The Laicisation of French and English Society in the Thirteenth Century », *Speculum,* 1940.

Le mouvement est particulièrement fort en France et en Angleterre. Mais il est contemporain d'agacements de plus en plus affirmés, notamment en Allemagne, des pouvoirs temporels, princes et empereur, à l'égard du pape. Comme souvent, l'agacement politique est traduit en contestation théologique. Partout on trouve des défenseurs de l'idée que le concile est plus que le pape. Et donc que c'est du peuple de l'Eglise que vient la légitimité. C'est l'autorité qui unifiait la Chrétienté qui se trouve ainsi mise en cause, en même temps qu'elle se fragilise elle-même, par ses divisions et ses inconséquences, jusqu'à la dérision.

L'unité de la chrétienté est mise en cause par la philosophie, elle s'effondre dans l'histoire européenne, elle est attaquée par le sentiment national, elle n'existe plus dans la langue et la littérature, elle est contestée dans l'Eglise elle-même. La lente dérive des continents est commencée. Tout au long de cette histoire, la plupart de ceux qui y participent seront aveugles sur le cours réel des événements. D'autres, plus clairvoyants, auront l'illusion qu'ils peuvent freiner ou inverser le glissement des choses. Ils se trompent. Les mouvements de l'histoire sont si profonds, ils répondent à des appels si mystérieux et si éloquents, de si longue période, qu'il est impossible d'en prétendre renverser les arrêts. C'est de les comprendre, seulement, que l'on peut éviter les erreurs les plus cruelles, celles qui tournent en barbarie, quand le dragon de l'histoire vomit le feu ou fauche les générations. C'est de les discerner que l'on peut espérer trouver la force de les infléchir, en pesant au bon moment, par la bonne décision, sur l'âme des peuples, qui sait instinctivement ce qu'elle veut, qui le cherche obstinément, mais qui souffre d'être incapable de nommer cet horizon vers lequel elle va.

Souffrance de la paroisse

L'esprit de chrétienté s'épuise. Cette souffrance déchire l'Eglise. Mais, plus encore, elle atteint la paroisse. L'humble village, le quartier urbain, l'université, le terrain, comme nous dirions aujourd'hui, souffrent autant que l'institution. Ce n'est pas encore le temps du doute. La société est habitée de foi. Aucun des actes de la vie privée ou publique n'est exempt de référence religieuse. Mais, d'une certaine manière, c'est un paganisme chrétien qui se développe, fait de formules pour ainsi dire magiques, de prières marmonnées, de recours à des intercessions pour détourner les influences maléfiques. Les saints ne sont plus ainsi des exemples de vie, ils ne sont plus des personnes, ils sont des influences, pas très éloignées des génies ou des dieux domestiques de l'Antiquité.

C'est ainsi que tous les instants ont leurs saints et leurs prières. L'habitude en a duré longtemps. Pas un coup de tonnerre, dans mon enfance, qui ne plongeât ma grand-mère dans une invocation ternaire : « Sainte Barbe et sainte Hélène, et sainte Marie Madeleine, protégez-nous de la foudre, des éclairs et de la grêle ! » Mais en cette fin du Moyen Age, chacune des activités agricoles, chacun des moments de la vie, chacune des maladies, chacune des échéances privées a sa protection et son invocation. Il y a un saint pour la peste, saint Roch, un saint pour les furoncles et les pustules, saint Fiacre, un saint pour la boiterie, saint Pie, et un pour la goutte, saint Antonin. Quand on est pris de mal aux dents, c'est sainte Apolline qui est compétente, martyre à qui ses bourreaux arrachèrent toutes les dents. Pour les femmes stériles, c'est sainte Anne qu'il convient de solliciter. Et quand on a du mal à uriner, c'est saint Damien qui est à même d'intervenir. De même, il y a des prières pour traire les vaches et celles qu'appellent les vêlages difficiles.

La religiosité paraît proche de la superstition. Le culte des reliques, fragments d'objets ou restes de corps réputés avoir appartenu à des saints, atteint des sommets touchants. Pas un fragment d'os qui ne trouve à se vendre, et fort cher, s'il est garanti comme ayant appartenu à un saint ou à une sainte. Pas un morceau de vêtement dont on ne se fasse ainsi une sorte d'amulette. A Constantinople, qui est le centre de ce commerce, on réussit à vendre, dit-on, un verre d'eau, présenté comme celui que le Christ reçut de la Samaritaine, et un morceau de pain de la Cène !

C'est vrai, le sentiment religieux est partout, mais il est profondément dévoyé par l'usage qu'on en fait. Pour le peuple de la paroisse, c'est par le spectacle qu'il est le mieux mis en valeur. Le sermon est mis en scène et les meilleurs orateurs sont l'objet d'un culte de show-biz. Mais surtout le *mystère* mélange allègrement référence chrétienne, exaltation mystique et scènes d'horreur. L'histoire sainte en fournit le prétexte. Elle fourmille de situations scabreuses et son merveilleux se prête au théâtre et à la prestidigitation : les anges volent, l'eau se change en vin. Les scènes de torture simulées y ont volontiers leur place : la passion en fournit le prétexte. Les acteurs sont fouettés jusqu'au sang. Un mannequin figurant le Christ est décrit en Allemagne : on le perce de coups de lance et des vessies pleines de sang de porc et d'eau trouble reproduisent l'hémorragie sacrée.

A côté de cette omniprésence de la religiosité superstitieuse, la vie de la paroisse est singulièrement affaiblie. Le clergé a sa part de responsabilité, l'organisation de l'Eglise aussi. Des pratiques dangereuses sont devenues l'habitude et la règle. Des revenus ecclésiastiques sont distribués en dehors de l'Eglise à des bénéficiaires laïcs. C'est la pratique de la *commende* qui permet de voir des enfants de douze ans ou des familles privilégiées vivre ainsi en parasites de l'Eglise. De la même manière, on prend l'habitude de distinguer l'attribution d'une fonction de son exercice réel : bénéficiaire d'une abbaye, on peut en être réputé abbé, c'est-à-dire, en principe, supérieur, sans aucune charge religieuse. La mission de direction de la communauté est déléguée à quelqu'un d'autre. On va, en Allemagne, jusqu'à désigner ainsi des princes-évêques, qui ne songent même pas à devenir prêtres, et se marient en grande pompe ! Dès lors, le clergé paroissial tombe dans les mêmes abus. Dans tous les diocèses, l'absentéisme fait des ravages. De nombreux évêques ne songent pas à mettre leurs augustes pieds là où devrait les appeler leur mission pastorale. Ils sont à la cour, vivent à Paris, l'évêché demeure vide et les rapports d'inspection inventent pour traduire cette absence de curieuses tournures grammaticales : l'évêque « se serait rendu » dans telle paroisse, il « aurait rencontré » tel chapitre, il « aurait fait » telle remarque ou telle constatation. Le conditionnel, comme dans les contes d'enfants, est devenu le temps de l'illusion. Mais dans la paroisse, le clergé lui-même est absent. Elles sont si nombreuses, celles qui ne voient jamais le titulaire du poste, plus d'une sur trois dans certains diocèses ruraux. Quand il est là, au demeurant, le curé rencontre bien des difficultés. La communion est rare. Les plus pieux des paroissiens communient trois fois par an. Les autres, à la seule cérémonie où la communion soit obligatoire, à Pâques. Le reste de l'année, on ne songe ni à arriver à l'heure, ni à demeurer jusqu'à la consécration. Les paroissiens considèrent qu'ils ont assisté à la messe dès lors qu'ils sont entrés, ont trempé leurs doigts dans l'eau bénite et marmonné quelque prière à leur saint tutélaire. C'est le dernier lieu où l'on pourrait demeurer silencieux : les conversations vont bon train, et l'église est un lieu de passage où l'on entre comme on est, en compagnie de son chien ou de son faucon qu'on serait bien en peine de laisser dehors. Pauvres églises, d'ailleurs, qui souffrent elles aussi de la misère du temps, ruinées pour beaucoup d'entre elles, toitures défoncées et misère du mobilier. C'est qu'ils n'ont pas grand-chose à dire, ces prêtres, qui manquent cruellement de formation. Les séminaires n'existent pas et l'on devient prêtre de la façon la plus sommaire. L'ordination est à peine accompagnée d'un examen probatoire.

Quant au clergé régulier, il est l'objet de tous les soupçons et de toutes les railleries : Paris éclate de rire à répéter le couplet de Molinet :

> *Prions Dieu que les Jacobins*
> *Puissent manger les Augustins,*
> *Et que les Carmes soient pendus*
> *Des Cordes des frères menus !*

C'est que l'Eglise tout entière s'émeut de bien des dérèglements qu'on observe chez les moines, ripailleurs, bambocheurs, amateurs de bonne chère, de bon vin et, dit-on souvent, de filles faciles.

Cette souffrance de la foi, dans l'humble église quotidienne, pèse lourdement dans la préparation de la Réforme. L'âme est avide de salut et d'authenticité. Partout s'exprime l'exigence de prêtres que l'on pourrait estimer et d'une religion dans laquelle on se retrouverait. Quand la Réforme s'avancera sur le devant de la scène, l'Eglise catholique commencera à son tour le grand mouvement de son changement. Ce sera le Concile de Trente et la réforme catholique. L'organisation de l'Eglise, la démarche des clercs, l'encadrement pastoral en seront profondément revivifiés. Mais, pour sauver l'unité du christianisme occidental, cette réforme-là venait cent ans trop tard. L'appel des grands mystiques n'avait pas été entendu. L'appétit de pouvoir et de biens matériels avait été trop fort : l'Eglise n'avait pas su lire l'âme de son temps.

La révolution médiatique

Pour qui aime les clins d'œil de l'histoire, il n'y a rien de plus significatif que cette idée : c'est probablement dans les jours mêmes où tombe Constantinople que Gutenberg invente l'imprimerie. Une époque s'achève, une autre commence.

On avait déjà commencé à imprimer, difficilement, des images, sur des formes de bois, servant peut-être à quelque Epinal avant la lettre, en particulier en Bourgogne, images de saints destinées à la vénération, saint Roch ou sainte Apolline, et parfois reliées en petits volumes. Mais la xylographie avait d'évidentes limites : la forme était unique, devait être sculptée à l'unité. C'est alors que dans les années 1450 une grande agitation technique se manifeste autour du Rhin, à Strasbourg et à Mayence, mais aussi aux Pays-Bas et à Avignon. On dit qu'il existe un procédé « d'écriture artificielle ». C'est à Johannes Gensfleisch, dit Gutenberg, orfèvre, issu d'une famille de frappeurs de monnaie que l'histoire donnera le mérite d'avoir inventé la typographie. Désormais on imprimera les livres à partir de caractères de plomb, prêts à l'avance, un par lettre ou par espace, que l'on joindra sur des formes, avant de les encrer et de les mettre au contact du papier.

En 1460, le procédé est fixé. Il a un succès prodigieux. Pour en donner une idée, il suffit de rapporter qu'en 1480, on connaît déjà plus de cent dix imprimeries, et qu'au tournant du siècle, il y a en Europe près de trois cents villes qui accueillent cette industrie. Avant 1500, on compte plus de trente mille éditions d'ouvrages différents, ce qui suppose au moins vingt millions d'exemplaires mis en vente. C'est un prodigieux élan technique. C'est surtout une révolution intellectuelle et sociale.

Car, du jour au lendemain, la lecture, jusque-là réservée au petit nombre des privilégiés possesseurs de bibliothèques d'ouvrages copiés, est offerte à tous.

Et cela change tout, en particulier la foi. Car une autorité apparaît au-dessus de l'Eglise : c'est le texte de l'Ecriture, hier réservé aux savants et aux clercs, offert en un latin peu compréhensible au grand nombre, et désormais disponible, abondant, accessible en français comme dans toutes les autres langues des nations d'Europe. Désormais, l'autorité des Pères de l'Eglise, et de la Tradition, se trouve confrontée à la force du texte sacré, qui s'impose, dès la première lecture. C'est pourquoi la petite pierre lancée par Guillaume d'Ockham va faire tant de vagues. Pour tous les réformateurs, qu'importent désormais la critique de Rome, et les mésententes doctrinales ? Au-dessus de Rome, il y a l'Ecriture, comme clef de voûte, autorité suprême et suprême recours de toute théologie.

De Dieu, du Christ, au croyant, par la grâce, par l'Ecriture, le lien direct est établi, quelles que soient désormais les circonstances historiques et la forme de l'Eglise. La Vérité reçue de la chaire, énoncée par le pape, consacrée par le concile, est désormais une vérité que chacun entend se former dans son cœur. L'imprimerie aura été la condition même de cette révolution, de la Vérité comme autorité à la vérité comme conviction personnelle.

LE TEMPS DES RÉFORMATEURS

Martin Luther : le poids des fondations

Au tournant du siècle, dans l'Allemagne où va naître Martin Luther, l'ambiance est à la contestation. Autour des pouvoirs respectifs du pape et de l'empereur, des disputes théologiques, des libelles politiques s'écrivent et se publient. Des condamnations s'échangent, dirigées avec sévérité contre le Saint-Siège, sa prétention au pouvoir politique et l'indignité des mœurs qui règnent à Rome. En première ligne de ces combats, il y a en particulier les humanistes de l'Université d'Erfurt, dans les années mêmes où Martin Luther, âgé de dix-huit ans, y est reçu comme étudiant.

Quelle a été l'enfance et la jeunesse de Martin ? Le futur réformateur est né en 1483, au mois de novembre, en Saxe, à Eisleben. « Je suis, dit-il lui-même, un fils de paysans. Mon arrière-grand-père, mon grand-père, mon père, étaient d'authentiques paysans. » Ambitieux le père, Hans, travaille beaucoup, « c'est la sueur de cet homme qui m'a fait ce que je suis », dira son fils. Il est activement secondé par sa femme, fille de famille, qui n'hésite pourtant pas à porter sur son dos le bois qui sert à chauffer la maison. Pour progresser dans la société, Hans, abandonne la terre pour la mine. Il y réussit si bien, par les mines et la forge, qu'il s'enrichit, devint bourgeois et magistrat de Mansfeld.

Quelle est l'ambiance dans la famille Luther ? C'est plus difficile à savoir. Martin décrira son enfance comme froide et sans amour. Cela sera contesté, comme une touche de tragédie sur une vie recomposée comme un roman. Toujours est-il que Martin est poussé vers les études. Son père rêve d'en faire un juriste et lui prépare une réussite dans la magistrature. Il entre à l'Université d'Erfurt en 1501. L'année suivante, à dix-neuf ans, il est reçu au grade de bachelier. En 1505, à vingt-deux ans, il devient maître-ès arts et reçoit sa licence. C'est à ce moment, alors qu'il a décidé de suivre l'ambition paternelle et de se spécialiser en droit, en plein été 1505, le 2 juillet, qu'il est surpris sur une route par un orage violent qui foudroie un arbre à côté de lui. Un cri monte alors de sa frayeur : « Sainte Anne, secourez-moi. Je me ferai moine ! » Ce cri résout le problème de sa vocation. C'est dire qu'elle mûrissait en lui depuis longtemps, dans la piété de sa mère et dans la crainte que lui inspirait son père. Quinze jours plus tard, malgré la colère paternelle, il entre aux Augustins d'Erfurt.

C'est une règle sévère que celle de l'ordre mendiant des ermites de Saint-Augustin : strictement végétarien, strictement adonné au jeûne, à la pauvreté et à la mendicité, aux règles de vie dures, sans chauffage et sans confort. Quand il évoque ces années de formation, c'est une immense angoisse que Martin traduit. Non pas l'angoisse de la discipline : « J'ai été un moine pieux, je puis l'affirmer ; j'ai observé la règle si sévèrement que je puis dire : si jamais moine eût pu gagner le ciel par moinerie, à coup sûr je l'aurais fait. » Non pas tant non plus, même si cela a beaucoup été répété, par l'obsession de sa sensualité. La « concupiscence de la chair », le « désir », qu'évoque lui-même Martin Luther, jouent sans doute un rôle angoissant, mais c'est au sens le plus large qu'il les ressent : ce sens du péché qui l'accable jour et nuit, c'est tout ce qui est de l'ordre du matériel, du contingent, tout ce qui empêche l'âme de s'élever où l'appelle sa vocation mystique, l'envie, l'impatience, la jalousie, aussi bien que la nostalgie du plaisir. Plus encore, plus lourdement, l'angoisse de l'indignité, la perspective du Christ, non pas comme frère lumineux, mais

comme juge, impossible à rencontrer, impossible à satisfaire.
C'est la religion qui est jalouse, c'est Dieu qui est sévère :
« J'ai souvent été effrayé par le nom de Jésus, et quand je le
regardais sur la Croix, je croyais qu'il était pour moi comme
la foudre. » Sentant la croissance de ces angoisses, ses supérieurs
s'avisent de ce moine brillant, pour qui la vie paraît si lourde,
et décident de lui offrir de réaliser sa vocation par l'enseignement. Son supérieur l'appelle en 1508 à Wittenberg pour y
donner un cours sur Aristote. Deux ans après, il lui demande
de l'accompagner à Rome. A leur retour, il lui confie la charge
de vice-prieur de son couvent. Puis le charge d'un cours
majeur : celui d'exégèse biblique. En 1512, il est licencié en
théologie et reçu docteur la même année. Le parcours de ce
jeune moine, qui n'est pas encore âgé de trente ans, est spectaculaire. On se presse à ses cours. Lui, pourtant, n'est pas sorti
de la crise spirituelle qui le broie. Le péché ! L'insuffisance de
l'homme croyant ! L'incapacité à rejoindre Dieu ! C'est une
véritable épreuve qui l'accable : « Pour tous ceux qui
souffrent, le temps est long... Il est immensément long pour
ceux qui connaissent cette douleur intérieure de l'âme qui, du
fait de l'abandon et du renoncement de Dieu, est ressentie
comme on le dit : une heure au purgatoire est plus cruelle que
mille années de peines corporelles sur la terre. »

Au cours de cette crise, son protecteur, Staupitz, jouera le
rôle du consolateur le plus éclairé qu'une âme inquiète comme
celle de Martin pouvait trouver auprès d'elle. Avec une pénétration admirable, il lui dit un jour : « Ce n'est pas Dieu qui est
irrité contre toi, c'est toi qui es irrité contre lui. » C'était aller au
cœur de l'angoisse du moine. Quelques mois plus tard, vint
l'illumination qu'à la suite de Luther lui-même, on nomme
l'événement de la tour (du couvent de Wittenberg). Là encore,
il est probable que ce moment, probablement au cours de
l'hiver 1513, n'a été que la réalisation, l'accomplissement
d'un lent mûrissement. Méditant sur l'épître aux Romains de

saint Paul, la phrase « le juste vivra par la foi », et l'expression
« la justice de Dieu », prennent tout à coup pour l'esprit tourmenté de Martin Luther un sens nouveau : et si la « justice »,
ce n'était pas tant la justice qu'on prononce, celle du juge qui
punit, que la justice qu'on demande, celle qu'appelle le
pauvre accablé qui crie justice, celle du bienfaiteur qui libère
et fait vivre. Le visage de Dieu, jusque-là juge sévère, devient
celui d'un dispensateur bienfaisant, et le vecteur de ce bonheur, c'est la foi, la foi seule, *sola fide*. C'est le don gratuit de
Dieu qui fait le salut, la grâce accordée par Dieu, *sola gratia*.
Et nous la connaissons, par la bonté de Dieu, par un vecteur
unique, celui-là même qui la révéla à Martin, l'Ecriture,
l'Ecriture seule, *sola scriptura*. *Sola fide, sola gratia, sola
scriptura*. De 1513 à 1517, s'est forgée l'armure théologique
qui sera celle de Martin Luther. Ce n'est pas qu'il abandonne
la préoccupation de la sainteté, mais il n'en a plus l'approche
angoissée qui avait été pendant des années la compagne de sa
recherche. Il vit dans la joie sa réconciliation avec Dieu. Staupitz avait raison : la colère contre Dieu de Martin Luther s'en
est allée, et il ne lui reste que le sentiment infini de Sa bonté
gratuite.

Mais au même moment, tout se ligue dans la Chrétienté,
pour que change l'objet de sa colère. Alors qu'il vient de voir
s'ouvrir l'horizon, il est emporté par le sentiment que la doctrine officielle de l'Eglise glisse vers d'inqualifiables dérives.
Il le sait maintenant, rien ne peut sauver du péché que
l'amour de Dieu. Et voilà que l'Eglise officielle répand la
contrevérité la plus choquante. L'homme pourrait, de son
propre mouvement, se libérer de ses fautes, et non pas par la
confession, non pas par la contrition, mais par l'argent ! En
achetant un pardon tarifé ! La doctrine des *indulgences* s'était
répandue surtout dans les dernières décennies du xve siècle.
Le raisonnement qui les justifie semble imparable : pour la foi
de l'Eglise, les œuvres des humains contribuent au salut des
hommes ; les bonnes œuvres, l'aide apportée aux autres, sont
prises en compte par le Juge Suprême au moment du bilan

d'une vie. Quoi de meilleur alors, parmi les œuvres des hommes, que les bienfaits apportés à l'Eglise du Christ ? Le besoin d'argent de l'Eglise était toujours pressant. On en vint alors à admettre que le don d'argent à l'Eglise rachetait non seulement la peine mais la faute elle-même, directement effacée du grand livre.

C'est ainsi que dans les rues des bourgades allemandes, un dominicain commis aux indulgences, se faisait précéder du texte de la bulle papale, et offrait la rémission des péchés, Pour une somme fixée, allant selon la condition du passant, d'un demi-florin à vingt-cinq florins.

Par les rues, devant lui, on chantait le refrain publicitaire qu'il avait popularisé :

> *Dans le tronc généreux*
> *Sitôt que l'argent sonne*
> *Du purgatoire en feu*
> *Une âme aimée s'envole.*

Tout, dans cette pratique, révoltait Luther. On a vu l'importance qu'avait eu la réflexion sur le péché dans sa formation. On a compris que c'était dans le rapport direct de l'homme à Dieu qu'il construisait sa conscience religieuse. L'Eglise pouvait être une communauté de croyants : elle ne pouvait pas se substituer à Dieu pour prodiguer sa grâce suprême, le pardon des péchés. Et contre de l'argent ! Tous les abus de l'Eglise séculière et régulière se trouvent résumés ici : l'argent et le péché font le plus détonant des cocktails.

C'est alors, en cet automne 1517, que l'étincelle est portée par Martin Luther. Il affiche sur le panneau de la porte de l'église du château de Wittenberg les *95 thèses* en latin où il théorise sa révolte. Il choisit d'agir le 31 octobre. C'est en effet le lendemain, jour de la Toussaint, que Frédéric, l'électeur de Saxe, dont il est le sujet, ouvre tous les ans au public son musée de reliques, chaque année plus baroque et plus riche – langes de l'Enfant Jésus, paille de la crèche, prépuce du Christ conservé de la circoncision, goutte de lait de la vierge, et autres folies, en tout plus de dix-sept mille objets –, et dont la visite confère elle aussi des indulgences qui se comptent en centaines de milliers d'années de purgatoire ! Le texte des 95 thèses est une attaque en règle : « Autrefois, les trésors de l'Evangile étaient le filet qui servait à saisir les hommes dévoyés par la richesse ; aujourd'hui les trésors des indulgences servent seulement à saisir les richesses des hommes... Il faut enseigner aux chrétiens que celui qui voyant son prochain dans l'indigence, le laisse dans la misère pour acheter des indulgences, ne s'achète pas l'indulgence du pape, mais l'indignation de Dieu. » Le retentissement est énorme : dans toute l'Allemagne, les étudiants traduisent le texte, le répandent et en font une arme de la contestation plus générale de l'Eglise. Martin envoie son texte au pape. Rien encore à ce moment d'irrémédiable. Bien loin de Luther l'idée qu'il se sépare de l'Eglise. Au contraire, il écrit au pape avec une grande humilité : « Très saint père, si j'ai mérité la mort, je ne refuse pas de mourir. »

Mais devant le bruit fait autour de l'événement, un cardinal, Thomas de Vio dit Gajetan du nom de sa ville natale, Gaète, est désigné pour conduire une enquête. Il argumente contre Luther – à qui il trouve, écrira-t-il, « des yeux profonds » – pendant quatre jours, sur deux points essentiels : son idée de la grâce qui met en danger le mérite ; l'invocation de l'Ecriture qui affaiblit l'autorité de l'Eglise. Naturellement, Luther, sûr de sa pensée, ne retire rien sur le fond.

Luther est un tempérament. Il est porté à se durcir dès l'instant que l'on met en doute ses affirmations. Il accable ses contradicteurs de sarcasmes : ils sont aussi doués pour la théologie que « des ânes pour jouer de la harpe » ; ils pénètrent l'Ecriture « aussi profondément qu'une araignée qui nage à la surface de l'eau ». Sans doute aurait-on pu le conduire, non pas à se renier, mais à des sentiments plus filiaux, tant est grand son refus de toute idée de schisme. Mais on le contredit, on organise contre lui de solennelles disputes. Cela l'amène chaque fois à radicaliser ses thèses. Ainsi de la grande dispute de Leipzig sur l'Ecriture. Contre lui, Jean Eck affirme que l'essentiel est dans l'autorité : radicalisant son propos, Luther affirme que toute autorité est dans l'Ecriture. Du coup, c'est l'Eglise qui se trouve privée de justification.

Luther est porté par le succès. Il sent autour de lui la communion, la ferveur. On se presse à ses cours, on est même obligé de construire un nouveau bâtiment universitaire à Wittenberg. Coup sur coup, en 1520, il publie trois textes majeurs, qui font basculer son projet. Il développe un programme de la réforme qui s'attaque au dogme lui-même. Les sacrements, par exemple, sont remis en cause : Luther n'en conserve que trois, le baptême, la cène et la pénitence. Les autres sont abrogés comme n'étant pas institués par le Christ. Encore la cène est-elle regardée non plus comme un sacrifice, mais comme un signe du don de Dieu reçu dans la foi. Toucher aux sacrements, c'était bien entendu s'attaquer à ce que l'église avait de plus sacré. *A la noblesse chrétienne de la nation allemande* est un manifeste où il appelle les nobles à se transformer en réformateurs de l'église, niant du même coup qu'il puisse exister un état sacerdotal, tous les hommes étant également prêtres.

Le procès de Luther devenait implaidable. Lui-même le savait : « je ne veux plus être réconcilié », écrivait-il. En juin 1520, Luther est l'objet d'une menace d'excommunication, la bulle *Exsurge domine* (défends-toi Seigneur). En décembre, il brûle la bulle en public. En janvier 1521, l'excommunication est prononcée.

Charles Quint vient d'être élu empereur. Il est le protecteur de l'Eglise. Tout excommunié est mis au ban de l'empire, pourvu que la Diète donne son accord. Martin est convoqué devant la Diète, il refuse à trois reprises de se rétracter. Condamné, il sait en quittant Worms que tout le monde peut le mettre à mort. Ses amis veulent le mettre à l'abri. L'électeur de Saxe le fait enlever et l'abrite au château de la Wartburg, près d'Eisenach. Là, habillé en chevalier, ayant laissé pousser sa barbe et ses cheveux, défroqué de fait, et ayant renoncé à la tonsure, il écrit. On le croit mort. Il polémique. Il rédige un « jugement » sur les vœux monastiques, où, fidèle à lui-même, il indique que la chasteté est un état d'esprit, et qu'elle vaut pour tous, dans le mariage comme au couvent. Il n'est donc plus obligatoire de se priver de mariage. Beaucoup de moines et de religieuses quitteront aussitôt leur retraite pour convoler.

Surtout, il produit un chef-d'œuvre, à la fois littéraire et spirituel, la traduction du Nouveau Testament en allemand. Avant Luther, comme on l'a dit, il n'y avait pas de langue allemande, mais une multitude de dialectes concurrents. Luther façonne une langue : « La femme à son ménage, les enfants à leurs jeux, les bourgeois sur la place, voilà quels furent mes maîtres : j'ai voulu apprendre d'eux comment on parle, comment on explique. » Après la traduction de Martin Luther qu'il complétera par une Bible, la langue allemande est née, construite, solide, expressive. Il faut se représenter le puissant génie qui pouvait ainsi donner à la fois une langue et une foi à son peuple et au patrimoine de l'humanité.

Mais son absence est dangereuse, les nouvelles qui arrivent, inquiétantes. A Wittenberg, de curieuses doctrines se répandent : se prétendant directement inspirés de l'Esprit-Saint, des luthériens extrémistes installent une terrible anarchie religieuse. Ils bouleversent profondément les offices, les réduisant à une simple prédication et à la communion au pain et au vin. Ils détruisent les statues et les autels latéraux des églises. Ils proclament l'obligation du mariage des prêtres et facultatif celui des moines. Le peuple est dans un immense sentiment d'angoisse. Luther est rappelé au début de mars 1522.

Il suffit de huit sermons à Luther pour remettre de l'ordre, rendant au peuple l'ancien culte, le latin et la communion à la seule hostie. C'est plusieurs années après, seulement, qu'il intégrera peu à peu des changements dans le culte et l'office. Le Luther d'après l'excommunication n'a pas rompu avec le Luther d'avant. Il se méfie de ceux qui veulent aller trop loin sans avoir la formation nécessaire pour faire des choix éclairés, et sans souci de la piété traditionnelle du peuple. Dans l'ordre des idées, Luther n'est que hardiesse. Dans l'ordre des réalités, c'est sa prudence qui l'emporte. En matière philosophique, il n'est ennemi qu'il n'affronte : c'est le cas avec Erasme. L'humaniste a longtemps soutenu Luther. Il y avait entre eux bien des différences, mais un point commun : le recours direct à l'Ecriture sainte. Après la condamnation de Luther, Erasme hésite longtemps. En 1524, pourtant, sur un ton modéré et accommodant, il pointe du doigt dans *le Libre arbitre* l'une des conséquences de la prédication de Luther : si c'est la grâce seule qui fait le salut, alors qu'en est-il de la liberté de l'homme ? Luther entre en rage : « Toi, tu ne m'ennuies pas avec des chicanes de détail sur la papauté, les indulgences, le purgatoire et autres niaiseries. Toi seul tu as saisi le nœud, toi tu frappes à la gorge. » Comme toujours, Luther assume, il va plus loin même qu'il n'aurait sans doute voulu à l'origine : il publiera cinq ans plus tard sa réponse *le Serf arbitre* : il n'y a qu'une liberté, c'est celle de Dieu. L'homme est incapable de faire son salut. Terrible conséquence, rupture définitive entre Luther et l'humanisme.

Dans l'ordre social au contraire, sa prudence prendra un visage spectaculaire. La mise en cause de l'Eglise, la recherche d'un renouveau biblique ont rencontré le profond mouvement de contestation sociale et politique de l'Allemagne. La « guerre des paysans », qui réclament l'abolition de la dîme et du servage, éclate en 1524. La première réaction de Luther est l'appel à l'apaisement. Il reconnaît le bien-fondé de certaines revendications sociales et conseille la négociation : « Prenez des hommes sages de chaque côté et apaisez cette affaire selon le droit et la justice des hommes, sinon d'une manière chrétienne. » Mais lorsqu'au printemps 1525, la guerre, loin de se calmer, met l'Allemagne à feu et à sang, alors Luther choisit son camp, celui de l'ordre, et il le fait brutalement, *contre les paysans meurtriers et pillards* : « Déchaînez-vous, chers seigneurs, frappez, égorgez. Frappe qui peut frapper. Quand un chien est enragé, on le pourchasse et on le tue. Un prince peut gagner le ciel en répandant le sang comme d'autres par leurs prières. » Terrible répression. La révolution est matée à prix de sang et de massacres. Des dizaines de milliers de morts ! Le réformateur a pris le parti des princes contre le peuple. Une partie de son aura en est altérée.

Dans l'ordre des idées, il a rompu avec l'Eglise et avec les humanistes. Dans l'ordre social, il a rompu avec le peuple. Il n'est plus le guide des certitudes du peuple allemand. D'ailleurs la réforme lui échappe. De partout surgissent des communautés qu'il ressent comme hérétiques. A Zurich, Zwingli rejette tout cadre religieux, vide les églises, incendie les monastères, brise les crucifix, les statues, les vitraux et les autels, nie que le Christ soit présent dans la Cène. A Strasbourg, Bucer cherche un compromis entre luthériens et catholiques en mettant l'accent sur le travail intérieur. Les anabaptistes font scandale en imposant un nouveau baptême aux croyants. Chassés de partout, ils se réfugient à Münster, où les plus extrémistes d'entre eux proclament une cité nouvelle, « la montagne de Sion, la Jérusalem nouvelle ». Sous la direction d'un illuminé de vingt-cinq ans, Jean de Leyde, entouré de douze apôtres, on proclame le partage communiste de tous les biens. Pour assurer la reproduction accélérée du peuple du nouvel Israël, on proclame l'interdiction de la virginité et l'obligation de polygamie. Le « roi de Sion » lui-même donne l'exemple en épousant seize femmes ! Cette folie menaçait de faire tache d'huile. Les princes se portèrent à l'assaut de Münster, qui fut prise après des scènes atroces, allant jusqu'à l'anthropophagie et à la décapitation par Jean de Leyde de son épouse préférée, quand elle suggéra de se rendre. La ville prise, il fut supplicié avec ses apôtres, ses restes enfermés dans une cage de fer, attachés au clocher de la cathédrale où ils devaient, dit-on, rester trois siècles... De ces désordres, Luther ressent profondément le trouble. Il se souvient de la prophétie d'Erasme : « De tout cela, il sortira une race impudente et anarchique, dont tu porteras la responsabilité. » Il entend la voix de son ami le plus fidèle, Melanchthon, celui qui organise pour lui la communauté luthérienne : « Toutes les eaux de l'Elbe ne suffiraient pas pour pleurer le malheur de la Réforme. » Il s'est marié, au lendemain de la guerre des paysans, mariage heureux avec une ancienne nonne, dont il aura six enfants. Il éprouve le besoin de justifier curieusement son choix : « Moi aussi je me suis marié, et avec une ancienne nonne. J'aurais pu m'en abstenir et je n'avais pas de raisons spéciales pour m'y décider. Mais je l'ai fait pour narguer le diable et ses écailles, les faiseurs d'embarras, les princes et les évêques, puisqu'ils sont assez fous pour défendre aux clercs de se marier. Et ce serait de grand cœur que je susciterais un scandale encore plus grand, si je savais seulement quelque autre chose qui plaise mieux à Dieu et les mette hors d'eux. » Sa production littéraire s'est ralentie, mais sa certitude est la même. Son intuition de la communication aussi : il rédige le *petit catéchisme* qui fera largement école dans les églises chrétiennes. Il meurt le 18 février 1546, en traversant Eisleben sa ville natale, en citant saint Jean : « Dieu a tant aimé le monde qu'il lui a donné son fils unique pour le sauver ». La veille il avait griffonné quelques notes à propos de la tâche d'exégèse biblique, ses derniers mots écrits : « Nous sommes des mendiants, c'est la vérité. »

Jean Calvin l'architecte

De Jean Calvin, les portraits sont nombreux : mais deux d'entre eux frappent par la vérité de leur témoignage. Le premier, celui du musée de la Réformation à Genève, montre un homme jeune, d'une trentaine d'années. Visage émacié, comme il le gardera toute sa vie, longiligne, le front qu'on devine haut sous la coiffe, double béret plat, le nez marqué, la barbe longue et noire, effilée. Un air de volonté intraitable, le regard intérieur et qu'on ne fera pas dévier, une sorte d'énergie ramassée, plus forte infiniment que le corps qui la porte. Le deuxième est un croquis d'étudiant, en marge des notes prises pendant les cours du grand homme. Les traits n'ont pas changé, le caractère du nez droit, effilé, à l'arête marquée, est demeuré le même. La coiffe a gardé la même forme. Le regard a conservé ce feu du mouvement intérieur. Mais l'homme s'est voûté. La barbe à deux pointes est devenue blanche et les épaules marquent la fatigue. L'épuisement d'une destinée s'y lit, mais aussi la vigueur inébranlable d'une pensée qui ne se contemple pas elle-même, mais accepte de changer le monde.

Jean Calvin est né en 1509, le 10 juillet, en France, en Picardie, à Noyon où son père, Girard Cauvin (Calvin, à la mode de l'université du temps, est la transcription latine *Calvinus* de Cauvin) est procureur ecclésiastique. C'est dire qu'un pas est franchi dans l'ascension sociale entre les parents de Martin Luther et les siens. Les uns travaillent de leurs mains, les autres appartiennent à cette bourgeoisie de robe qui a compris ce qu'allait être l'impatiente évolution des temps.

Dès l'âge de douze ans, il est pourvu de bénéfices ecclésiastiques, accrus quelques années plus tard, et qui lui donneront les moyens de l'éducation que son père souhaite pour lui. Il a d'abord suivi les cours du petit collège de Noyon. Mais très vite, la chance lui est offerte de suivre à Paris les enfants du seigneur de Noyon. Les premières années d'études parisiennes, il les accomplit au collège de La Marche. C'est une grande chance pour le futur docteur. Car règne dans ce collège un grand pédagogue et grammairien du temps, Maturin Cordier, latiniste de renom, qui a choisi pour donner à ses élèves la maîtrise de la langue universelle la plus active des méthodes. Il éditera quelques années plus tard, une méthode pour la correction de la langue latine, qui, au lieu de partir de la sécheresse des règles, part des mille erreurs les plus fréquentes des élèves. Calvin n'oubliera jamais le maître de son adolescence et lorsque quelques décennies plus tard il aura à créer une institution universitaire à Genève, c'est à son vieux professeur qu'il fera appel, en lui témoignant, en termes touchants, sa reconnaissance. « Lorsque mon père m'envoya jeune enfant à Paris, n'ayant seulement que quelques petits commencements de langue latine, Dieu voulut que je vous rencontrai pour mon précepteur, afin que par vous je fusse tellement adressé au vrai chemin et droite façon d'apprendre, que j'en puisse après profiter. »

Peu d'années, et le voilà passant du collège de La Marche au collège Montaigu, un des plus éminents collèges de l'université de Paris. La mode nouvelle du temps a beaucoup moqué le collège Montaigu. C'est le haut lieu de la tradition scolastique la plus classique. On lui prête la réputation d'une « boîte » adonnée au bachotage, où les élèves pâlissent et souffrent à faire entrer dans leur tête dure l'argumentation artificielle des vieux auteurs. A la tête du collège, dans les années où Jean le fréquente, il y a le terrible Tempête, qui n'est pas réputé pour sa tendresse (« une horrible Tempête a frappé le Mont... aigu », plaisante Rabelais en latin de cuisine). Il demeure que durant quatre années, le jeune pensionnaire (donc délivré par sa pension des soucis matériels) va construire là sa mémoire et sa culture. Les citations dont son œuvre est parsemée n'ont pas d'autre origine.

Au bout de quatre ans, changement d'orientation. Girard Cauvin s'est avisé d'un mouvement profond du temps. Pour faire fortune, pour assurer la carrière d'un jeune homme ambitieux, dans les années vers lesquelles on allait, la théologie serait moins utile que le droit. Jean Calvin ne sera donc pas prêtre. Pour découvrir le droit, et particulièrement le droit romain, les universités d'Orléans et de Bourges jouissent d'une récente et brillante réputation. Parmi les professeurs remarquables qui y enseignent, un Allemand, originaire du Wurtemberg, Melchior Wolmar. Cet humaniste va ouvrir au jeune homme un univers nouveau : la langue grecque. « La (langue) grecque, sans laquelle c'est une honte qu'une personne se dise savante », dit Gargantua à son fils Pantagruel. Le grec, l'hébreu... Calvin fait à son tour la double découverte qui permet d'approcher les textes dans leur fraîcheur initiale. Quel est le véritable objet de ses études ? A l'époque le texte est roi, tant dans le droit que dans la philosophie ou dans les lettres. Sans doute le jeune homme, qui vient de dépasser vingt ans, ruse-t-il, comme il arrive encore aujourd'hui, entre ses diplômes et ses passions, entre ses goûts et les orientations qu'impose l'autorité paternelle.

Mais le père va disparaître. Jean a vingt-deux ans. Girard Cauvin est malade et disgracié. Des querelles qu'il a eues avec le clergé local dans quelque affaire d'intérêt ont entraîné son excommunication pour dettes. La maladie l'affaiblit. Il a soixante-dix-sept ans lorsqu'il disparaît. Il faudra autour du cercueil du vieil homme des marchandages honteux, sonnants et trébuchants, pour qu'on accepte de l'ensevelir en terre chrétienne. Pour l'Eglise, cette querelle est un mauvais placement : les hommes n'oublient pas les jours où s'en va leur père.

Libéré de ses obligations envers sa famille, pourvu d'une honnête aisance financière, Calvin poursuit ses études, tantôt à Paris, tantôt à Orléans et Bourges, en arrondissant ses revenus par des leçons. Il se lance dans son premier livre, un commentaire de Sénèque, dont il attend, en vain, un grand succès.

Quand Calvin racontera sa vie, c'est à cette époque, avant ses vingt-cinq ans, qu'il placera sa conversion : « Par une conversion subite, Dieu rangea à docilité mon cœur. » Quels cheminements secrets ont-ils présidé à cette adhésion ? Et adhésion à quoi ? Nous ne le saurons pas. On peut seulement risquer quelques traits. Le jeune homme a changé par la mort de son père. Il est plus libre, seul responsable de lui-même. Il sait une chose : il ne sera pas prêtre. Jusqu'alors, ce qui l'a passionné, ce sont les textes, la langue, les arguments. Dans une moindre mesure, il a acquis la rigueur du droit. Mais, dans cette vie d'étude, pas un mot pour l'émotion religieuse. Désormais, les événements aidant, c'est la conviction qui entraînera le jeune homme.

Car en cette année 1533, l'orage se prépare. C'est François Ier qui règne, depuis dix-huit ans déjà. En 1525, il a été fait prisonnier à Pavie et Charles Quint l'a gardé prisonnier pour en obtenir rançon. Le roi est rentré la rage au cœur. Contre Charles Quint le très catholique, il s'applique à mobiliser toutes les forces disponibles. Les forces allemandes, luthériennes, sont de celles-là. Justement, François Ier est entouré de personnalités favorables à la réforme. La plus proche de lui, la plus brillante, la plus attachante, est sa sœur, Marguerite, qu'il vient de donner en mariage à son compagnon de combat, Henri d'Albret, le roi de Navarre.

Marguerite est l'un des esprits les plus libres et les plus novateurs de son temps. Elle est en liaison avec les milieux réformateurs. Elle fréquente les intellectuels, elle écrit. Elle a publié en 1531 *Le Miroir de l'âme pécheresse* (toujours la question du salut), où elle met l'accent sur le Christ rédempteur. La Sorbonne conservatrice se fâche et en 1533 condamne l'ouvrage. C'est le roi qui, à son tour, prend mal la chose. Condamner la sœur du roi, c'est d'une certaine manière faire peser la suspicion sur le souverain lui-même. La Sorbonne doit désavouer sa condamnation. Le 1er novembre, jour de la Toussaint, le recteur de l'Université, Nicolas Cop, à qui Calvin s'est attaché, veut aller plus loin. Il doit prononcer ce jour-là le traditionnel discours de la rentrée universitaire. Devant les facultés réunies, il le fait dans l'esprit de la Réforme. C'est le texte des Béatitudes qu'il commente « Heureux les pauvres, heureux les affligés, heureux les pacifiques » et chacun des versets est l'occasion de célébrer le

Christ qui seul sauve, la grâce, la foi donnée par Dieu qui fait le salut, et de montrer l'impuissance des actions humaines, les œuvres des hommes, si limitées, si suspectes. Le scandale rebondit. Le Roi est gêné. Car le recteur n'a pas vu que le moment était à la recherche d'une nouvelle alliance. Cette même année, le roi vient de marier son fils, le futur Henri II, à une nièce du pape, Catherine de Médicis. Devant la difficulté des alliances allemandes, il cherche à prendre Charles Quint à revers, à regrouper autour du roi de France une nouvelle alliance catholique.

Le discours de Nicolas Cop tombe donc mal. La Sorbonne conservatrice tonne. Le recteur est condamné. On ordonne même son arrestation et Calvin se sent visé en même temps que lui. On a souvent écrit que Calvin était l'auteur du discours de Nicolas Cop. Est-ce vraisemblable de la part d'un jeune homme de vingt-cinq ans, dont la formation est récente ? Sans doute non [1]. Mais Calvin est assez proche du recteur pour se sentir menacé. Il fuit Paris pour Angoulême, se réfugie chez un ami, fils de famille, entré dans les ordres, curé de Claix, puis chanoine de la cathédrale angoumoisine, Louis Du Tillet. Chez Du Tillet, il y a de la solidarité et de l'amitié. Il y a surtout une bibliothèque de plusieurs milliers de volumes. Ce temps d'inquiétude est donc un temps de réflexion et d'étude. D'Angoulême, il rayonne : il décide de rejoindre à Nérac la cour de Marguerite de Navarre. Mais l'ambiance est moins spirituelle qu'il ne l'attendait, l'amour a plus de place, sous les ombrages gascons, que la théologie. Puis il rejoint Paris, pour « sentir » l'ambiance. Finalement, sa décision mûrit. Les chanoines de Noyon lui offrent de reprendre la charge d'official qui fut celle de son père. Va-t-il entrer dans les ordres et justifier enfin les revenus d'Eglise dont il vit depuis son enfance ? Il a fait son choix : ce sera non. Mais son refus sera honnête. Il se rend à Noyon et résilie

---

1. Comme l'a montré B. Cottret dans son livre remarquable *Calvin, bio-graphie*, J.-C. Lattès, 1995.

solennellement ses bénéfices ecclésiastiques. Calvin a rompu avec l'Eglise officielle. Il est à vingt-cinq ans, simplement, comme il dit, un « amateur de Jésus-Christ », et bientôt un proscrit.

Car, au même moment, le 17 octobre 1534, dans la nuit, une main mystérieuse affiche à Paris, aussi bien qu'au château d'Amboise, à la porte de la chambre du roi, à Blois, une proclamation scandaleuse. Ces affiches – on disait alors des « placards » – sont dirigées non pas seulement contre l'Eglise ou le clergé, « le pape et sa vermine de cardinaux, évêques, prêtres et moines », contre les abus de la religion, mais directement contre la messe, contre l'Eucharistie, moquée, lacérée d'insultes, au nom d'un Christ qui ne saurait, puisqu'il était monté au ciel, « être en boîte ou dans l'armoire » du tabernacle. L'auteur de l'affiche s'appelait Antoine Marcourt, réfugié à Neuchâtel et adepte de Zwingli. Mais quelle audace et quelle organisation. C'est cela qui est pour le roi une provocation à son autorité. Déjà, l'on murmure. C'est la faiblesse du souverain qui a rendu possible une telle conjuration. Alors le roi s'alarme. Des listes de suspects sont dressées, les tribunaux siègent, plusieurs dizaines de condamnés seront brûlés, beaucoup d'autres fouettés en public. Entre le royaume de France et la jeune Réforme, la rupture est consommée.

Pour bien des adeptes de la réforme, c'est le temps de l'exil. Jean Calvin lui aussi marche vers l'Est. C'est à Bâle qu'il aboutira, s'installera chez une sage veuve, et se plongera dans l'étude. Car il brûle de publier. En France, outre son commentaire de Sénèque, il a déjà donné un court traité contre les anabaptistes qui soutenaient qu'au moment de la mort l'homme entrait en sommeil pour ne se réveiller qu'au jugement dernier, ce qui était nier le purgatoire et beaucoup des perspectives du salut chrétien. Ce que Jean Calvin veut écrire maintenant, c'est une réponse au roi. Il a vu les horreurs de la répression dans l'affaire des placards. Il s'adresse au souverain, « très excellent roi », entouré de « conseillers mauvais » : « Toute voie est fermée à un enseignement juste, je voudrais que ce livre confessât la foi des fidèles pourchassés. »

C'est en 1536 que le livre sort, pour la foire de Pâques, en latin. Il sera édité en français cinq ans plus tard. *L'institution de la religion chrétienne* n'est pas seulement le plaidoyer annoncé, c'est aussi une mise en ordre des convictions, l'exposé le plus clair, le mieux organisé de la doctrine nouvelle. La Loi, la Foi, les sacrements, les relations du chrétien avec le pouvoir temporel : les six chapitres de la première édition (il y en aura dix-sept pour la deuxième, quatre-vingts dans l'édition définitive) ne se contentent pas d'exaltation. Il y a là une affirmation doctrinale, une vérité à croire, à enseigner. La Réforme a trouvé son deuxième docteur.

Le succès du livre est d'ailleurs immédiat. La première édition se voit immédiatement épuisée. Les cours de Calvin deviennent un rendez-vous recherché. On le consulte. La duchesse de Ferrare, Renée de France, a été convertie à la Réforme. Elle invite Calvin à sa cour. Il y liera avec cette jeune femme mélancolique et distinguée une amitié qui ne se démentira jamais. Mais ce n'est pas en Italie qu'est son avenir. Le temps de rentrer à Paris pour régler définitivement ses affaires, le projet de Calvin est de gagner Strasbourg la très libérale pour y continuer ses études. La guerre a repris entre les armées de François Ier et celles de Charles Quint. La route de l'Est, par les chemins de Lorraine, n'est plus sûre. Il faut passer par la route du Sud, par la Suisse et Genève. Il arrive à Genève un soir de printemps 1536, décidé à n'y faire étape qu'une nuit. Mais son arrivée a été signalée à celui qui est à ce moment l'homme fort et le héros de la ville, un étrange prédicateur de quarante-sept ans, nommé Guillaume Farel.

Qui est Guillaume Farel et qu'est-ce que Genève en cet instant où va se jouer l'avenir de Jean Calvin ? Guillaume Farel est un réformateur, un de ceux qui viennent de mener, pendant près de dix ans les combats de la Réforme dans toute la région, à Neuchâtel, au pays de Vaud, à Montbéliard. Petit homme, rouquin aux yeux globuleux, criblé de taches de rousseur, rabougri, agité des jambes au bouc, s'exprimant avec de grands gestes apocalyptiques, la voix constamment haut-perchée, perçant jusqu'aux aigus dès qu'il prêchait, c'est-à-dire tout le temps, il était arrivé à Genève quelques mois auparavant, au milieu des troubles qui agitaient la ville. C'est que la République de Genève ne supportait plus la tutelle des ducs de Savoie. A la fin des années 1520, elle se révolte. Le duc de Savoie entre dans Genève et affirme par la force que la seule autorité légitime sur la ville est celle de l'évêque, qui le sert. Quand la révolte reprend, c'est donc l'évêque qui en fait les frais, qui se trouve chassé : l'évêque comme autorité politique emporte avec lui l'évêque autorité religieuse, et le clergé de la ville, suspect de faire cause commune avec son chef, doit fuir lui aussi. A Genève, les pouvoirs du clergé sont disponibles : Guillaume Farel le prédicant les concentre entre ses mains. Mais il connaît ses limites : il se sait incapable de remettre de l'ordre dans la cité. Or la Providence lui envoie cet esprit remarquable dont toute l'Europe réformée parle, le seul capable, dans ce désordre, de construire une *Institution*. Guillaume est décidé : Calvin ne repartira pas.

La scène est connue : à l'auberge, Calvin doit subir le sermon enflammé, transporté, de celui qui est de plus de vingt ans son aîné. Le Français résiste. Mais il n'y a pas de résistance qui puisse effrayer le prédicateur : « Après avoir entendu que j'avais quelques études pour lesquelles je voulais me réserver libre, quand il vit qu'il ne gagnait rien par prières, il vint à une imprécation : qu'il plût à Dieu de maudire mon repos et la tranquillité d'études que je cherchais, si en une si grande nécessité je me retirais et refusais de donner secours et aide. Ce mot m'épouvanta et m'ébranla tellement que je me désistai du voyage que j'avais entrepris. »

Maître Jean n'a jamais eu aucune responsabilité publique. Et il doit essayer de construire une digue contre l'anarchie d'une cité d'où tous les cadres ont disparu. Il reste bien les Conseils élus, mais sans autorité religieuse, que valent les Conseils ? Il faut donc restaurer l'autorité dans une ville de quelque dix mille habitants qui vient de voter qu'elle vivrait désormais « en cette sainte loi évangélique et parole de Dieu », délaissant « toutes messes et autres cérémonies papales ». A tout cela, il faut donner une organisation et un cadre : Calvin se met à l'ouvrage, et cet ouvrage est de la dynamite. Il définit le service divin, prières, sermon, psaumes et le rythme de la Cène ; il rédige un catéchisme, auquel tous les habitants sont contraints d'adhérer, sous peine d'exil. Mais lorsqu'il en vient à vouloir définir l'autorité qui conservera dans le temps l'intégrité de cette organisation, lorsqu'il demande le pouvoir d'excommunier, les choses se gâtent. Des Français viendraient se mêler d'excommunier des Genevois ? La révolte gronde contre Farel et Calvin. Les élections au Conseil sont largement défavorables à Calvin. Pour provoquer l'affrontement, le Conseil renouvelé exige que la communion soit donnée avec du pain azyme, comme chez les catholiques ou les luthériens. Calvin est emporté par la rage. Il monte en chaire pour refuser la communion, au grand scandale de la cité. Les Conseils se réunissent et, le 22 avril 1538, deux ans après le début de son expérience genevoise, Calvin est banni de Genève. Ses sentiments sont mêlés. Il a l'impression d'avoir traversé de rudes épreuves et d'avoir échoué. Mais en même temps, c'est comme un soulagement : il va pouvoir reprendre ses études. « Quand, par le moyen de certains troubles, on me chassa, je m'en réjouis plus qu'il ne fallait. »

C'est vers Strasbourg que le portent ses pas. A Strasbourg, l'autorité théologique était entre les mains de Martin Bucer, que Calvin avait rencontré deux années auparavant. Bucer a besoin de Calvin et, comme Farel, le met en face de ses responsabilités : à Strasbourg s'est fixée une communauté de Français qui a besoin d'un animateur. Et comme Calvin résiste, Bucer lui met devant les yeux le passage biblique où

Jonas, le prophète qui refuse d'apporter la parole de Dieu à Ninive, est avalé par une baleine. Calvin en est foudroyé, comme il l'avait été à Genève. Mais ses relations avec Bucer sont bien différentes de celles qu'il entretenait avec Farel. Il se met au travail avec le sentiment qu'il a beaucoup à apprendre du pasteur strasbourgeois. Bucer est un sage, ami de l'équilibre. Il sait que la règle ne peut pas tout diriger et, comme il l'enseigne à Calvin – c'est un grand progrès pour un esprit aussi systématique que le sien –, « Il faut laisser les gens faire quelques bêtises ». Calvin a charge d'âmes. Mais ce n'est plus à lui de définir les lois qui vont diriger ces âmes. C'est au contraire du climat humain de la petite communauté qu'il a la charge, à l'abri des règles fixées par Bucer. Parmi celles-ci, les plus marquantes régissent le Conseil des Anciens et la Haute Ecole, qui sont en charge de l'autorité sur les fidèles pour l'un et de la formation des cadres pour l'autre. Calvin fait à Strasbourg l'apprentissage d'une douceur de vivre et de servir que son caractère et la dureté des temps lui avaient jusque-là refusée.

C'est aussi le moment, en 1540, où il se marie avec la veuve convertie d'un anabaptiste, une femme gracile et distinguée, Idelette de Bure. Avec elle, il aura un compagnonnage fidèle et tendre, marqué par le deuil d'un petit enfant, Jacques, qui ne vécut pas, et par la maladie qui la frappa dès 1545.

Mais à Genève, les choses se renversent. Les partisans de Calvin ont retourné la situation. Ses adversaires ont perdu la face, et la majorité. Ils sont même renvoyés de la ville. L'autorité manque à la cité. Qui la lui rendra ? Alors les ambassades se multiplient autour de Calvin dont la célébrité est renforcée par la publication récente de l'*Institution*, revue et élargie, en français. A tous, il commence par dire non. Puis, par esprit de sacrifice, il cède : « J'offre mon cœur comme immolé en sacrifice au Seigneur. » Le cœur sur la main, ce sera désormais l'emblème du réformateur de Genève.

Le 15 septembre 1541, à trente-deux ans, après quelques

mots de définition de son ministère, le proscrit de naguère reprenait son enseignement là même où il l'avait laissé. Commence son travail d'architecte de l'Eglise nouvelle. Les fonctions et les responsabilités sont définies : les pasteurs ont la charge des sacrements et de la parole ; ils se réunissent en congrégation pour avancer dans l'étude de l'Ecriture et pour la censure mutuelle ; les docteurs enseignent ; les anciens ont la charge morale de la communauté ; les diacres assument le ministère de solidarité.

Il mène cette charge de pair avec un remarquable et profond travail doctrinal. Il conduit, en particulier, une réflexion majeure sur la Cène : comment trouver un chemin de conciliation entre les conceptions qui déchiraient la Réforme ? Présence réelle, ou présence symbolique ? Calvin propose une conception originale : à la doctrine de la présence réelle, où le pain et le vin, conservant les apparences matérielles qui sont les leurs se changent en vrai corps et en vrai sang du Christ mort sur la Croix, il substitue la doctrine de la présence spirituelle, où, par l'action de l'Esprit, les fidèles deviennent eux-mêmes « participants... du corps et du sang du Christ ».

Surtout, il met au point le fond de sa doctrine, la vision « calviniste » du rapport entre Dieu et les hommes : la prédestination. Si, en effet, la liberté de Dieu est totale et sa puissance sur l'homme infinie, alors il sait ce qu'il veut faire de chacun de nous. La formule est lapidaire, et lourde : « Les uns sont prédestinés à salut, les autres à damnation. » La prédestination marquera définitivement, au fer rouge, la pensée de Calvin. Etrange destinée. Elle était pourtant, d'abord, conçue pour rassurer ceux qui avaient, une fois, aperçu la grâce de Dieu et qui devaient savoir, dès lors, que Sa Main ne les abandonnerait pas...

L'œuvre de Calvin est immense. Chaque jour, en chaire, une semaine sur deux, il prêche. Chaque jour, à l'Académie, il enseigne la théologie. Chaque jour, il écrit. On connaît de lui plus de mille sermons, quelque quatre mille lettres. Et combien de perdues ? Pour dire la dimension de ce travail, il suffit de rappeler que son œuvre publiée représente quarante mille pages ! Dès son retour à Genève en 1542, il publie un nouveau catéchisme. Il ne cesse de reprendre et d'approfondir son *Institution*.

Chaque jour, il mène le combat. Réformateur, il tente de régler, dans la rigueur et la discipline qui sont sa pente, la vie quotidienne de la cité. Calvin n'accepte ni le jeu, ni la danse, ni le plaisir, ni la boisson, ni les bijoux, ni la mode, ni les livres profanes. Les peines les plus dures sont requises contre les contrevenants. Genève, comme toutes les villes du monde, renâcle à ce rigorisme. Plusieurs fois, Calvin menace de partir. Il restera et Genève pliera. De même, il sera inflexible en doctrine. De Genève, il fustige, dans toute l'Europe, non seulement ses ennemis, les papistes, mais ses amis trop discrets, les *Nicodémites*. Dans l'Evangile, Nicodème est ce docteur de la Loi qui vient visiter Jésus la nuit, tant il a peur qu'on le voie approcher le Messie interdit. Sans cesse, tous ceux qui pensent tant soit peu comme le Réformateur sont pressés de franchir le pas. Sans cesse il soutient le courage des siens, à la cour de Navarre ou dans la résistance au roi de France. Sans cesse il condamne.

Le pauvre Jean Servet en fera les frais. Servet est un esprit original, prolifique et confus. Il suit à la lettre l'invitation du temps à découvrir la vérité dans la seule Ecriture. Il a beau tourner les pages, il ne découvre nulle part de verset qui paraisse évoquer la Trinité, la triple nature divine. Il se met donc en devoir de dénoncer sur ce point fondamental la doctrine des Eglises. L'œuvre émane d'un jeune Espagnol de vingt ans, mais elle fait scandale dans toute l'Europe. Intrigué, Calvin a rencontré son contemporain (il est né en 1511), une correspondance s'est établie entre eux, entre connaisseurs des textes sacrés. Mais la tête de Servet est aussi dure que la tête de Calvin. En 1534, Servet va plus loin : il attaque directement Calvin en publiant sous le titre *Restitution chrétienne*, une réplique à l'*Institution chrétienne* du maître de Genève.

Parmi beaucoup de divagations panthéistes et platoniciennes, Servet, qui a lu dans la Bible que l'âme humaine réside dans le sang, formule une théorie de la circulation sanguine, précisant que le sang se régénère dans les poumons au contact de l'air, qui a cent ans d'avance sur la découverte majeure de Harvey.

L'Inquisition recherche Servet. Il est arrêté, par hasard, à Vienne en Isère où, sous un faux nom, il est devenu médecin de l'évêque. L'inquisition manque de preuves et ne se soucie guère d'un bûcher de plus. On s'arrange pour qu'il s'évade. Servet se réfugie alors à Genève. Est-ce bravade ou erreur de jugement ? Le fugitif est mal tombé. Calvin traverse un moment de turbulences et de contestation. Il a besoin de montrer son autorité contre l'erreur. Le réformateur exige lui-même un procès : il requiert la peine de mort et Servet est brûlé en public en octobre 1553. Quatre cent cinquante ans plus tard, les citoyens de Genève ont dressé un monument expiatoire, un bloc de granit sur lequel ils ont gravé, « fils respectueux » à la fois leur reconnaissance à Calvin, et leur condamnation de « l'erreur qui fut celle de son siècle ».

Calvin, imperturbable, continue son œuvre de fondateur. Après avoir fixé les règles qui organisent la communauté, il fonde l'Académie de Genève où viendront se former les pasteurs dont a besoin, partout en Europe, l'église naissante : « Donnez-moi du bois, je vous renverrai des flèches. » Théodore de Bèze en sera le recteur et les étudiants accourront par milliers.

Malade, pourtant, souffrant dans sa chair de mille maux et dans son âme de doutes fréquents, Jean Calvin va vers sa fin. A la fin mai 1564, épuisé de fièvre, étouffé de toux et crachant le sang, il participe à une ultime congrégation où il se peint lui-même, avec sa fierté et ses insuffisances : « Pauvre écolier timide comme je suis et j'ai toujours été, je le confesse... Ce que j'ai fait n'a rien valu... Mais j'ai toujours proposé fidèlement ce que j'ai estimé être pour la gloire de Dieu. » Il mourra sans phrases, excepté celle-ci pour dire sa souffrance : « Seigneur, tu me piles, mais il me suffit que c'est de ta main. » Il exigera qu'au cimetière de Plainpalais aucune pierre ne marque la terre où dormirait le témoin de Dieu.

Naissance d'une église

Jean Calvin avait remporté une victoire à nulle autre pareille. Il avait dans son propre pays, en France, organisé une église. Désormais, on était « calviniste ».

Il faut, en effet, essayer de se représenter ce que fut la naissance de l'esprit réformé sur le territoire français. On était loin de l'Allemagne et la réforme était allemande. Une farce jouée en 1535 à Rouen le dit joliment : « La clef de l'hérésie est forgée de fin fer d'Allemagne. » En 1535, depuis quand a-t-on le sentiment qu'une hérésie est en marche ? Depuis le tout début des années vingt, Luther est connu et condamné. Mais l'attente d'une religion nouvelle est partout présente au début du XVIe siècle. Il suffit de lire Rabelais pour découvrir la litanie inépuisable des flèches lancées aux moines et à l'Eglise officielle, pour mesurer l'impression d'épuisement que fait sur de jeunes esprits la vieille scolastique, sa langue vidée de sens, ses exercices rabâchés dont le but s'est perdu. C'est bien Rabelais, qui plaidera plus tard sa fidélité à l'Eglise, qui fonde l'abbaye de Thélème contre l'autorité venue d'en haut. La devise « fais ce que voudras » est inscrite au fronton de l'abbaye de jouvence.

Partout où ont pénétré la lecture, les livres, la recherche d'une certaine distinction de l'esprit, partout aussi a pénétré le besoin d'un autre horizon.

C'est le cas chez les plus spirituels. Plus d'une décennie avant Luther, Jacques Lefèvre d'Etaples, gracile, fragile, timide, retiré au couvent de Saint-Germain-des-Prés, plaide le ressourcement de l'église dans l'autorité de l'Ecriture. Dans la première partie de sa vie adulte, Lefèvre a été un scientifique. C'est par lui que les mathématiques ont retrouvé leur place à la Sorbonne : «Longtemps, dit-il, je me suis attaché aux études humaines, et j'ai à peine goûté du bord des lèvres les études divines ; car elles sont augustes et ne doivent pas être approchées témérairement. Mais déjà, dans le lointain, une lumière si brillante a frappé mes regards que les doctrines humaines m'ont semblé des ténèbres en comparaison des études divines, tandis que celles-ci m'ont paru exhaler un parfum dont rien sur la terre n'égale la douceur.» Il fallait réformer l'Eglise. Lefèvre le répétait aux intellectuels de toute l'Europe qui venaient le visiter ou avec qui il était en correspondance, d'Erasme à Guillaume Budé. Et il n'y avait qu'une source de réforme : c'était l'Evangile et les Pères. Cet *Evangélisme* a bien des relais dans la société française la plus puissante. D'ailleurs, un des disciples de Lefèvre, Guillaume Briçonnet, d'une très grande famille de magistrats et de prélats, est nommé évêque de Meaux. Il s'attaque à la réforme de son diocèse. C'est à lui que nous devons des statistiques précises, citées plus haut, sur l'absentéisme et l'ignorance du clergé dans un diocèse qui n'était pas parmi les plus reculés des diocèses français. Aussitôt nommé, il divise son diocèse en sections, nommant à la tête de chaque section des équipes de prédicateurs, chargés de réensemencer la parole de Dieu en terre abandonnée. Il nomme son maître Lefèvre à la tête de l'hôpital avec mission d'en faire un instrument au service des pauvres et des malades et non une ressource pour les chanoines. Plus tard, il en fera son vicaire général alors qu'un autre disciple, Gérard Roussel, est trésorier du chapitre. De Meaux, le groupe rayonne. En 1523, Lefèvre publie une traduction du Nouveau Testament. «Le temps est venu, écrit-il dans sa préface, que Notre Seigneur Jésus-Christ, seul soleil, vérité et vie, veut que son Evangile soit purement annoncé par tout le monde...»

A Meaux, on pousse la réforme plus loin encore. L'argent

corrompt l'Eglise : on abandonne les quêtes. Il faut que les fidèles aient accès à l'Ecriture : on fait cette révolution, les jours de fête et les dimanches, de lire l'épître et l'Evangile en français. Plus encore, après la messe du matin, Roussel est chargé de lire en français et de commenter pour tout public les textes de saint Paul.

Mais la campagne contre Luther a commencé. Trop de gens ont intérêt à mettre un terme aux progrès de l'*Evangélisme* dont bien des propositions paraissent en correspondance avec les affirmations de Luther. Déjà, des ouvriers agricoles ont été séduits par ce qui se transmet dans le diocèse de Meaux. Déjà, on rapporte que des paroisses d'autres diocèses sont saisies d'intérêt. Alors, Briçonnet est dénoncé à la Sorbonne. Il comprend la gravité du danger qui le menace et s'enfuit à Strasbourg, le temps que la reine de Navarre intervienne auprès de son frère le roi pour arrêter les poursuites.

Le *cénacle de Meaux* trouva ainsi une fin précoce. Briçonnet se soumit à la bulle du pape qui, l'année suivante, condamna l'évangélisme. Lefèvre, après avoir été précepteur des princes, se retira auprès de la reine de Navarre. A plus de quatre-vingts ans, il fut, avec Théodore de Bèze, le second de Calvin, le théologien de la cour de Nérac. Il y mourut en 1537. Gérard Roussel sera imposé par Marguerite de Navarre comme évêque d'Oloron. Il sera l'objet des foudres de Calvin, son ami de jeunesse, qui ne lui pardonne pas sa fidélité au catholicisme. Il mourra d'avoir été jeté à bas de sa chaire, comme il prêchait en Navarre française, par un hobereau local, catholique exalté, qui ne supportait pas de l'entendre condamner le nombre excessif des fêtes votives.

Sans Luther, ce mouvement serait resté sans postérité. Mais la polémique autour de l'œuvre de Luther, sa condamnation, organisent autour de ses thèses et de sa personne même une puissante publicité. C'est dès avant 1520 que ses œuvres apparaissent en France. La Sorbonne en est destinataire, puisque l'augustin allemand prend soin de les lui faire parvenir pour obtenir l'appui de la plus illustre université du monde. Beaucoup les soutiennent. En 1519, un étudiant suisse à la Sorbonne, écrit dans son pays que ces œuvres sont accueillies « à bras ouverts [1] ». A l'automne 1520, un Suisse encore, qui dirige à Paris un pensionnat pour ses compatriotes, écrit à Zwingli : « Aucuns livres ne sont achetés avec plus d'avidité que ceux de Luther. Un libraire en a vendu quatorze cents. » Parmi les conservateurs, ceux qui veulent les critiquer les commandent aussi et les commentent. Le succès, d'une manière ou d'une autre, est universel. Erasme le confirme : « On ne saurait croire combien, en long et en large, Luther a envahi les esprits et combien haut il s'est élevé par ses livres répandus partout et en toute langue. »

Mais la condamnation de Luther par Rome, et le développement des polémiques théologiques, vont brutalement modifier l'orientation du jugement de l'Université de Paris. Un procès s'ouvre en Sorbonne, qui se conclut, le 15 avril 1521, par la condamnation du moine allemand. Luther était jugé aussi nuisible que Mahomet et ses œuvres devaient être brûlées sous peine de punition sévère. Le *Journal d'un Bourgeois de Paris* est contemporain de cette condamnation : « L'an mil cinq cent vingt et un, le samedi troisième août, fut crié à son de trompe par les carrefours de Paris par la cour du Parlement que tous libraires, imprimeurs et autres gens qui avaient aucuns livres de Luther, ils les eussent à porter vers ladite cour dedans huit jours, sur peine de cent livres d'amende et de tenir prison. » Et les *Chroniques Messines* confirment : « En ces mêmes jours et ces mêmes ans courait toujours de nouveau de plus en plus le bruit de cet hérétique Martin Luther de l'ordre des frères augustins ; Ledit Martin qui était alors tenu pour l'un des plus grands clercs du monde, voire possible (peut-être) le souverain de tous, s'il eût voulu appliquer sa doctrine à bien, avait

---

1. Cette citation et plusieurs des suivantes sont rapportées par M.R.J. Lovy dans une monographie très documentée et éclairante : « Les origines de la Réforme française, Meaux 1518-1546 », Concordia/Presses du Village, 1983.

déjà tellement infecté et suborné plusieurs contrées que plusieurs grands clercs, scientifiques personnes en étaient journellement à disputer de cette affaire, et plusieurs tenaient son parti... Et furent en ce temps-là plusieurs de ses livres condamnés et publiquement brûlés. » Pour l'instant, les flammes des bûchers n'étaient que pour les livres. Mais cela n'allait pas durer...

Les tenailles et les bûchers

Qui est, à l'époque, marqué des idées de la réforme ? Qui va soutenir les premières persécutions qui la frappent ? Ceux qui lisent, d'abord, moins parmi les grands intellectuels, qui jouent la limite, la marge, ou les titulaires des grands offices de l'Eglise, que parmi un petit peuple de clercs, réguliers ou séculiers, qui fourniront d'importants bataillons des premiers cadres du mouvement nouveau. C'est ainsi que le premier moine français se marie en 1522 à Wittenberg. Plus tard, les ecclésiastiques convertis fourniront à peu près le tiers des pasteurs des paroisses calvinistes. Au-delà de ce public cultivé et formé, il en est un autre, passionnant, plus émouvant encore. C'est du petit peuple des villes que vient une part importante des fidèles. Des artisans, notamment parmi ceux qui tenaient compagnonnage, dans le textile, obligés de voyager pour trouver fils et teinture, les spécialistes du pastel, les imprimeurs, sensibles par nature aux idées nouvelles, des ouvriers, cardeurs de laines ou foulons, forment le peuple premier de l'église qui se cherche et se forme. C'est ce peuple que Jean Calvin rencontre lorsqu'il revient à Paris après la mort de son père et qu'il loge chez un drapier wallon, réformé militant, à l'enseigne du Pélican, rue Saint-Martin. Beaucoup parmi eux sont des exilés d'Italie ou des Flandres, savetiers, colporteurs chargés de répandre la doctrine, forgerons, prostituées repenties. Là, dans le secret, dans un mélange social exceptionnel pour l'époque, on lit la Bible, on commente passionnément les événements, dans l'ambiance fraternelle de l'église des catacombes. Mais les cadres de la société ne suivent pas. Il faudra Calvin pour convaincre et entraîner ceux qui comptent dans la société française. Calvin, et avant lui, le martyre des purs.

Pour lutter contre l'hérésie – ce que le pape exige du roi – la Sorbonne et le Parlement de Paris ont retrouvé les vieilles lois de Philippe-Auguste et de Louis XI : le meilleur antidote, le même que contre la sorcellerie, c'est le feu. On l'a vu, Calvin lui-même y recourt sans timidité, lorsque Servet est convaincu d'erreur. Toute l'Europe aime les bûchers. Ils vont se rallumer contre les luthériens dès que l'on aura le sentiment qu'ils agressent l'ordre établi.

L'ambassadeur de Venise à la cour de France rapporte à son pays le secret de la lutte contre l'hérésie : « Les maîtres de la Sorbonne sont investis d'une haute autorité sur les hérétiques ; pour les punir, ils se servent du feu, ils les rôtissent tout vivants. »

C'est dès 1523 que les premier martyrs sont exécutés. Le premier s'appelait Jean Vallière. C'était un moine de Livry-en-Aulnois (aujourd'hui Livry-Gargan). Arrêté pour avoir témoigné de son soutien aux thèses luthériennes, il fut condamné et brûlé le 8 août 1523, à Paris. Transporté dans un tombereau à ordures jusqu'au parvis de Notre-Dame, il entendit la messe d'expiation sans avoir le droit de franchir le seuil de la cathédrale. Après la messe, on fit un *autodafé* de tous les ouvrages de Luther saisis au mois de juillet. On conduisit ensuite le condamné jusqu'au *marché aux pourceaux* où le bûcher était dressé pour lui. On commença par lui couper la langue avant de le brûler, premier d'une longue série de suppliciés.

Un moment, le destin paraît se détourner. De nombreux procès sont instruits, mais ils se terminent tous, peu ou prou, par l'abjuration des accusés. Dès 1525, cependant, les supplices reprennent. Les accusés viennent de Meaux, où la ville continue d'être agitée. Ce sont des hommes du peuple. Jean Leclerc, par exemple, est un cardeur de laine, qui s'est fait colporteur d'ouvrages de piété évangélique. Sa mère l'exaltait dans cette conviction. Jean Leclerc comparaît devant le Parlement. Il est condamné à être fouetté en public, à Paris comme à Meaux, et à être marqué au fer rouge. Pendant le supplice de Meaux, sa mère est dans le public et ne cesse de crier pour encourager Jean : « Vive Jésus-Christ et ses enseignes ! » Banni de Meaux, c'est vers Metz que le prédicateur décide de porter ses pas. Il y arrive quelques mois après un moine augustin, Jean Chastellain, docteur en théologie, réputé pour son éloquence. Chastellain prêche le carême, avec un grand succès populaire. Mais le clergé local l'accuse d'hérésie. Libéré une première fois, il est arrêté à nouveau, conduit au tribunal de l'évêque, condamné au bûcher. Il meurt comme un saint.

Jean Leclerc entre dans la ville encore émue du supplice du moine. Il est immédiatement reçu dans les milieux favorables à la réforme, notamment chez un imprimeur, Jacques le libraire, qui répand la littérature réformée. Par lui, Jean Leclerc rencontre les milieux favorables à la réforme, et notamment un chevalier messin, le chevalier d'Esch. Ensemble, ils reçoivent Guillaume Farel, qui visite les communautés réformées. Après avoir prêché au domicile du chevalier, Farel, menacé, est obligé de fuir. Ainsi va la vie d'une communauté réformée, semi-clandestine, même dans une ville comme Metz réputée libérale.

Un dimanche après-midi, pour tuer le temps, après avoir lu les psaumes, Leclerc et ses amis se promènent à l'extérieur des remparts. Il y a là un cimetière. A l'entrée du cimetière, deux statues. L'une est une Vierge à l'Enfant. L'autre, face à elle, représente un ancien chanoine de la cathédrale, en prières, son missel à la main. Soudain Jean Leclerc est pris de fureur iconoclaste. Dans le cimetière, mal tenu, traînent en tas des ossements humains. Il se saisit d'un fémur particulièrement solide et muni de ce bâton de justice, s'en servant comme d'une massue, il s'attaque aux deux statues dans leur niche. Il brise net la tête de l'Enfant Jésus, le visage de la Vierge, et la tête et les bras du chanoine. Il se débarrasse des débris dans la fosse aux ossements. Sa fureur ainsi allumée, il se précipite dans la chapelle du cimetière, saute sur l'autel, arrache une statue de saint Fiacre et s'en sert comme d'un bélier pour briser une autre Vierge à l'Enfant. Du même coup, l'Enfant Jésus est décapité et les bras du saint arrachés. « Idoles, idoles ! » crie Leclerc.

L'enquête ordonnée le lendemain conclut à la culpabilité de Leclerc. Saisi, jeté en prison, il assuma son acte sans faiblir, au nom de l'Ecriture, disculpa ses compagnons, refusa de se confesser et d'embrasser le crucifix. La condamnation à mort intervint sans tarder. Le samedi 29 juillet, le bûcher fut dressé à l'intérieur même de l'enceinte de la ville.

L'arrivée de Leclerc, solennellement précédé des troupes, fit sensation. Par peur de ses dons de prêcheur, on avait préféré ne pas l'exposer au pilori pendant les heures précédant le supplice. Autour de la tête, on avait attaché le bandeau peint qui représentait son forfait. Lié sur le bûcher, il refusa de se taire : « Dieu m'a donné une bouche pour que je parle : je le prie de me donner la vraie foi », cria-t-il en couvrant les protestations des notables.

Après quoi il pria la foule de réciter pour lui un Notre Père, mais refusa l'Ave Maria : « Si quelqu'un veut le réciter qu'il le fasse ! Mais pour moi, je ne le demande pas, non pas que je méprise la bienheureuse Vierge, mais parce que je m'en tiens au Seigneur Jésus qui est mort pour moi. » Selon l'usage, le bourreau devait demander pardon au condamné des souffrances qu'il allait lui infliger. Il lui accorda le pardon « de bon cœur en le baisant tendrement sur la bouche ». Le supplice commença alors. En expiation du nez brisé de la Vierge, les tenailles rougies devaient d'abord lui arracher le nez. Sans un cri, il s'y prêta de bonne grâce, représentant son visage au bourreau qui lui avait par maladresse arraché d'abord les lèvres. Il fallut ensuite, pour expier l'attentat contre les bras de la statue, lui couper la main. Il vit sa main sauter sur le pavé « comme en riant », en criant « Mon Dieu, prends encore ceci de moi en sacrifice ! » Enfin, au fer rouge, en souvenir de la couronne brisée de la Vierge, le bourreau lui imprima plusieurs cercles sur la peau du front et du crâne. Quand les flammes l'environnèrent, sans un mouvement de recul, levant au ciel son bras amputé, Jean Leclerc mourut en criant : « Béni soit le Dieu d'Israël ! »

Les premiers martyrs de la conviction réformée meurent dans la solitude. Mais autour d'eux la peur ne fait pas la désertion. Le frère cadet de Jean Leclerc sera choisi comme premier pasteur de Meaux. Il rassemblera autour de lui la petite communauté luthérienne, pour des offices secrets, proclamant la parole et organisant sans trembler la Sainte Cène. Les flammes du bûcher l'attendaient à son tour en compagnie de treize de ses compagnons en 1546.

La répression s'est durcie à Paris. En 1528, dans la nuit du 1er juin, la rage iconoclaste s'attaque à une statue de la Vierge à l'enfant à l'angle de la rue des Rosiers. La Vierge est décapitée, comme l'Enfant, et leurs têtes déshonorées sont abandonnées parmi les pierres, la couronne plongée dans la boue. C'est un immense scandale. Le roi est si profondément frappé qu'il en pleure et offre mille écus d'or à qui permettrait d'arrêter les coupables. En vain. De grandes processions expiatoires sont organisées, que le roi conduit lui-même, pour remplacer la statue suppliciée par une autre d'argent. L'Eglise réunit quatre grands conciles provinciaux à Bourges, Paris, Reims et Lyon, qui précisent ce qu'est le protestantisme et le condamnent. A la Sorbonne, un jeune intellectuel, Louis de Berquin, s'est pris de passion pour les thèses de Luther qu'il devait critiquer et, converti, devenu militant, a été arrêté deux fois. Il a l'audace de se révolter contre la Sorbonne et de dénoncer comme hérétique un des plus grands de ses théologiens. Il est arrêté et condamné à la prison. Il fait appel. Son appel est ressenti comme une provocation. Les juges d'appel le condamnent au bûcher et il est immédiatement exécuté, malgré la protection que le roi, absent, lui a toujours accordée.

Va-et-vient de l'histoire, hésitation des temps, le début des années trente paraît plus clément à la Réforme. Mais l'affaire des Placards, le basculement de l'alliance royale, durcissent à nouveau les choses. A la suite des Placards, ce sont plusieurs dizaines de bûchers qui s'allument à Paris, riches et pauvres, l'imprimeur du *Miroir,* aussi bien qu'un tisserand, bourgeois ou paralytique, tailleur de pierre ou maîtresse d'école, on tente d'effacer le scandale par le feu et le martyre. Le 29 janvier 1535, un édit tranche : pour lutter contre l'hérésie, il n'y a qu'une seule voie, l'extermination des hérétiques.

Mais la nature profonde du souverain, comme la politique d'alliance avec les princes allemands, va protéger un moment encore les protestants. Six mois plus tard, le 29 juillet, le roi publie un nouvel édit, l'édit de Coucy, qui proclame l'amnistie générale. L'apaisement durera trois ans. En décembre 1538, l'édit de Coucy est abrogé. En 1541, l'édit de Fontainebleau fait obligation à tous les seigneurs justiciers de participer à la poursuite de l'hérésie.

C'est désormais tout le royaume qui a basculé dans la politique de répression. Politique aveugle, comme chaque fois qu'on invite une société à la dénonciation et à la persécution. Comme nous l'avons vu, on arrêtera à Meaux, pendant une Cène, plus d'une cinquantaine d'hommes, de femmes, de jeunes filles. Quatorze fidèles seront brûlés en place publique. Le soupçon est partout. Quiconque est différent se trouve menacé. Ainsi d'Etienne Dolet, l'humaniste lyonnais, le plus actif de ceux qui répandaient en France les œuvres de l'évangélisme, de l'humanisme et de la réforme. Arrêté et jugé une première fois, il échappa au bûcher. Mais il fut accusé de récidive et, après deux ans de prison misérable, il fut brûlé en

1546. Combien furent-ils les victimes des b
quatre et cinq cents, qui payèrent de leur vi(
atroce, à « petit feu » ou à flammes vives, l'aveuglement des
temps. Ainsi des pauvres Vaudois. A la fin du XIIe siècle Pierre
Valdès, le fondateur dont ils portaient le nom, avait prêché
une réforme avant la lettre, faite d'austérité, de solidarité
familiale et de rigueur dans les mœurs. Ceux qui étaient restés
fidèles à ses enseignements subsistaient dans les hautes val-
lées alpines, isolés et paisibles, forts seulement de quelques
milliers d'âmes, en une vingtaine de villages. Le bruit de la
réforme calviniste fut pour eux comme un signe de reconnaissance. Un enthousiasme nouveau les prit et l'on se mit, chez
eux aussi, à poignarder les tableaux sacrés, à mettre à bas les
statues. En 1540, le parlement d'Aix avait été saisi de ces
exactions, d'autant plus mal ressenties que les anciennes
légendes, comme pour toutes les minorités, étaient remontées
à la surface. Les Vaudois, comme toute communauté mystérieuse, étaient chargés de tous les maux. Dix anciens avaient
été condamnés à mort. Mais il y avait à l'évêché de Carpentras
un homme exceptionnel, un des animateurs du parti de la tolérance, Jacques Sadolet (Jacopo Sadoleto), qui serait un jour
cardinal. Il empêcha leur exécution et s'en expliqua en une
lettre adressée à Rome au cardinal Farnèse, un des plus grands
textes, des plus généreux, d'un temps qui n'en compta guère :
« Ce ne sont pas les armes dont j'use. Les miennes peuvent
paraître plus douces : elles sont plus fortes. Là où la terreur et
le supplice échouent, la vérité elle-même, la mansuétude, leur
font avouer leurs erreurs, non de bouche seulement, mais du
fond du cœur... Je suis le pasteur de ces peuples, non un mer-
cenaire. Autant que personne, je suis ému d'indignation
contre les méchants, mais je le suis encore davantage de
compassion pour les malheureux. » Mais cinq ans plus tard,
en avril 1545, alors que Sadolet séjourne à Rome, les autorités
locales obtiennent l'autorisation de nouvelles poursuites. La

soldatesque est chargée de mettre de l'ordre, à n'importe quel prix. Les villages sont détruits, les hommes envoyés aux galères, les femmes violées : une boucherie, un monceau de cadavres, sans doute un millier de morts, l'horreur à l'état pur, ineffaçable.

Qu'est-ce qui avait durci de la sorte les dernières années de François Ier ? Le roi ouvert aux idées nouvelles avait, à partir des « placards », mesuré le risque que la propagation de la réforme faisait courir non pas seulement à la religion, mais à son autorité et à son royaume. Il savait la puissance des parlements et de la Sorbonne et pouvait imaginer ce qu'en cas de dérive l'on ne manquerait pas d'imputer à sa faiblesse. Mais plus encore, il savait de toutes ses fibres, non pas seulement de manière intellectuelle, mais pour ainsi dire physiquement ce qu'était l'autel au royaume de France.

Ce serait sa question, comme celle de tous ses successeurs. Tant que « réformer » voulait dire restaurer l'Eglise catholique, universelle, celle des saints et des martyrs, celle de la Vierge Marie, dans sa pureté originelle, le roi pouvait être du côté de la réforme. Mais dès que la « réforme » changeait d'objet, dès qu'il devenait explicite qu'elle ne visait plus à changer l'Eglise, mais à changer d'église, alors c'était la sève même qui faisait vivre le roi et le royaume qui se trouvait asséchée. Les accusations accumulées contre les moines, les mœurs des couvents, les indulgences, en France, le roi les comprenait fort bien, et à mi-voix faisait savoir qu'il ne les découragerait pas. Le retour à l'Ecriture, la recherche d'une source vive, d'une inspiration plus moderne à la conviction et à la pratique religieuse, il multipliait les signes de bienveillance à ceux qui les recherchaient. Mais la mise en cause de messe ! Mais l'injure à la Vierge ! Mais la Sainte Eglise présentée comme un repaire de pourceaux, comme un blasphème en soi ! Ce n'était plus une « réforme » c'était un attentat contre l'ordre chrétien, et donc contre l'ordre royal.

Le trône et l'autel

C'est que le trône, de ses quatre pieds, reposait sur l'autel. On ne pouvait pas ébranler l'un sans menacer l'autre. Et non seulement le trône, mais tout ce qui dépendait de lui dans la société française : l'autorité, la dignité féodale, les magistratures.

Le roi de France n'était pas seulement le très-chrétien, il aurait pu le demeurer en une mutation du christianisme. Il était plus encore, il était roi *par la grâce de Dieu*. Cette grâce, elle était manifestée par le sacre, duquel le roi sortait non seulement souverain, mais prêtre. Et c'est parce qu'il était prêtre qu'au moment du sacre, et cette seule fois, il était invité à communier du pain et du vin, que sa bouche approchait le calice, seul mortel, seul fidèle à avoir ce droit en dehors de l'ordination. C'est dire ce que pouvait signifier à l'âme jalouse des rois de France l'information qu'à Wittenberg ou à Genève, *tous* les fidèles se voyaient attribuer ce privilège.

Toute la cérémonie du sacre était organisée autour de cette reconnaissance sacramentelle. Au début de la cérémonie, le Roi était revêtu tour à tour, en une symbolique d'ordination, des vêtements successifs des trois dignités qui conduisent à la prêtrise, la tunique, comme un sous-diacre, la dalmatique, le vêtement du diacre, et enfin le manteau royal, l'équivalent de la chasuble du prêtre. Alors une religion où *tout le monde* était prêtre, où il n'y avait plus d'ordination... Immédiatement avant d'être appelé roi, il était *oint*. Le baume était celui de la sainte ampoule, miraculeusement apportée par une colombe à saint Rémi lors du sacre de Clovis, plus de mille ans auparavant. Ainsi, le roi de France « seul parmi les souverains de la terre, jouissait de l'insigne privilège d'être oint d'une huile descendue du ciel [1] ». Mélangée à de l'huile pure, une goutte de ce baume recueilli dans la sainte ampoule au bout d'une aiguille d'or constituait le saint chrême dont le souverain recevait une onction au front (Dieu lui donnait de régner par l'intelligence), à la poitrine (Dieu lui donnait de régner par le cœur), aux deux bras (Dieu lui donnait de régner par la force), enfin aux deux mains (qui porteraient le sceptre, l'anneau bénit comme celui des évêques, la main de justice et auraient le pouvoir de guérir).

Roi et prêtre, il devenait ainsi intercesseur, recevait le pouvoir spécialisé de faire des miracles en guérissant, par le « toucher », les écrouelles, que l'Angleterre nommait « mal du roi », ces abcès tuberculeux au niveau du cou qui étaient censés se cicatriser et disparaître en présence du roi de France. Et la religion nouvelle niait qu'il y eût seulement possibilité de miracles !

Le roi se liait ensuite par un serment, dont la forme intéressait naturellement le souverain aux temps troublés où se nouent les guerres de religion :

« Je vous promets et octroie que je conserverai pour chacun de vous et pour les églises qui vous sont confiées les privilèges canoniques, la loi due et la justice, et que je vous défendrai autant que je le pourrai, avec l'aide de Dieu, comme un roi est obligé par droit de le faire dans son royaume pour chaque évêque et l'église qui lui est confiée. »

Puis, les mains posées sur l'Evangile, qu'il baisait ensuite :

« Je promets au nom de Jésus-Christ ces choses aux chrétiens à moi sujets :

Premièrement, je mettrai peine que le peuple chrétien vive paisiblement avec l'Eglise de Dieu.

---

1. Cette phrase est extraite de l'*ordo* de Reims cité par Richard A. Jackson, *Vivat Rex, histoire des sacres et couronnements en France*, traduit par Monique Arav, Association des publications près les universités de Strasbourg, distribué par Editions Ophrys, 1984.

Outre je tâcherai faire qu'en toutes vocations cessent rapines et toutes iniquités.

Outre je commanderai qu'en tous Jugements l'équité et la miséricorde aient lieu, à celle fin que Dieu clément et miséricordieux fasse miséricorde à moi, et à vous.

Outre je tâcherai à mon pouvoir en bonne foi de chasser de ma juridiction et terres de ma sujétion, tous Hérétiques dénoncés par l'Eglise :

Promettant par serment de garder tout ce qui a été dit. Ainsi Dieu m'aide, et ces Saints Evangiles de Dieu. »

Chaque ligne de ce serment, renouvelé et signé à Paris, lorsque le roi est pour la première fois reçu à Notre-Dame, paraît avoir été écrite pour l'immense lutte qui opposera l'Eglise à la Réforme.

Le royaume est une pyramide. Tout pouvoir et toute justice viennent du roi. Et le roi n'est justifié que par le sacre. C'est le sacre qui le fait différent. S'il n'en était pas ainsi, alors les contestations ne manqueraient pas d'apparaître, la légitimité du roi d'être mise en question. Alors pourrait reparaître la théorie de l'élection du souverain, comme elle le fera dans les années d'incertitude qui précédèrent l'avènement d'Henri IV. C'est du sacre que vient la validité de tous les pouvoirs du Roi, singulièrement de ceux qui s'exercent en son nom, par délégation d'offices ou de magistratures. C'est du sacre aussi que vient le pouvoir féodal du souverain français sur tous ceux qui relèvent de son autorité.

L'histoire n'est pas notre chose. Elle a sa logique qui appartient à ceux qui la vécurent. Le grand séisme n'était pas uniquement religieux. Il touchait à tous les cadres de la société dont l'Eglise garantissait la stabilité et la pérennité. Dès lors, il était fatal que nul ne soit épargné, où qu'il ait eu à exercer sa vocation ou sa mission, sa fonction ou son service.

Pour les fidèles modestes et généreux qui se rendaient au rendez-vous de la foi nouvelle, nouveaux apôtres et nouveaux martyrs, c'était le meilleur d'eux-mêmes qu'ils donnaient.

C'était l'Eglise éternelle qu'ils réformaient, l'église invisible des croyants à qui ils rendaient sa pureté et sa jouvence. Mais par l'assaut qu'ils donnaient à l'Eglise héritée, à l'Eglise transmise, celle des docteurs, des évêques, de l'autorité, de l'encadrement, toute la société se trouvait ébranlée et menacée. Ainsi des pas silencieux et secrets des prédicateurs des premières communautés, toute la voûte de la cathédrale résonnait et tremblait.

Le premier enracinement

Du début des années 1530 à la fin des années 1550, trois décennies verront le premier enracinement de la réforme française. La critique historique avait autrefois l'habitude de distinguer de manière très tranchée la période « luthérienne », des premières communautés, paisibles, inorganisées, bien intégrées malgré les persécutions, de la période « calviniste », structurée, solide, où les églises réformées s'affirmaient d'autant plus qu'elles étaient soudées par la guerre. Mais l'articulation entre les deux âges de la Réforme sur notre sol a été à la fois plus insensible et plus intime.

Où sont, dans les années premières, les premières rencontres, les premières manifestations, les sources humbles de la grande vague qui va déferler ?

Il y a d'abord les clercs, les savants. Ceux qui sont formés à la critique. Pour eux, la spéculation théologique est une seconde nature. Ils ont accès à des sources nombreuses. Ils connaissent des versions complémentaires du texte évangélique et sont armés pour suivre les disputes savantes qui président à l'émancipation de la doctrine. De tout cela, ils sont spécialistes et lorsqu'ils ont à décrire leur conversion, c'est de l'apparition de la personne du Christ derrière les lignes des textes qu'ils parlent. Ils avaient la science et ils trouvent la foi. Parfois, ils avaient la règle, et ils trouvent la liberté.

Il y a ensuite les lecteurs. Les dix pour cent de Français dont parle si bien Pierre Chaunu, qui sont la première génération de liseurs, la véritable cible des vendeurs d'almanachs simplifiés, de textes simples, imprimés à des fins missionnaires pour ne pas dire de propagande et pour qui la révélation est d'une nature un peu différente. Ils avaient le rite et ils découvrent l'Evangile ou la Bible, en tout cas le texte sacré. Et c'est pour eux une immense révélation.

Il y a enfin les premiers fidèles. Ils sont divers, secrets et mystérieux. Mais tous ont en commun l'entrée dans un univers où l'on ne se contente pas de la superstition, un univers où on peut comprendre ce que l'on vit. Ils avaient une pratique et ils trouvent une religion où leur compréhension est engagée en même temps que leur conviction. C'est pourquoi ils apprécient tant la lecture, dans *leur* langue, des textes qui, auparavant, étaient dissimulés sous le latin mystérieux. La simplification de la foi est aussi un dépouillement. Le Christ auquel on croit se dégage du fatras des saints et bienheureux sans hiérarchie. Ce qui était obscur devient transparent, dans le dépouillement évangélique.

Dans un moulin, autour de Pau, un ancien carme de Tarbes, Solon, organise, dans les années 1540, les premières cènes où paraît, sous l'influence de sa femme Marguerite, le roi de Navarre en personne [1] : « Voici la façon de cette manducation (agapes, repas), que j'ai apprise de ceux qui ont eu part en ces batelages (cérémonies). Celui de la compagnie qui était élu lisait tel passage des quatre évangélistes que bon lui semblait, sur la matière du sacrement de l'Eucharistie, et après avoir détesté la messe, comme invention du diable, proféré plusieurs injures et blasphèmes contre l'Eglise, il leur disait : " Mes frères, mangeons le pain du Seigneur en mémoire de sa mort et passion. " Lors ils s'asseyaient à table, puis il rompait

---

1. Cité de Florimond de Raemond (II, fol. 192 v°) dans le classique d'Emile G. Léonard : *Histoire Générale du Protestantisme II* . « L'établissement », p. 84, Quadrige/Presses universitaires de France.

le pain, en baillait à chacun un morceau et tous mangeaient ensemble sans mot dire, tenant chacun la meilleure mine qu'il pouvait. De même faisaient-ils prenant le vin. Après, cet élu rendait grâces au Seigneur de ce qu'il leur avait fait cette faveur de connaître les abus du papisme et la grâce d'entendre la vérité. Ce fait, il disait, et les autres aussi, le *Pater noster* et le *Credo* en latin, puis l'assemblée se levait. Avant de partir, chacun faisait serment, jurait au Dieu vivant de tenir et de garder le secret. »

Reconnaissance discrète entre les fidèles, mots de passe, réunions itinérantes, églises sans organisation ni coordination, pasteurs sans élection ni formation, les premiers temps de la réforme n'ont pas eu le choix. Il fallait aux premiers fidèles rechercher l'ombre et le secret. La persécution veillait, et la société imposait à tous la pratique catholique. Pour les mariages, les naissances, baptêmes, inscription sur l'état civil, enterrements, l'Eglise catholique avait tous les pouvoirs. Les premiers évangéliques français vivaient donc greffés sur l'arbre de l'Eglise, sans rupture.

C'est à cette intimité maintenue que Calvin va s'attaquer. Sa campagne contre les « Nicodémites » est pour les vrais croyants une mise en demeure de rompre avec cette « Babylone » qu'était devenue l'Eglise papiste. C'est à partir de cette obligation de rupture que va se construire une véritable église, réformée, sous l'influence de Genève.

Calvin n'est pas tendre pour les assemblées improvisées. Les communautés lui écrivent-elles pour lui dire leur besoin de sacrements ? Il ne se hâte pas de légitimer leur recherche : au contraire, il professe que l'église doit précéder le pasteur : « nous ne sommes nullement d'avis que vous commenciez par ce bout, et même que vous soyez hâtés d'avoir la Sainte-Cène jusqu'à ce que vous ayez un ordre établi entre vous. En fait, il vous vaut beaucoup mieux de vous en abstenir, afin que vous soyez induits par cela à chercher les moyens qui vous en rendent capables... » Plus précisément encore : « Pour avoir homme qui vous distribue la Sainte-Cène de Notre-Seigneur Jésus-Christ, il faut en premier lieu qu'il soit élu et choisi par vous d'un commun accord. Et pour ce faire, il est requis que vous ayez un corps d'église établi. »

Un corps d'église ? Sur le modèle de Genève, les institutions de l'église sont en violent contraste avec celles de l'Eglise catholique détestée. C'est la philosophie de l'église qui change : pour l'une, l'autorité vient d'en haut, de Rome, même si le dogme de l'infaillibilité pontificale, lorsque le pape parle ex cathedra et de doctrine, n'est pas encore fixé. Par les évêques et les cardinaux, la vérité, l'ordre et la coutume descendent jusqu'à la paroisse. Chez les protestants, au contraire, tout homme étant investi de la grâce directe qui donne le salut, et membre du sacerdoce universel, c'est d'en bas que vient la vérité. Discipline, prédication, rigueur morale, ne sont pas l'objet d'un décret supérieur, mais de la responsabilité des fidèles. C'est pourquoi l'église existe dès l'instant que les fidèles sont en nombre suffisant pour exprimer et défendre cette conviction commune. Dès que formée, l'église locale devra élire d'abord le collège des anciens, des laïcs, au nombre de 5 ou 10, qui se réuniront en consistoire, chargés des finances, de l'éducation, et surtout de la discipline morale de la communauté. C'est eux qui se voient déléguer le pouvoir de censurer les fidèles convaincus d'avoir manqué aux règles morales qui font loi, honnêteté de vie et de mœurs. Le « ministre », pasteur de la communauté, est le plus souvent itinérant. Beaucoup de ces pasteurs, les plus prisés, viennent de Genève. Lorsqu'une église accède à ce degré d'organisation, anciens, pasteur, on considère qu'elle est « dressée ». Sinon, elle n'est que « plantée ». De 1555, date de la première église « dressée » en France, celle de Paris, à 1562, ce sont 88 pasteurs qui sont adressés aux communautés françaises par la compagnie de Genève. A la même date, s'impose une organisation qui fédère ces églises éparpillées, le « synode », qui réunit les représentants élus des églises, anciens et pasteurs, et crée une liaison entre les communautés locales, éloignées les unes des autres, et dont aucune n'est supérieure à une autre. Les synodes seront régionaux et un synode national, tous les deux ans, aura autorité sur les églises de France.

Le premier synode national se réunit à Paris le 25 mai 1559, au mépris des risques de l'époque. Dans une maison du Faubourg Saint-Germain, sous la présidence du ministre Morel, les représentants des communautés françaises, rejoints le dernier jour par trois représentants de Calvin organisent les églises réformées de France. Ils adoptent la profession de foi des églises de France, dont le texte sera définitivement arrêté, douze ans après, en 1571 à La Rochelle, lors du septième des Synodes nationaux.

En cinq ans, cette organisation des églises permet l'apparition d'un millier d'églises « dressées ». Succès extraordinaire, déferlement de la foi nouvelle, ou, en tout cas, de l'approche nouvelle de la foi, du sentiment religieux personnel, de l'église.

Et ce succès inquiète d'autant plus le roi et les pouvoirs que personne ne peut plus ignorer que c'est chez les grands du royaume que le progrès est le plus spectaculaire.

Laissons notre regard d'aujourd'hui. Pour la plupart des fidèles, il ne s'agit pas d'abord d'une religion nouvelle. En tout cas, ce n'est pas le sens de leur démarche initiale. Il suffit de faire le compte des allées et venues entre la messe et le prêche, dans les mêmes familles, et parfois pour les mêmes hommes, les mêmes femmes, pour mesurer leur hésitation. Antoine de Bourbon, le père d'Henri IV, prendra de grands risques en se montrant à l'une des toutes premières manifestations publiques de la Réforme parisienne. Moins de trois ans après, il sera parmi les plus féroces à vouloir combattre la Réforme que sa femme a rejointe, et avec quel élan ! Et au moment de sa mort au combat, il déclarera au serviteur fidèle qui l'assistera dans ses derniers instants, qu'il a toujours voulu vivre et mourir dans la confession d'Augsbourg, c'est-à-dire luthérien. Encore le compte-t-on au nombre des catholiques... Henri IV, lui-même, contraint et forcé, ou libre, franchira six fois ce Rubicon spirituel. Au rythme de l'actualité, parfois en fonction de leurs intérêts, ou de ce qu'ils en perçoivent, allant et venant, baptisés dans une église, accueillis au culte dans l'autre, pris d'enthousiasme ou refroidis, chacun vit dans sa conscience ou dans sa sensibilité, la progressive, hésitante, et bientôt immense fracture du temps.

Pour nous, quatre siècles et demi après la fracture, nous sommes enclins à voir les choses tranchées, à opposer et à séparer. Mais c'est une vision des temps achevés. Pour qui est pris dans l'étau du présent, au contraire, rien n'est tranché. Pour la plupart des réformés en voie d'affirmation, dans le premier mouvement, c'est la même église. Ils savent que les interprétations divergent sur quelques points de doctrine, seulement accessibles aux plus savants. Les coutumes ne sont pas les mêmes. La religiosité est très différente. Mais l'Eglise est une, et chacun le proclame avec ses mots, avec ce qu'il a de meilleur.

Longtemps les plus portés à la synthèse et au rassemblement rêveront de retrouver, au prix d'efforts symétriques et réciproques, l'unité perdue. Et parfois, d'ailleurs, ils paraîtront près d'y parvenir. Du moins pour ce qui tient aux hommes, aux consciences individuelles, à l'effort que chacun, à sa mesure, peut faire naître et partager autour de soi. En réalité, la marche de l'histoire est presque indifférente à ces mouvements individuels. Ce qui se jouait dépassait de très loin la bonne volonté personnelle des acteurs du drame du temps. Le moteur de l'histoire est ailleurs, sa puissance est d'une autre ampleur. Les événements ne sont pas à interpréter en eux-mêmes. Il arrive qu'ils ralentissent telle ou telle évolution. Le plus souvent, ils l'accélèrent. Ceux qui les vivent mettent le meilleur d'eux-mêmes à décider, à écrire, à réunir, à guer-

royer, selon leur pente et leurs attentes. Ils se font les inter-
prètes ou les serviteurs de ce qu'ils croient sentir dans l'âme
de leur temps, les propagandistes de ce qu'ils espèrent, les
contempteurs de ce qu'ils craignent. Pour autant, ils ne sont
qu'à la surface des choses. De grands mouvements sont en
marche, dont ils ignorent l'essentiel et dont le cycle et la
période sont imperturbables. Ainsi sont particulièrement
visionnaires les historiens qui, comme Fernand Braudel, ont
proposé de lire le temps sur la « longue durée », la seule qui
permette de déchiffrer le scénario mystérieux qui nous fait ce
que nous sommes.

CONTRE « L'HÉRÉSIE », LA GUERRE

Ce qui se joue sur la scène de l'Europe à ce moment, c'est un siècle entier. En 1556, s'il avait fallu parier sur la future première puissance européenne, on aurait parié sur la prééminence de la France, sur la maison des Valois. Charles Quint épuisé venait de se dépouiller de la Toison d'or. Il avait remis, l'un après l'autre, ses trônes, ses puissances, ses possessions. L'empire, affaibli, était coupé en deux. Son frère Ferdinand, roi des Romains, avait reçu la Hongrie, la Bohême et tous les domaines allemands. Son fils Philippe, roi d'Espagne, obtenait de surcroît Naples, la Sicile et les terres d'outre-mer. Charles Quint, retiré dans son monastère, mourait le 21 septembre 1558. Mais, auparavant, il avait vu basculer le destin de l'Europe.

Car sous les murs de Saint-Quentin, le jour de la Saint-Laurent, 10 août 1557, l'armée du roi de France était anéantie par les troupes espagnoles, sous le commandement d'un génie militaire, privé de son pays depuis plus de vingt ans, Emmanuel-Philibert, duc de Savoie, que ses hommes surnommaient, avec admiration, Tête de Fer. Le siècle était joué. Après Saint-Quentin, on sait que la France ne dominera plus l'Europe. Il faudra cent ans pour équilibrer ce drame militaire et politique.

Il ne reste au roi de France qu'à s'occuper de son royaume. Dans la défaite, on le sait, on cherche des boucs émissaires. Fut-ce ce sentiment, ou réelle inquiétude, mais les protestants, désormais seront pris pour cible. Il était, il est vrai, difficile d'ignorer les progrès de la réforme.

Coup sur coup, deux événements avaient ouvert les yeux, pas très perspicaces, du roi. Le 4 septembre 1557, la soirée était fort avancée quand le guet fut averti par des étudiants : une grande assemblée protestante était réunie en secret dans une maison du Quartier latin ! Il fallut plusieurs heures pour les encercler, et tenter de les arrêter. La plupart réussirent à s'enfuir, l'épée à la main. Cent trente seulement ne purent le faire, les femmes en particulier. Il fallut dès lors se rendre à l'évidence. Au lieu des artisans, des boutiquiers, des « gens mécaniques », public attendu de ce type de cérémonie, on avait identifié et gardé à vue des dizaines de fidèles de la mieux reconnue des noblesses ! La justice, dans le plus grand embarras, livra au bûcher sept ou huit d'entre elles. Mais les autres, il fallut bien les relâcher.

Au printemps suivant, dans le temps de l'Ascension, au Pré-aux-clercs, la réforme s'afficha en public. Sous les ombrages de la rive gauche de la Seine, une immense manifestation, quatre soirs de suite, réunit des milliers de participants, au moins quatre mille, chantant des psaumes, et parmi eux certains des plus grands seigneurs de la cour, le roi de Navarre, Antoine de Bourbon, en tête, sous la protection de ses armes et de ses gardes. On découvrit que le responsable de la manifestation était le neveu du connétable de Montmorency, François d'Andelot, colonel-général de l'Infanterie, le frère aîné du futur chef de guerre de l'armée protestante, l'amiral de Coligny.

Pour Henri II, d'Andelot est un proche. Il est persuadé, un peu naïvement, qu'il peut l'amener à changer. Son échec l'affectera profondément et le plongera dans une immense colère : « Je ferai courir par les rues le sang et les têtes de la racaille luthérienne. » L'hiver 1559 le renforce dans sa détermination. Il est décidé à achever la guerre avec l'Espagne pour avoir l'esprit et les mains libres dans le royaume : « Le roi ayant découvert, bien que tardivement, le péril où le mettait l'hérésie, fut contraint, pour ne pas perdre complètement

l'impuissance : impuissance du jeune époux, impuissance du roi. Alors François se jette dans la frénésie de la chasse, dans l'exaltation du jeu de paume. Et il laisse gouverner ceux qui ont barre sur lui, les oncles de sa jeune femme : les Guises, la première des trois familles qui vont, au long des décennies des guerres de religion, se combattre pour le pouvoir. Les Guises sont princes lorrains, leurs ennemis disent donc qu'ils sont étrangers en France. Mais du côté paternel aussi bien que maternel ils peuvent se prévaloir de descendre de Saint Louis. L'aîné François de Guise est une sorte de héros national. Quelques mois après l'humiliation de Saint-Quentin, il a vengé l'honneur des armes de France en reprenant Calais. Son frère cadet, Charles est cardinal de Lorraine, archevêque de Reims. La politique des Guises, c'est le catholicisme, c'est le pape. C'est à la fois leur conviction et leur intérêt. Pendant toute la guerre, les Guises seront à la tête du parti catholique.

En face d'eux, il y a les Bourbons. C'est, dans la descendance mâle de Saint Louis, la famille la plus proche du sang royal. Les Bourbons sont princes du sang. L'aîné est Antoine, roi de Navarre, bel homme élégant et soldat audacieux, mais caractère flou et incertain, magnifique à certains moments, mais bizarre à d'autres, obsédé par le royaume perdu de sa femme Jeanne d'Albret, prêt à tout croire, à tout suivre, dès l'instant qu'on lui promettra de lui rendre la Navarre, ou tout autre royaume équivalent. Le cadet, Louis, prince de Condé, a fait le choix du protestantisme. Les Bourbons ont aussi leur cardinal, Charles, archevêque de Rouen.

Enfin, la troisième de ces grandes familles : les Montmorency dont l'étoile est quelque peu sur le déclin. La disgrâce de la famille est, au moins temporairement, parallèle à celle du Connétable, qui eut l'infortune, après avoir été l'ami et l'homme de gouvernement de François Ier, de commander à Saint-Quentin. Il a trois neveux, les Châtillon. Odet est Cardinal, François d'Andelot, lieutenant-général de l'infanterie, et

Gaspard de Coligny, le plus redouté des trois, amiral de France. Les Châtillon vont vers la réforme. Les Bourbons se partagent. Les Guises se battent contre elle. Le décor familial et dynastique, le décor féodal des guerres de religion est planté.

La première période du règne appartient aux Guises. Le petit roi est entièrement soumis aux oncles de Marie Stuart, sa reine adorée. Catherine de Médicis, sa mère, n'a pas encore pris le poids politique qui sera le sien dans quelques mois. Le temps est à la persécution des protestants. Le 23 décembre, le conseiller Anne du Bourg, qui était emprisonné, est livré au bûcher. Dans ce seul automne, ce sont treize autres condamnés, dont une femme, qui ont connu le même terrible sort.

Les choses vont mal. Une crise financière sans précédent s'est développée en France. L'afflux du métal américain a provoqué une dévaluation constante de la livre. La monnaie a perdu en quelques décennies plus de 60 % de sa valeur. Les impôts, comme toujours, ne rentrent pas comme on l'espère. Les fonctionnaires ne sont pas payés par l'Etat, et comme d'habitude dans ces cas-là, ils se paient eux-mêmes en appauvrissant encore le Trésor public. Le trône a lancé de grands emprunts, avec un grand succès, mais à des taux si lourds qu'il est incapable, sauf par la fuite en avant, d'en assurer le remboursement. Le royaume s'est endetté comme jamais. A la mort d'Henri II, il se découvre que la dette du royaume est de plus de quarante millions de livres et que plus de vingt millions sont immédiatement exigibles. Pour remettre les choses en place, on fit appel au président de la chambre des comptes, Michel de L'Hospital. Celui-ci réduisit drastiquement les dépenses de la cour, et exigea le paiement d'un emprunt forcé.

Que pensent les protestants ? Ils pensent comme le temps. Rien n'est plus sacré que la personne du roi. Mais si le roi est bon, les Guises qui l'entourent sont mauvais et il faut soustraire le jeune roi, si fragile, à leur influence. Ainsi peut-être pourra-t-on imaginer de voir le royaume aller tout entier vers la réforme. Que faire alors, quand les choses vont si mal ?

Dans quelques esprits, peu discrets, naquit alors l'idée de s'emparer de la personne du roi et de la famille royale, de les mettre à l'abri des Guises malfaisants, ces étrangers qui l'intoxiquent, pour les convaincre alors de la vérité de la Foi et du malheur du peuple fidèle, et de convoquer les Etats généraux. Qui eut l'idée ? Peut-être le pasteur de la famille des Bourbons, Chandieu. C'est lui qui a trouvé le chef des opérations, un huguenot provincial, Jean du Barry, seigneur de la Renauderie, courageux et sans jugement. Calvin donna-t-il son accord ? Il s'en est beaucoup défendu, rapportant au contraire que son avis avait été que « de cette goutte de sang qu'on allait verser, découleraient des fleuves qui inonderaient la France ». Probablement eut-il une formule plus ambiguë, indiquant que de telles actions ne pourraient être valides que par l'accord général de ceux qui détenaient la légitimité dans le Royaume, « les princes du sang et les parlements ». Les princes du sang, c'est d'Antoine de Bourbon qu'il s'agit, bien sûr, l'atout majeur et toujours décevant du protestantisme.

Autour du roi, pendant ce temps, on mesure l'impopularité qui frappe la politique hystérique des Guises. Catherine de Médicis est décidée à faire entendre sa voix. Elle a longuement conféré avec Coligny. Celui-ci a traduit pour elle le désespoir des réformés. Que demandent-ils ? Rien d'autre que de pouvoir vivre en paix dans le royaume en attendant qu'un concile décide de la vérité et de la réconciliation des deux religions. Si le concile est sincère, tout le monde s'y soumettra. La Reine-mère met tout son poids dans la balance pour arrêter la révolte que, de tout son instinct, elle sent venir.

Le 8 mars 1560, la cour étant à Amboise, le roi signe un édit, le premier édit d'Amboise, un édit d'amnistie, où se lit toute l'influence conciliatrice de sa mère. L'exposé des motifs le dit en toutes lettres : « De quoi nous avons plusieurs fois conféré avec notre très honorée dame et mère, et finalement, suivant son avis, avons fait mettre cette matière en délibération... »

Mais rien ne détournera les conjurés. Ils se sont mis en marche vers Amboise, sans ordres stricts, sans tactique précise. De qui faut-il réellement s'emparer ? A qui donnera-t-on la réalité du pouvoir ? Tout ce que savent les conjurés est tactique, et d'ailleurs grossier. Des points de rendez-vous sont fixés. Mais les premiers de la troupe sont arrêtés. La Renauderie croit pouvoir manœuvrer quand même avec l'avant-garde légère qu'il a rameutée autour de lui. Un détachement royal le surprend. Il est tué d'une arquebusade à bout portant, et son cadavre rapporté triomphalement au château. Amboise se croit sauvé. Mais le gros de la troupe (peut-être deux cents hommes) créera la surprise en lançant l'assaut le lendemain contre le château royal. Ils seront repoussés, mais la répression sera sauvage. Plus de deux cents hommes seront pendus aux murailles ou noyés dans les douves. La Loire portera des dizaines de cadavres.

Le vieux chancelier, François Olivier, est si affecté par la conjuration et ses suites qu'il meurt, épuisé, dans les quinze jours. Un chancelier, c'est très important. Il est le ministre de la Justice. Il porte le grand sceau royal. Il est inamovible : on peut le disgracier, l'exiler, mais non pas le déchoir de sa charge. Mais plus que cela encore, il est le premier des ministres, homme de véritable influence et lieutenant du roi si le roi est absent. Catherine le sait : la nomination d'un chancelier qui soit à elle, ou du moins avec elle, c'est la reconquête du pouvoir sur les Guises.

Le chancelier pacifique

Or celui à qui elle pense a la même vision qu'elle de la situation confuse du royaume. Comme elle, il sait que le renforcement de la monarchie, la politique du jeune roi, ce n'est pas la terreur, c'est la bienveillance. Car le jour où des conjurations cesseront de s'en prendre aux conseillers pour viser le roi, ce jour-là, il ne resterait au trône que la force, et la force n'est pas grand-chose. Il faut, d'autre part, quelqu'un qui s'impose, dont la nomination ne déplaise à aucun des camps qui se partagent le royaume. Or, pour Catherine, cet homme existe : c'est Michel de L'Hospital. Il est apprécié même des Guises, tout en étant proche de la reine mère et fidèle des Bourbons. Il est grand juriste, poète, latiniste fervent, homme de finances puisqu'il préside, par la volonté d'Henri II, la chambre des comptes.

Le 30 juin, proposé au Conseil par Catherine, Michel de L'Hospital est choisi. L'allié de Catherine devient chancelier de France. Le pouvoir a changé de mains.

Le plan de Catherine et de Michel de L'Hospital, c'est la remise en ordre politique, l'assainissement des finances, la pacification religieuse. Il y a de grandes décisions à prendre. Catherine suscite, dans sa chambre à Fontainebleau, une réunion exceptionnelle : le Conseil, les Princes du Sang, les grands officiers de la Couronne, les chevaliers de Saint-Michel. Les Bourbons ne paraissent pas. Mais les Guises sont là. Durant presque une semaine, à tâtons, autour de Catherine et de son autorité nouvelle, on cherche les voies d'un accord. La décision est prise de convoquer les Etats généraux, un concile national, de rendre les affaires religieuses aux tribunaux ecclésiastiques, et de contraindre à la résidence les grands fonctionnaires ou les évêques.

Dans les deux camps, les plus excessifs sont fous de rage. C'est le cas, en particulier de Condé, qui souffle sur les braises allumées par les répressions sanglantes d'Amboise. Sur tout le territoire du Midi protestant, à Agen, à Montauban, à Lectoure, on a pris des églises d'assaut pour en faire des temples. A Montpellier, soixante églises sont pillées et des massacres de catholiques font plus de mille victimes. Des émeutes naissent un peu partout, de la Provence jusqu'à la Loire. Fort de cette rage populaire, Condé rêve d'un soulèvement général. Il le prépare même et commence à l'exécuter. Catherine sent que l'autorité royale est en cause : Condé est arrêté. Il va être condamné à mort pour complot contre l'Etat. Aurait-il été exécuté ?

Le destin se chargera d'interrompre le cours de la justice. A la fin du mois de novembre, on s'alarme de l'état du jeune roi. Son abcès à l'oreille s'est aggravé. De terribles douleurs le prennent. On l'entend crier de la rue. L'agonie dure cinq jours et cinq nuits. François II s'éteint le 5 décembre au soir.

Le nouveau roi n'a que dix ans. A ce roi-enfant, selon le bon sens et les lois fondamentales du royaume, il faut une régence. Normalement, c'est Antoine de Bourbon, premier prince du Sang, qui doit l'exercer. Mais l'habileté de Catherine, le risque que ferait courir l'opposition acharnée des Guise, l'attrait pour cet homme de guerre de la lieutenance-générale du royaume qui donne le commandement des armées, réussissent à imposer une situation inédite en France depuis trois siècles : la reine-mère exercera les pouvoirs de la régence. Elle a l'habileté suprême de n'en pas demander le titre. Elle se contentera d'avoir autorité sur le conseil. Elle a désormais le pouvoir en fait et en droit.

Immédiatement, les Etats sont convoqués. Le Chancelier prononce sa harangue fameuse : « Otons ces mots diaboliques, noms de partis, de factions, de séditions : luthériens, huguenots, papistes. Ne changeons pas le nom de Chrétiens ! »

Les protestants soutiennent la reine contre les nobles, qui tentent de retrouver le pouvoir en redéfinissant, dans un sens plus restrictif, la minorité du souverain. Enfin, l'intervention d'un protestant demandant la saisie des biens du clergé permet au Chancelier et à la reine-mère d'obtenir un impôt forcé, sous forme de « don gratuit » pour éteindre la dette royale.

Le colloque qui doit préparer le concile se réunit à partir du 9 septembre 1561 dans le réfectoire des religieuses de Poissy.

Le cardinal de Lorraine conduisait la délégation catholique et Théodore de Bèze était venu de Genève pour prendre la tête de la délégation protestante. Y avait-il, dans les deux camps, une quelconque volonté d'entente ou d'attention réciproque ? Peut-être. Mais sans préparation approfondie, les habitudes de langage ne se laissent pas contraindre longtemps. Dès qu'on en vint à l'Eucharistie, Bèze se laissa aller à une formule : « Le corps et le sang du Christ sont aussi loin du pain et du vin que le plus haut ciel l'est de la terre. » La formule fait scandale. La reine-mère elle-même est obligée de rappeler sa fidélité doctrinale. Habilement le cardinal de Lorraine fait semblant de chercher un terrain d'entente. Il s'appuie pour le faire sur des textes... luthériens. Pour les calvinistes présents, c'est un chiffon rouge. Ils récusent le texte présenté. Arrivé de Rome, le général des Jésuites s'arma d'invectives pour les ministres protestants : c'étaient des renards et des singes, des loups et des serpents avec qui aucune discussion n'était légitime puisqu'ils étaient excommuniés. Quant à la reine-mère, il lui dit en face qu'elle n'a rien à faire dans ces discussions de doctrine, qui ne sont ni de sa compétence, ni de son ressort.

Le colloque échouera et l'échec sera rude. Chacun des camps durcit son attitude et les « politiques », ceux qui défendent l'apaisement, se sentent bien seuls. Ils le seront durant des décennies. Du côté catholique, François de Guise, le vieux connétable de Montmorency et le maréchal de Saint-André ont décidé, depuis le printemps, d'afficher une entente catholique. C'est le « triumvirat » qui est décidé à ne tolérer aucun progrès nouveau de la Réforme. Du côté protestant, au contraire, on réunit de grandes démonstrations populaires. Lorsque Jeanne d'Albret arrive à Paris, à la fin du mois d'août, ce sont 15 000 personnes qui assistent avec elle à un culte calviniste public. Une grande partie de la cour, en cet automne, paraît incliner vers la Réforme. Les enfants royaux, eux-mêmes, entraînés par le petit Henri de Navarre qui suit l'exemple de sa mère, disent leurs prières en français et, montés sur une procession d'ânes, organisent une mascarade pour se moquer des évêques et des cardinaux. Mais des massacres, de nouveau, ont lieu en province. Le peuple de Paris s'exaspère – déjà – contre les huguenots.

Désormais, c'est en jours qu'il faut compter avant le grand embrasement. Catherine et Michel de L'Hospital veulent encore croire à la politique de paix publique et religieuse. Contre les durs du parti catholique, ils vont faire droit à la demande si souvent exprimée par les protestants de se voir assurer une certaine liberté de culte. C'est l'édit de janvier 1562, le plus libéral jusqu'à l'édit de Nantes : l'entière liberté de culte est accordée aux protestants hors des murs des villes ; à l'intérieur de ces murs, ils se voient reconnaître la liberté du culte privé, le droit de réunir des synodes ; les pasteurs sont reconnus par l'autorité publique. Pour les protestants, c'est une libération, le sentiment que les injustices sont corrigées : « Elevés de leur droit, ils estimaient, racontera Agrippa d'Aubigné, que tous les doutes étaient effacés, ils ne chantaient que la victoire de leurs ministres, et, tenant dans le poing l'édit de janvier, s'étendaient par-delà ses bornes... » Pour les catholiques, au contraire, c'est une inacceptable démission. Le parlement de Paris, appuyé sur le peuple de la capitale, refuse d'enregistrer l'édit. Condé manifeste avec vingt mille huguenots contre le parlement. La reine-mère envoie des troupes pour maintenir l'ordre. Tout est prêt désormais pour l'explosion.

Les « politiques »

Dans les années 1560, l'histoire a hésité. Une conjonction unique a mis en situation de pouvoir des personnalités fort en avance sur leur temps. La disparition prématurée d'Henri II, sous la coupe de Diane de Poitiers, d'autant plus portée à imposer l'intégrisme religieux que ses soixante ans et sa situation de maîtresse officielle lui rendaient difficiles les leçons de morale, le court règne de François II, dont la mort arrache le pouvoir aux Guises, la faiblesse d'Antoine de Bourbon, la riche personnalité de Michel de L'Hospital, tant d'inattendu permettait d'espérer.

Catherine de Médicis s'avance alors sur la scène de l'histoire. Peu à peu, elle s'abstrait du malheur privé pour entrer dans le souci du gouvernement, dans les habiletés du pouvoir, dans la passion de sa mission de mère de rois et de gouvernante de France.

Michel de L'Hospital n'est pas seulement un grand intellectuel de son temps. C'est un homme habité d'esprit public et d'intérêt général. C'est aussi un homme de vision, capable de maintenir une politique contre les factions. Il a pris pour devise deux vers d'Horace : *Si fractus illabatur orbis, impavidum ferient ruinae (*« Si le monde, brisé, s'écroule/Ses ruines ne feront pas trembler mon âme »). Le chancelier n'est pas acquis aux politiques d'entrée de jeu. C'est au fil des mois qu'il se forge une conviction, profondément anachronique de son époque : il passe de l'universel « une foi, une loi, un roi », à la définition d'une double fidélité : fidélité à son souverain, fidélité à sa conscience.

Il en fixera les termes après avoir constaté son échec et résigné sa charge en 1568 : « Tout ainsi qu'un père ayant deux enfants en discorde ne les fait pas combattre... mais tâche de les réconcilier ensemble et faire en sorte que ce soient comme deux fermes piliers du soutien de sa vieillesse ; ainsi le nom du roi, plein d'amour et de charité fraternelle ne peut souffrir une si sanglante et félonne obstination d'exterminer une si grande partie de ses sujets, s'il y a moyen de les ramener à leur devoir, et les réconcilier ensemble, puisqu'en cela gît le salut de la République. » La liberté de conscience, bien loin d'être une défaite pour le souverain est au contraire une victoire : « Or voyons ce que le roi leur donne par ces traités. Leur donne-t-il l'Etat ou les terres ? Les allège-t-il d'aucun tribut de subsides ? Leur quitte-t-il aucuns devoirs ou charges ? Rien de tout cela... Il leur donne une liberté de conscience, ou plutôt il leur laisse leurs consciences en liberté. Appelez-vous cela capituler ? Est-ce capituler quand un sujet promet, pour toute convention, qu'il reconnaîtra son prince et demeurera son sujet ? »

La modernité de la pensée des « politiques » est tout entière dans cette intuition. La religion change de domaine. Elle était le cadre de la vie, le garant du royaume, la racine de toute légitimité ; elle devient affaire de conscience. Elle était affaire d'Etat ; elle devient conviction personnelle. Elle était la vie, et plus que la vie ; elle devient un des éléments, précieux, sans doute, mais un des éléments seulement de cette vie.

C'est ainsi que la théorie du double pouvoir que Luther avait définie était portée à sa conséquence la plus inattendue. Le Réformateur avait formulé cette affirmation de la distinction des pouvoirs pour garantir l'autorité religieuse contre la tentation d'intervention de l'autorité du souverain. « Les affaires divines ne sont pas du ressort de l'autorité politique. » Mais dans l'esprit des réformés eux-mêmes, l'unité de religion sous l'autorité du politique n'avait jamais été mise en cause, comme Genève le montrait dans les affaires de la république réformée. Autrement, de quelle autorité Michel Servet aurait-il été brûlé ? Etienne de La Boétie lui-même, l'ami de Montaigne, prévoit que d'immenses malheurs naîtront de la dualité de religions dans le même royaume.

Mais les politiques les plus conséquents poussent cette théorie jusqu'au bout : le pouvoir politique n'a pas davantage autorité dans les affaires religieuses que le pouvoir religieux dans les affaires politiques. C'est l'essence même du pouvoir qui change. La liberté des consciences, c'est déjà la séparation de l'Eglise et de l'Etat.

C'est pourquoi il est naturel que dans l'histoire du mot « politique », les premières définitions soient péjoratives, par opposition à la fidélité religieuse inconditionnelle. Nous sommes en 1564 quand un ministre de Philippe II, le cardinal de Granvelle exprime ainsi son scepticisme sur Coligny : « Je le tiens plus pour politique, comme ils appellent en France, que pour dévot. »

Les premiers politiques pourtant, par nature en avance sur leur temps, en rupture avec l'univers mental et moral qui les précède, ont sous-estimé au moins trois éléments de la situation : d'abord, la force du sentiment religieux ; plus encore, l'importance du sentiment religieux dans la conscience politique. Il peut arriver que le mouvement des peuples se construise sur la raison, mais c'est pour un moment seulement. La passion est plus forte que la raison et l'inconscient plus fort que la passion. Le sentiment religieux est enraciné dans l'inconscient du XVIe siècle. Non pas seulement le dogme, ou ses représentations, le visage maternel de la Vierge, le visage protecteur des saints. Mais encore la figure de l'hérétique, de l'anathème, celui qui est comme le serpent de l'Ecriture, celui qu'il faut écraser. Le rôle du pouvoir est de chasser l'hérésie. Il y a comme une délégation du peuple à son Roi qui l'oblige à en éradiquer la présence. Et cette délégation est un article essentiel du contrat social.

Les politiques ont sous-estimé la nature humaine, et spécialement la nature humaine politique. C'est qu'il est plus facile et plus payant de mobiliser les haines plutôt que la charité, la compassion. Quand la carrière repose sur la faveur populaire, il faut un grand désintéressement pour refuser de flatter l'instinct des foules, lui résister au contraire et les convaincre de suivre un autre chemin. Les Guises ne faisaient pas d'abord la politique catholique, la politique du pape ou le combat pour l'orthodoxie : ils faisaient d'abord la politique des Guises, de la maison de Lorraine. Et leur appréciation des choses était que s'ils choisissaient le parti de l'Eglise, le parti de l'Eglise ne pourrait manquer de les choisir. Les Bourbons, en tout cas Condé, ne faisaient pas d'abord la politique réformée, la politique des calvinistes. Ils faisaient la politique des Bourbons. Condé faisait la politique de Condé. En choisissant le parti de *la religion*, c'était leur destin qu'ils choisissaient. Et cela était caricatural pour Antoine, le roi de Navarre, le premier de sa maison, qui changea de parti chaque fois qu'il eut le sentiment que son intérêt changeait.

Enfin, les « politiques » ne surent pas construire la force sans laquelle rien n'est possible, particulièrement lorsqu'il faut établir un monde nouveau. Ils n'avaient pas la force des armes. Ils n'avaient pas l'organisation. Ils avaient des pouvoirs, mais les pouvoirs, comme on le vit, chancellent assez vite. Ils manquaient même de la capacité à faire appliquer les édits qu'ils signaient. L'Edit de Nantes n'est pas très éloigné de l'édit de Janvier 1562. Mais il y a une grande différence entre janvier 1562 et avril 1598. Et pas seulement parce que trente-six ans sont passés, avec leur cortège de tueries, de drames, de misère et leur séquelle de lassitude. C'est qu'en 1598, le roi a les armes, l'autorité, la force de s'imposer aux parlements. C'est que ses adversaires le redoutent. Qui redoute les politiques en 1562 ? Personne. Les protestants sont, ils le disent eux-mêmes : « une petite mouche contre un grand éléphant », dira Castelnau. Alors les « politiques » ?

L'étincelle de Wassy

Le 1ᵉʳ mars 1562, François de Guise est en colère. Sa mère qui vit à côté de Wassy en Champagne lui signale, depuis plusieurs semaines, que l'évêque du lieu a fort à faire avec un groupe nombreux et actif de religionnaires. Le duc sait bien que Wassy est ville royale. Mais ce sont ses sujets du domaine de Joinville à trois lieues à peine qui sont en cause. Il ne voit là que les conséquences funestes de cet édit de janvier dont les huguenots se prévalent jusqu'à la provocation. Justement, rentrant de Saverne où il a noué négociation avec les princes allemands, la Champagne est sur son chemin. Il décide de vérifier par lui-même.

Le 1er mars est un dimanche. A proximité de l'église est une grange où sont réunis douze cents de la religion. Les accents des psaumes, repris par cette immense assemblée, paraissent une provocation. Pour les gens du duc, pages et officiers, pas d'hésitation : il faut faire taire ceux qui manquent ainsi de respect à Monsieur de Guise le Grand.

La rixe commence aussitôt. Le duc en perçoit les échos. L'affaire a l'air assez sérieuse pour qu'on ait entendu la détonation d'une arquebuse. A cheval, il se dirige vers la grange. A quelques mètres du bâtiment, une pierre vient égratigner la joue du grand féodal ! Une pierre ! Il aperçoit les huguenots qui se barricadent. Alors avec sa troupe, de deux cents hommes d'armes, le duc aveuglé de rouge colère fait donner l'assaut contre la grange. A l'intérieur, hommes, femmes et enfants, sans autres armes que les pierres qu'ils ramassent. Les assaillants sont armés comme une troupe en campagne. C'est un carnage. On relèvera soixante-quatorze morts – soixante-huit hommes, six femmes –, plus de cent blessés. La poudrière venait de prendre feu.

Trente-deux ans de guerre presque ininterrompue. Des journées et des nuits qui furent des sommets de l'horreur. La France comme jamais elle ne fut, livrée à la haine domestique, à la haine vicinale, à la haine d'Etat. Et au milieu de tout cela, de cette flambée, des couteaux qui égorgent, des arquebuses qui crachent leurs balles grosses comme de petits boulets, des visages et des destins. On ne raconte pas en quelques pages les guerres de religion. Seulement la trame et quelques-uns des moments, sauvages, émouvants qui en changeront le cours. C'est là, dans le creuset de l'horreur ineffaçable, que le nouveau monde est en gestation. Il faut d'autant plus prendre garde à ceux qui l'inventent, et pas toujours sans hésitation, pas toujours en sachant exactement où ils vont. Ils en sont les défricheurs, et souvent on ne leur pardonnera pas.

La guerre

Wassy est immédiatement perçu dans le royaume comme un détonateur. Du côté protestant, le crime du duc, c'est le massacre des Innocents. Du côté catholique, c'est la victoire de Madian, c'est l'écrasement des Philistins. C'est ainsi qu'en métaphores bibliques, la haine s'exprime, ayant pris des forces pour s'être, pour la première fois, longuement baignée dans le sang.

Condé écrit le 10 mars à toutes les églises dressées du royaume pour qu'elles se préparent aux armes. C'est une traînée de poudre. « La noblesse de la Religion des provinces fut par ce bruit merveilleusement réveillée et prompte à se pourvoir d'armes et de chevaux », écrit La Noue. Bèze a beau, sagement, redoutant l'affrontement, se tourner vers la reine mère pour réclamer justice, – dure et inflexible, mais justice du roi –, c'est désormais la guerre qui est dans les esprits.

Condé est en armes dans Paris, en armes et faible. Il dispose dans la capitale de quelques centaines d'hommes d'armes, à peine. Les catholiques, eux, ont la force du nombre et le soutien de l'opinion parisienne. La reine sait qu'elle est en danger. Elle appelle Condé pour qu'il l'aide à sortir du piège : que les réformés désarment, qu'ils quittent Paris où ils servent de prétexte belliqueux aux Guisards et qu'ils viennent la rejoindre à la cour. Ils empêcheront ainsi qu'on les mette en danger, elle et le roi. En vain. Condé quitte Paris, mais c'est pour Meaux la Huguenote. De là, il prendra Orléans qui lui servira de base.

Alors la route de Fontainebleau est libre pour les armes de Guise. Le 26 mars, trois à quatre mille soldats aident à s'assurer des souverains, soi-disant pour les protéger. Le 5 avril, on est à Paris : les souverains sont aux mains du parti catholique. Chez les réformés, on proclame aussitôt que le roi, la reine-mère, sont prisonniers. Condé se proclame défenseur du roi et protecteur du royaume. Et partout, l'assaut est décidé. Plus de deux cents villes tombent entre les mains des protestants : Orléans, Tours, Blois et Bourges, Grenoble et Lyon, Poitiers, Montpellier et Rouen, Caen et Le Havre. A la cour, c'est l'exaltation des haines qui couvaient depuis longtemps. Le petit Henri, prince de Navarre, a vu son père fêter ostensible-ment les Rameaux, « Pâques Fleuries », avec les triumvirs catholiques, et chasser ignominieusement sa mère de la cour. Elle s'est réfugiée à Vendôme, au château des Bourbons, dont elle a organisé le pillage, tombes comprises, pour financer Condé.

Immédiatement, le conflit s'internationalise : les protes-tants demandent l'aide des princes allemands, de l'Angleterre surtout. Elizabeth accepte, moyennant la livraison du Havre ! Les catholiques s'adressent à l'Espagne, à la Savoie, à l'empereur. Les guerres de religion ne cesseront pas d'oppo-ser, contre l'intérêt de la France, une internationale protes-tante à une internationale catholique.

C'est une guerre internationale et c'est une guerre de voi-sins. Partout, la violence se déchaîne, sale comme jamais. Dans le Midi, cette cruauté a ses deux figures emblématiques : Blaise de Monluc, le catholique, est en Languedoc et en Guyenne, un tortionnaire. Il marche entouré de ses deux bour-reaux qu'il nomme amicalement ses « laquais ». Il tient que c'est un bien bon moyen de faire la guerre que de pendre pour l'exemple : « Un pendu étonne plus que cent tués. » Et d'ail-leurs il est facile, dit-il, « de connaître par où j'ai passé, car dans les arbres, sur les chemins, on en trouve les enseignes ». Le baron des Adrets, le protestant [1], aime davantage le sang ;

---

1. Du moins à cette époque, car il changera de camp, ajoutant la traîtrise à ses charmes divers.

c'est un boucher. Lorsqu'il a vaincu la garnison de Montbrison, il partage équitablement en deux moitiés les défenseurs : ceux à qui il fait couper la tête sur la place, et ceux qu'il oblige à sauter du haut des remparts sur la forêt des piques de ses soldats.

La foule n'était pas en reste. A Sens, le 12 avril, on massacra les huguenots : cent morts ; on viola leurs filles et leurs femmes ; on pilla leurs maisons. A Montpellier, les protestants, pour empêcher l'avancée des catholiques, détruisirent tous les faubourgs. A Toulouse, on se battit huit jours au Capitole.

Quant à la guerre constituée, la guerre en armées, elle tourne à l'avantage des catholiques. Le 31 mai, Poitiers est reprise. Le 31 août, c'est Bourges. C'est maintenant Rouen qui est l'objectif de l'armée des triumvirs. Rouen d'urgence, avant que les renforts anglais ne débarquent. A la tête de l'armée, il y a le duc de Guise, Antoine de Bourbon, et, à côté d'eux, Catherine, qui chevauche comme un homme. C'est que le principal défenseur de Rouen est Montgomery, celui dont la lance tua autrefois son mari Henri II, et qu'elle hait sans phrases. A la fin octobre, Rouen tombe. La ville sera pillée, pendant une semaine. Mais le siège de Rouen aura aussi changé l'histoire de France. Car Antoine de Bourbon, en s'isolant pour se déculotter, a reçu dans l'épaule une balle d'arquebuse. Au premier abord, on pense que ce n'est rien. Seul Ambroise Paré est pessimiste. On n'a pas pu extraire la balle, l'infection guette, imparable. Antoine, capitaine jusqu'au bout, trouvera encore moyen de se faire porter, par ses soldats, dans son lit de fièvre, dans la ville qui s'est rendue. Puis il mourra sur le bateau qui le ramenait à Paris, en tirant par la barbe son serviteur fidèle : « Servez bien mon fils, et qu'il serve bien le roi ! » A Vincennes, lorsqu'arrive la nouvelle, pleure un enfant de neuf ans... Loin de sa mère, Henri de Navarre est orphelin.

Alors Condé, devenu premier prince du sang à la place de

son frère, tente de rassembler ses troupes pour attaquer Paris. Les Espagnols le repoussent. Il se replie vers la Normandie dans l'espoir de faire la jonction avec les renforts anglais. A Dreux, les deux armées se trouvent face à face. Un instant, Condé enfonce le centre de l'armée catholique. Saint-André, l'un des triumvirs, est tué. Le deuxième, le connétable, est blessé. Mais les Suisses et le duc de Guise prennent Condé en tenaille. Il est battu ; pire, il est fait prisonnier.

Le sort aura sa revanche, et les protestants aussi. Guise a couru vers Orléans. C'est le moment, croit-il, de profiter de la défaite de l'armée huguenote pour saisir sa base principale. Le 19 février 1563, comme le duc se promène seul dans les allées de son camp, un jeune hobereau de Saintonge, Poltrot de Méré, qui le guettait, s'approche de lui et l'abat d'un coup de pistolet. Le jeune homme, protestant, qui avait fait semblant de se rallier aux catholiques sera écartelé, comme un régicide. Coligny l'avait-il stipendié, ou encouragé ? L'histoire ne le saura jamais. Mais le clan des Guises en a la certitude. Tôt ou tard, on vengera le duc. La Saint-Barthélemy sera l'exécution de la « vendetta » ouverte ce jour-là.

En quelques mois, Antoine de Bourbon et François de Guise sont morts. Condé et Montmorency sont prisonniers. Les premiers noms de France sont décimés. Il n'y a plus personne pour empêcher Catherine de Médicis de gouverner. Elle propose la paix, la négocie, la fait signer. L'édit d'Amboise, le 19 mars 1563, impose la liberté de conscience, mais restreint le culte protestant à une ville par bailliage. Il n'y a que dans les châteaux qu'il est libre. Coligny accusera Condé d'avoir accepté cette inégalité, au détriment du peuple, au bénéfice des nobles.

Pour montrer ce que peut la concorde retrouvée, catholiques et protestants partent ensemble pour reprendre Le Havre. C'est une émulation générale. La ville tombe en quelques jours. L'Angleterre sera obligée de signer le traité de Troyes qui lui enlève Calais. Ce qu'auraient pu, rassemblés, les clans qui se déchirent en France...

Le tour de France royal

De ce répit de quelques mois, Michel de L'Hospital profita pour conduire sa grande réforme de la justice, construisant en France l'unité du pouvoir et la hiérarchie des cours judiciaires. Catherine de Médicis usa de ces années pour mettre en scène la première grande opération de relations publiques d'un souverain français. Elle décida d'un tour de France royal, qui permettrait au jeune roi, dirigé par sa mère, de découvrir son pays, au pays de voir son roi, à toutes les factions de vérifier l'unité de la cour. Plus de dix mille chevaux, des mulets, des pataches, des milliers de courtisans, leurs serviteurs, jamais pareille expédition n'avait été entreprise pour des buts pacifiques. Le tour de France dura près de neuf cents jours. On fut en déplacement, sur les chemins éventrés de l'époque, ou, chaque fois que possible, sur les fleuves au rythme nonchalant des bacs, un jour sur trois. En tout, c'est deux cents étapes que le cortège découvrit, réquisitionnant sur son passage tout ce que le pays offrait de logements, de nourriture, de fourrage. Partout d'immenses fêtes et le camaïeu de langues et de coutumes qui faisait le puzzle de la France de l'époque. Tout près de Charles IX, Henri de Navarre, onze ans, ouvre de grands yeux, découvre les secrets de la diversité française, monte à cheval infatigablement. Lorsque l'immense cortège fera halte à Salon, le vieux Nostradamus qui s'était retiré là demande à voir l'enfant. C'est à peine l'heure du lever et d'être exposé tout nu, en silence, au regard scrutateur de l'étrange et pénétrant vieillard ne donne qu'une immense crainte au petit prince de Navarre : celle de recevoir le fouet. Mais en se retirant, le devin dit au serviteur cette phrase étrange : « C'est lui qui aura tout l'héritage, et si Dieu vous fait la grâce de vivre assez longtemps, vous aurez pour maître un roi de France et de Navarre. »

Chemin faisant, à Bayonne, en juin 1565, Catherine a de

longs entretiens avec sa fille, la reine d'Espagne et avec le ministre des Affaires étrangères de Philippe II. Le bruit se répand qu'il a été décidé là rien moins que l'extermination des protestants. On dit que Coligny a été particulièrement visé. On aurait entendu le duc d'Albe affirmer avec un regard entendu : « Mille têtes de grenouille ne valent pas une tête de saumon ! » On s'alarme d'autant plus que Catherine de Médicis, pour reconstruire l'armée royale, a recruté 6 000 Suisses. Alors, à leur tour, les protestants s'arment. Ils décident d'un mouvement général fixé à la Saint-Michel (29 septembre 1567). Il y a deux buts à cette offensive : récupérer le plus de places de sûreté possible ; et se saisir, comme on l'avait essayé autrefois, du jeune roi et de sa mère. Le premier réussit, au prix parfois de massacres, comme à Nîmes où la « Michelade » coûta la vie à près de cent catholiques, prêtres et laïcs, réfugiés dans la cour de l'évêché. Cinquante villes furent prises. Mais le second échoua lamentablement. La reine-mère, le roi et la cour se réfugièrent à Meaux et de là, à Paris. Condé marcha sur Paris. Le connétable de Montmorency fut tué en essayant de le repousser. Catherine dit, paraît-il, que, de cette bataille, elle devait grâce au ciel de deux grandes obligations : « L'une, que le connétable ait vengé le roi de ses ennemis, l'autre que les ennemis du roi l'aient vengé du connétable. » Qui l'emporta ? Réellement, ni l'un, ni l'autre des deux camps. Le maréchal de Vieilleville eut le mot exact en disant au roi : « Votre Majesté n'a point gagné la bataille, encore moins le prince de Condé, mais c'est le roi d'Espagne. Car il est mort de part et d'autre assez de vaillants capitaines et de braves soldats français pour conquérir la Flandre et tous les Pays-Bas. » On décida de faire la paix qui fut signée à Longjumeau le 23 mars 1568, ordonnant aux protestants de rendre les places prises et rétablissant intégralement l'édit libéral d'Amboise.

Ce moment de la guerre est important : c'est de lui que date le basculement de Catherine vers le parti catholique : « tant plus de morts, tant moins d'ennemis », fera-t-elle dire au roi. La mort du Connétable libère la responsabilité de chef des armées royales. Catherine fait nommer Henri d'Anjou, le futur Henri III : commandement honorifique sans doute, mais qui dit la préférence qu'elle aura toujours pour son cadet. Elle le voudrait aussi connétable. Pour la première fois cependant, le jeune roi, qui atteint ses dix-sept ans, refuse d'aller plus loin. Son jeune frère n'aura pas la charge : « Tout jeune que je suis, Madame, je me sens assez fort pour porter mon épée. » Connaissant le troisième de ses fils, François d'Alençon, Catherine découvre une angoisse nouvelle, qui marquera les années qui viennent : la guerre n'est pas que civile, elle est aussi fraternelle. La discorde s'est installée entre les princes.

Jarnac

La paix n'est pas une vraie paix. On n'a fait la paix, affirme un contemporain, que « pour reprendre haleine ». Catherine l'écrit elle-même : « La paix a été conclue uniquement par nécessité. » D'ailleurs l'opinion n'est pas dupe, les massacres continuent de plus belle, dont chaque camp se fait un étendard pour réclamer, toujours davantage, vengeance. Michel de L'Hospital se sent en désaccord profond avec ce climat de guerre larvée. Comme tous les pacifiques, il est soupçonné d'être un tiède. Il est disgracié en mai 1568. Le bruit court que les catholiques veulent s'emparer de Condé, de Coligny, de Jeanne d'Albret et de son fils, le prince de Navarre, qui a quinze ans et qui s'est échappé de la cour pour rejoindre sa mère. Tous ensemble, ces princes protestants, avec leurs forces, se regroupent à La Rochelle : le Sud-Ouest leur appartient. Pour Catherine, c'est une provocation. Six mois, jour pour jour, après la paix de Longjumeau, c'est la reine-mère qui, cette fois, va déclarer la guerre. L'édit de Saint-Maur, le

25 septembre 1568, interdit le culte réformé, fait obligation aux pasteurs de quitter le royaume dans les quinze jours et aux fonctionnaires protestants de démissionner de leurs charges ! L'intolérance est de nouveau la politique de la royauté.

Pendant tout l'hiver, les deux armées ne trouvent pas de terrain propice au combat. C'est le 13 mars que la bataille se livre, à Jarnac. Coligny s'est fait prendre au piège, isolé avec la seule arrière-garde. Condé accourt à son secours avec trois cents chevaux. Il a été blessé au bras dans une escarmouche avant même le début de la bataille. Au moment d'engager le combat, un coup de pied de cheval lui casse la jambe « dont l'os lui sortait ». Mais c'est l'esprit chevaleresque qui gouverne ces hommes, en même temps qu'un immense courage physique. « Vous vous souviendrez en quel état Louis de Bourbon est entré au combat pour Christ et pour sa patrie ! » Condé se jette dans la bataille. Il perce les lignes catholiques. Son cheval est tué sous lui. Il est à terre. Une mêlée. Des dizaines de protestants se font tuer autour de leur chef. Condé succombe sous le nombre. A ce moment, vaincu, il dépouille son gantelet pour le tendre au gentilhomme qui reçoit sa reddition, et relève la visière de son casque. Selon les lois de la guerre du temps, rien n'est plus précieux que la vie du chevalier qui se rend. Mais le capitaine des gardes d'Henri d'Anjou, Montesquiou, par sa visière levée, lui tire à bout portant un coup de pistolet dans la tête. Condé est mort ! L'âme du parti protestant a été assassinée par traîtrise. Et l'on s'acharne sur lui. On fait apporter son cadavre, corps de chevalier, prince du sang de France, sur une ânesse, en signe de dérision. Le « coup de Jarnac » demeurera dans l'histoire comme un symbole de perfidie et de déloyauté.

Dans le camp protestant, c'est l'angoisse et le découragement. Désormais, en logique féodale, le premier des princes du parti protestant, c'est Henri de Navarre. Le second, son cousin le fils de Condé. Jeanne d'Albret les présente à ce qui reste de l'armée en déroute. Les deux cousins prêtent alors serment : « Nous, Henri, prince de Navarre, duc de Vendômois et de Beaumont, premier pair de France, comte de Marle, etc., et Henri de Bourbon, prince de Condé, duc d'Anguyen, aussi pair de France, jurons et promettons, devant Dieu et ses anges, que puisqu'il a plu à la noblesse et autres troupes françaises, desquelles cette sainte armée est composée, de nous élire pour leurs chefs et conducteurs, nous vivrons et mourrons avec eux et ne les abandonnerons jusqu'à ce que les affaires de royaume soient réduites en tel état que Dieu y soit servi et honoré, que notre roi soit délivré de tous ceux qui le tiennent et le possèdent... et que tous ceux qui font profession de la religion réformée y puissent vivre en repos et sûreté avec le libre exercice de ladite religion. » A leur côté, comme il se doit, c'est Coligny qui aura l'autorité.

L'automne n'est pas bon pour les réformés. En octobre, à Moncontour, dans le Poitou, Coligny perd la moitié de son armée. De surcroît, il est blessé. Mais tous évitent la déroute. De retraite en retraite, en bon ordre, l'armée de Coligny traverse ces terres du Sud dont beaucoup sont acquises à la réforme. Chemin faisant, elle se refait. Au printemps 1570, l'armée protestante a retrouvé sa vigueur. Le 7 juillet, elle occupe La Charité-sur-Loire. La reine, au conseil, reprend ses thèses d'autrefois. Elle montre que la guerre à outrance n'est jamais finie, que les protestants, « toujours vaincus, se relèvent toujours » : le 8 août 1570, la paix de Saint-Germain revient à la tolérance. L'amnistie générale est proclamée. La liberté du culte est rétablie, partout où elle existe et, de droit, dans deux villes par bailliage. Les calvinistes sont de nouveau admis à tous les emplois. Enfin, pour la première fois, quatre villes de sûreté leur sont accordées, où ils pourront se défendre en cas de danger : La Rochelle, Cognac, Montauban, La Charité.

Chez les catholiques, la paix de la reine est un scandale. Ce sont près de trois mille prêches qui se trouvent autorisés si l'on additionne les églises déjà existantes et celles que le droit permet. C'est une indignation. « La paix honteuse », dit Philippe II. « La paix du diable », l'appelle le duc d'Albe. « La paix maudite », clame-t-on en chaire. Monluc écrit dans ses commentaires : « Nous les avons battus et rebattus, mais malgré cela, ils avaient si bon crédit au conseil du roi, que les édits étaient toujours à leur avantage. Nous gagnons, nous, par les armes, eux par ces diables d'écritures. »

L'été sanglant

La paix avait une clause secrète, que bientôt tout le monde sut : Henri de Navarre allait épouser Marguerite de Valois, la fille de Catherine et d'Henri II, la sœur du roi. A ces noces royales, véritable coup de théâtre en forme de « happy end » des luttes fratricides, tout le monde s'emploie. Le roi est exalté : il y voit un moyen d'entrer dans l'histoire. La reine-mère est décidée. Il lui faut sortir de l'impasse où, depuis si longtemps, elle est enfermée. Jeanne d'Albret, elle-même, se laisse convaincre après de rudes négociations. Elle a peur pour son fils. Mais, en même temps, une nièce de François Ier ne refuse pas le sang royal. Les noces sont conclues pour le mois d'août.

L'arrivée de la reine de Navarre à Blois suivra de peu celle d'un groupe de protestants importants, avec à leur tête Coligny qui rejoint la cour en septembre, réadmis au Conseil et nanti des revenus d'une importante abbaye. La reine-mère lui fait bonne figure, mais le roi se prend carrément de passion pour l'Amiral. Au Conseil, il n'écoute que lui. Dès son arrivée, le roi a fait sensation en lui donnant publiquement le nom de père : « Enfin nous vous tenons, mon père, et vous ne nous échapperez pas quand vous voudrez. » Il déclare s'en remettre à l'Amiral « en toutes choses ». On croit comprendre qu'il a ajouté « y compris les religieuses ». Les chaires s'agitent, grincent, hurlent. Les Guises sont en rage. Voilà l'assassin de leur père qui leur confisque le pouvoir ! L'argent de Philippe II n'est pas mesuré pour agiter l'opinion.

Le ciel de ce début d'été est assombri de nuages. Le 9 juin 1572, Jeanne d'Albret, après cinq jours de fièvre, est emportée par un dernier accès de cette tuberculose qui la tourmentait depuis son jeune âge. Son fils Henri est en route vers Paris. C'est un soir de halte qu'il apprendra, en entendant la prière d'un ministre réformé, la mort de sa mère.

Les noces, pourtant, ont lieu, le 18 août, brillantes, assorties comme toujours d'un grand concours de peuple. Mais tendues. Il a fallu célébrer le mariage en deux cérémonies distinctes, l'une à la porte de l'église, par le cardinal-oncle, agissant comme oncle et non pas comme cardinal, l'autre, pour Margot seulement, à l'intérieur de Notre-Dame. Les fêtes donnent aux mille nobles huguenots qui accompagnent leur prince mille occasions de triompher dans les rues, de parler haut, de rire fort. Les plaisanteries religieuses croisent les plaisanteries paillardes. Vraiment, on n'a pas fait toutes ces années de guerre pour rien. Les catholiques comprendront ce que c'est qu'un triomphe, au seul endroit où l'on triomphe vraiment : dans le lit de leurs filles, et reines encore. Et ces rires sont autant d'épines plantées dans l'épiderme à vif d'un catholicisme exaspéré.

Chez les Guises, ce que l'on ne supporte plus, c'est la figure de Coligny, l'air protecteur qu'il prend en parlant au roi à voix basse, la componction de Coligny au dernier conseil avant les noces, la perspective de voir le roi abandonner tout libre arbitre, sa soumission à la volonté de l'amiral, les menaces voilées qu'il multiplie, son projet, enfin, de mener aux Pays-Bas la guerre contre l'Espagne. La France entrant en guerre, alliée aux protestants, contre le roi très-catholique ! Pour les Guises, la haine privée et la haine publique se nourrissent désormais l'une l'autre.

Le 22 août au matin, lendemain des noces, comme le

Conseil venait de prendre fin, un coup d'arquebuse claque dans le soleil. C'est Maurevert qui a tiré, un homme de main des Guises, depuis une maison qui leur appartient. Coligny est gravement atteint au bras. Il aurait dû être tué, mais au dernier moment un geste brusque a trompé son agresseur. On l'emporte chez lui. Le roi envoie ses chirurgiens, se précipite au chevet du blessé : « la blessure est pour vous, la douleur est pour moi », dit-il en embrassant l'amiral.

Toute la journée, les rumeurs les plus folles courent Paris. Parmi les protestants on parle d'un massacre général qui se prépare. Henri de Navarre, qui se croit assuré des sentiments du Roi, son beau-frère, calme ses amis, leur assure qu'il n'y a pas de danger, leur demande du sang-froid : on ne va tout de même pas donner aux Guises la victoire d'une fuite de Paris. On ne va pas ajouter le déshonneur à la trahison dont l'Amiral est l'objet. Alors les protestants décident de rester.

Chez les catholiques, aussitôt, la rumeur rebondit. Si les protestants ont pris le parti de rester, au lieu de fuir, c'est qu'ils préparent une vengeance, un massacre peut-être. Le roi est avec eux et les soutient. Ils se sentent tout permis. Il faut s'armer.

Ainsi se nouent les tragédies.

Le 23 août au soir, sur le coup de minuit, alors que commence la Saint-Barthélemy, le tocsin sonne. C'est le signal. Le massacre « préventif » des protestants a été décidé. De partout, dans Paris, convergent les troupes des Guises, un linge blanc au côté, une croix au chapeau en signe de reconnaissance, soutenues et organisées par la municipalité de la ville, par le prévôt des marchands. On donne ordre de ne laisser aucun des protestants sortir du Louvre. Et une escouade exaltée se précipite, précédée d'un brouhaha d'émeute, dans la lueur fumeuse des flambeaux, vers la maison de Coligny. La porte est forcée, et plusieurs suisses qui la gardaient tués en la défendant. L'amiral qui avait d'abord cru que c'était au roi qu'on en voulait a tout compris. Ses amis veulent le défendre : il leur conseille de prendre la fuite. « Mes amis, je n'ai plus que faire de secours humain. C'est ma mort, que je reçois volontiers de la main de Dieu. Sauvez-vous. » Le premier des émeutiers à enfoncer la porte de sa chambre, l'épée à la main, est un Allemand, Besme. L'amiral, agenouillé, prie auprès de son lit : « Es-tu l'amiral ? – Jeune homme, respecte ma vieillesse. » Un premier coup d'épée le transperce. « Au moins si je mourais de la part d'un cavalier et non pas de ce goujat... » Le second coup d'épée, suivi d'un coup à la tête, interrompt la dernière phrase de Gaspard de Coligny.

Alors l'horreur se déchaîne. Le corps est jeté par la fenêtre, la tête coupée, pour être envoyée à Rome dira-t-on, les membres dépecés, la dépouille traînée par les rues par des gamins, objet d'un simulacre de jugement, jetée à la Seine, repêchée, pour être pendue enfin à Montfaucon.

Et, dans le même temps, les massacres ont commencé. Systématiquement, les nobles qui avaient accompagné Henri pour ses noces sont assassinés. Massivement, les maisons des protestants connus sont envahies et leurs habitants passés par les armes. Au hasard, dans les rues, sur les places, tout ce qui déplaît, tout ce qui ne ressemble pas exactement à un catholique parisien est assailli et tué. Et puis les vieilles querelles, les vieilles haines recuites trouvent là un prétexte utile. Tout ce qui était haï devient huguenot, un débiteur, un voisin mal embouché, un rival amoureux. Bain de sang. Ivresse de meurtres. Périrent ainsi, outre Coligny, Téligny, Caumont-la-Force, La Rochefoucauld, le grand philosophe Ramus (Pierre de la Ramée), des milliers et des milliers de femmes et d'hommes passés à la réforme, des centaines de cadres du mouvement.

Le roi est repris par l'exaltation sanguinaire. On assure l'avoir vu « giboyer », tirant, comme à la chasse le gibier, sur les protestants, vivants, qui dans la rue s'efforcent de fuir, ou morts, dérivant sur la Seine.

Le 26, encouragé par sa mère, il va au Parlement assumer la responsabilité des événements. C'était un complot, assure-t-il, on en a la preuve, un complot qu'il était urgent de faire avorter. Et il donne l'ordre aux gouverneurs des provinces de suivre l'exemple de Paris. Le massacre, ainsi, fait tache d'huile : Meaux, La Charité, Orléans, Saumur, Bourges, Lyon, Toulouse, Albi, Bordeaux, Romans.

Pour leur honneur, plusieurs des gouverneurs de province refusèrent ces ordres [1]. Mieux encore, à Troyes, c'est le bourreau qui rejeta avec grandeur les consignes criminelles qu'on lui donnait : « Il n'est pas de mon office d'exécuter sans qu'il y ait eu condamnation. »

Le nombre total des victimes de la Saint-Barthélemy sera d'au moins trois mille à Paris, d'au moins trente mille en province. Plus une : la royauté ou du moins la dynastie des Valois. Car la tache sur le manteau royal est désormais ineffaçable. Au lieu de la main de justice, la monarchie a tenu le poignard assassin. Au lieu d'être l'arbitre, elle a justifié une faction. Elle ne sera plus, du moins avant la grande rupture, avant la punition de la Providence, le lieu de rassemblement, le lieu d'apaisement où se résolvent les conflits de la nation. Elle sera désormais, elle-même, un clan, un parti. Même pour les plus fanatiques des catholiques, quelque chose a changé dans l'image de la monarchie française. On sent bien que Charles IX est de plus en plus fragile psychiquement et physiquement. Et cette fragilité n'est plus seulement celle du roi, c'est celle du trône.

Beaucoup d'esprits ont perçu ce que seraient, sur la longue période, les conséquences de la Saint-Barthélemy. Michel de L'Hospital, après avoir été menacé par une bande armée, en mourra six mois plus tard, avec la souffrance d'avoir vu la

---

1. Montmorency, en Île-de-France ; le maréchal de Damville, encore un Montmorency, en Bas-Languedoc ; Longueville en Picardie ; Matignon en Basse-Normandie ; Chabot-Charny en Bourgogne ; Joyeuse, en Languedoc ; de Gordes en Dauphiné ; de Tende, en Provence ; Saint-Herem en Auvergne, d'autres encore.

Saint-Barthélemy, « ce jour exécrable », que rien ne pourrait plus effacer.

Prince et prisonnier

Henri de Navarre et, comme lui, le prince de Condé furent épargnés : ils étaient princes du sang. Ils furent sur-le-champ contraints à abjurer. Henri de Navarre, prisonnier à la cour de France, était désormais tout entier occupé à « faire bon visage » à tous, à rire avec les rieurs et avec les fous, à multiplier les aventures galantes avec les dames de la cour, occupé à oublier l'inoubliable et à dissimuler la réalité de ses sentiments. Il le dira plus tard : « Ils étaient morts, ceux qui m'avaient accompagné à Paris, venus sur ma seule parole, et sans autre assurance que celle que le roi m'avait donnée, en m'assurant qu'il me traiterait comme un frère. Mon chagrin a été si grand que j'aurais voulu les racheter de ma propre vie, puisqu'ils perdaient la leur à cause de moi. Les voyant tous tués, même au chevet de mon lit, je demeurai seul, privé d'amis. »

La Saint-Barthélemy, comme on pouvait s'y attendre, a fait flamber la guerre. Désespérés, privés de la plupart de leurs chefs naturels, les protestants se sont raidis dans un soulèvement général. C'est à La Rochelle que l'affrontement est le plus dur. La ville où se sont réfugiés les huguenots du sud-ouest est assiégée par les armées royales commandées par le duc d'Anjou. Il est vrai que celui-ci avait l'esprit ailleurs : en Pologne où il était candidat à l'élection royale, avec comme programme la défense des libertés religieuses de la noblesse protestante... Quatre assauts furent impuissants à prendre la citadelle. Henri d'Anjou proposa la paix : à nouveau, la liberté de conscience était proclamée ; le culte autorisé à Nîmes, Montauban et La Rochelle ; ailleurs il était limité aux seigneurs haut-justiciers, à condition qu'ils n'y admettent pas plus de dix personnes ; mais les protestants étaient à nouveau admis aux emplois. Le 26 janvier 1574, Henri était en Pologne.

Le printemps serait aussi noir que l'hiver. La courte existence du roi arrive à son terme. A vingt-quatre ans, il est dévoré de tuberculose, les crachements de sang l'accompagnent quotidiennement, la fièvre ne le quitte plus, son épuisement est extrême. Son entourage est atterré de la sueur de sang qui lui vient (en fait un *purpura* hémorragique sous-cutané, symptôme d'un état gravissime). Ses derniers jours sont habités du remords des massacres. D'une certaine manière, il est lui aussi une victime de cette Saint-Barthélemy à laquelle il avait consenti. Il meurt le 30 mai 1574.

Les mystères d'Henri III

Henri d'Anjou est roi, qui régnera sous le nom d'Henri III. Il y a peu de questions auxquelles l'histoire ait tant de mal à répondre que celles qui essaient de cerner la personnalité d'Henri III. Au physique, ce qui frappe d'abord, c'est sa prestance. Le nouveau souverain, avec son mètre quatre-vingt-quatre, est plus grand que l'époque n'y est habituée, plus élégant, plus raffiné, parfumé, portant bijoux. Le roi danse avec grâce, cultive les plaisirs insolites, le bilboquet, les découpages. Il s'entoure de petits chiens, de guenons et de perroquets. Dans sa prime jeunesse, il a fait preuve de courage physique sur le champ de bataille, à Jarnac comme à Moncontour. Plus âgé, il ne lui reste que le goût de l'équitation, fort peu celui de la bataille. Jeune, on lui a fait la réputation d'un effréné coureur de femmes. Plus tard, on dira que ce sont les hommes qui l'intéressent, sans preuves suffisantes, sans autres preuves en tout cas que sa manière d'être, son allure, sa faiblesse avec ses favoris, les « mignons » qui règnent alternativement sur son humeur et sur son esprit. Mais quand meurent les femmes dont il est amoureux, il se roule par terre, cogne sa tête contre les murs, hurle dans la nuit. Parfois, souvent, il plonge dans des accès de mysticisme, s'enfermant avec les moines de Saint-Jérôme en un quasi-ermitage. En tout cas, il s'adonne aux retraites, aux pèlerinages, en tout lieu où un saint est réputé pour rendre les femmes fécondes : Louise de Lorraine, qu'il épousera en 1575 ne lui donne pas d'enfants, sans que pourtant il songe jamais à la répudier. Il est familier des processions, des flagellations, des rigueurs de la discipline. Et, en même temps, il donne des journées, des semaines, à la débauche. Il peut aussi se tuer au travail, et être habité d'intuitions de grandeur, de désintéressement.

Léger et grave, noble et mesquin, charmant et méprisé, Henri III est un mystère, pour les historiens, comme pour son temps. Il est d'abord un mystère pour lui-même et c'est cette inquiétude, sans doute, qui explique l'excès de ses passions.

En tout cas, il est adoré de sa mère, en cet été de 1574, comme il revient de Pologne, prenant son temps, jouant au touriste à Venise, jetant l'argent par les fenêtres, et plus que l'argent, les possessions du royaume de France, Pignerol, Pérouse et Savillan (Savigliano), dernières possessions héritées de François Ier, en Italie, qu'il offre à sa tante, duchesse de Savoie, pour la remercier de la magnificence de son hospitalité !

L'Etat protestant et les « politiques »

Dieu sait, pourtant, si le royaume était menacé, s'il avait besoin d'un souverain... Car les protestants, depuis la Saint-Barthélemy, avaient dépassé même la révolte. Ils avaient entrepris, sans le dire, d'organiser un Etat, indépendant, original, sur un mode de gouvernement autonome et profondément différent du modèle centralisateur français.

« L'Union » politique est cohérente avec la conviction religieuse et avec la constitution ecclésiale. De même que l'homme protestant est le lieu du salut voulu par Dieu, sans truchement de l'Eglise, de même qu'aucune église locale n'est supérieure à une autre dans l'organisation religieuse, et que le synode n'est rien d'autre que l'addition à égalité de leurs représentants, de même l'architecture politique nouvelle s'organise à partir des communautés de base, dont viendra seule la légitimité. Dans l'Etat royal centralisé, le pouvoir vient d'en haut, du roi, et la légitimité d'encore plus haut, de la grâce de Dieu. Dans « l'union », dans la « république nouvelle », c'est un système fédéral qui prévaut. Les villes et les communes sont garanties dans leurs privilèges. Elles sont groupées en provinces (au début, on dit *généralités*), avec à leur tête un gouverneur (ou *général*), assisté d'un gouvernement nommé et contrôlé par une assemblée de généralité. L'ensemble est coiffé par une assemblée générale, que l'on n'hésite pas à nommer Etats généraux, où chaque province délègue un noble et deux représentants du tiers-état. Le tiers pèse ainsi deux fois plus que la noblesse, ayant simplement saisi le droit de représentation de ce clergé qui n'existe plus. L'autorité suprême appartient à un « protecteur », sur le modèle du *Stathouder* hollandais qui sera d'abord le prince de Condé et ensuite, à partir de 1576, Henri de Navarre. Le modèle hollandais est d'ailleurs si présent que Janine Garrisson a nommé « Provinces-unies du midi » cette organisation politique en voie d'affirmation lorsqu'Henri III devient roi. Chaque unité politique a sa compétence. La commune gère la police, la province la défense. Les impôts sont perçus au nom de l'union et leur gestion est assurée par un receveur-payeur provincial.

Au même moment, s'affirmait le tiers-parti, parti des « politiques », ou des « malcontents ». Voilà que des catholiques lucides, refusant le sectarisme du clan des Guises, recherchent une troisième voie, de conciliation et de concorde. Ce parti regroupe beaucoup de ceux que la mainmise de la famille de Lorraine écarte du pouvoir et de l'influence. A leur tête, les deux fils du connétable de Montmorency, en particulier Damville, gouverneur du Languedoc, et son frère qui ont tous deux, comme gouverneurs, refusé d'obéir aux ordres, et de généraliser la Saint-Barthélemy. Pour les fédérer, un prince du sang, le duc d'Alençon, quatrième fils d'Henri II et de Catherine de Médicis, détestant également ses frères et sa mère et qui sent bien que pour peser durablement, il aura besoin de soutiens indépendants, comme d'un rapprochement avec les huguenots. Aussi lorsque Damville sera renvoyé de son gouvernorat du Languedoc, lui serat-il aisé de s'entendre avec les délégués protestants pour conclure une alliance.

Le 15 septembre 1576, le duc d'Alençon réussit à s'enfuir de la cour dissimulé dans le carrosse d'une dame. Les incidents se multiplient en province, et à Paris, on se sent menacé par l'approche d'une armée allemande, qui menace de faire la jonction avec l'armée protestante du sud. Le roi ne peut faire autrement que de céder à la force. Le 6 mai 1576, la paix de Beaulieu donne satisfaction sur toute la ligne aux protestants et à leurs alliés. Aux seconds, on distribuera dignités et gratifications... Aux premiers, la totale liberté religieuse « par toutes les villes et lieux du royaume,... sans restriction de temps et de personnes », la réhabilitation des victimes de la Saint-Barthélemy, huit places de sûreté. Pour la première fois, satisfaction est donnée à la plus vieille et radicale revendication institutionnelle du monde protestant : des chambres miparties, mi-protestantes, mi-catholiques, sont instituées dans chaque parlement. C'est faire entrer le protestantisme, non seulement comme une religion, mais comme une partie autonome et constitutive du royaume, une des origines légitimes de l'exercice de l'autorité judiciaire.

La « sainte » Ligue

Immanquablement, la réaction catholique à cette « paix huguenote » sera à la mesure de l'humiliation et de l'exaspération que ressentaient les provisoires vaincus. Puisque c'est une organisation politique qui a permis la victoire des huguenots et des mal-contents, on allait construire une organisation politique symétrique et de puissance supérieure. La *sainte Ligue* allait à son tour montrer aux protestants que la force, dans les guerres civiles, ne peut atteindre d'autres résultats que de faire naître, par réaction, une force rivale de même puissance. C'est le jeune duc de Guise qui est le chef de cette « sainte et chrétienne union... » Prince du sang, constamment populaire tout au long de sa vie, grand soldat comme son père, Henri de Guise n'écarte pas les vœux de ses admirateurs : un jour, il peut régner sur la France. Et les généalogistes habiles travaillent à le rattacher au plus vieux tronc des dynasties françaises, bien avant Saint Louis, peut-être jusqu'à Charlemagne. Car, de Saint Louis, il n'y a guère à espérer. La maison Bourbon peut indiscutablement, sept générations en arrière, se prévaloir d'un droit d'aînesse...

Or le chef des Bourbons, Henri, roi de Navarre, a fui à son tour la cour, et repris, en quelques mois, la religion de sa mère, son influence et le pouvoir sur le camp des réformés. Le duc d'Alençon est devenu duc d'Anjou, quand le duc d'Anjou est devenu roi de France. Le rêve de régner passe dès lors pour lui par d'autres voies que par la révolte ou la sédition. Il n'est plus qu'à une marche du trône, et l'on meurt si souvent en ces temps agités... Damville lui-même s'est éloigné. C'est désormais une pauvre force que celle des protestants laissés à leur solitude. Mais ils s'arment, indignés que la Ligue interdise le respect de la paix de Beaulieu.

La guerre est tactique, politique autant que militaire. Elle est faite, mais à moitié, tant le roi se sent menacé autant par la sédition huguenote que par la pression de la Ligue. Désemparé d'ailleurs devant l'influence brutale de la sainte union, il a cru n'avoir d'autre recours que d'adhérer lui-même à la Ligue et de s'en déclarer le chef. Du même mouvement, il a déclaré devant les Etats généraux, réunis à Blois, qu'il n'admettrait plus qu'une seule religion dans son royaume. A nouveau, la « religion nouvelle » est redevenue une « hérésie ».

La guerre inévitable est conduite par Henri de Navarre du côté protestant, par le duc de Mayenne, le frère cadet d'Henri de Guise, et le duc d'Anjou, frère cadet du roi, du côté de l'armée royale. Henri de Guise lui-même est écarté ; sa victoire aurait été une défaite pour le roi. Les catholiques remportent des batailles, mais les protestants résistent. Le roi signe la paix de Bergerac (17 septembre 1577), restitue aux protestants leurs droits et leur liberté, bien qu'avec de légères restrictions, mais prononce l'interdiction de toute organisation particulière dans le royaume : la confédération protestante paraît visée, mais la Ligue ne l'est pas moins. Henri III espère faire d'une pierre deux coups.

DES GUERRES DE RELIGION
À LA PAIX RELIGIEUSE

Sept ans vont se passer. Sept années « ordinaires », courte pause dans la guerre, chacun des acteurs courant sur sa pente : Henri III tentait une réforme de la France, administrative et religieuse, qui n'était pas si mal inspirée, mais qui souffrait de la fragilité du souverain (ordonnance de Blois de 1579) ; les finances étaient dans un état catastrophique, le roi n'ayant perdu aucune des habitudes qui étaient les siennes comme prince dispendieux ou roi léger de la lointaine Pologne – aux noces de Joyeuse, son favori, il dépense 120 000 écus ! – ; les impôts croissaient et le royaume, dans toutes ses parties, en était révolté ; le duc d'Anjou se croyait appelé à devenir roi... des Pays-Bas et commençait une guerre aventureuse en Flandre ; Henri de Navarre était pris dans une série d'expéditions mineures qu'on appellerait « guerre des amoureux », en raison du rôle tenu par Margot, humiliée par son royal frère, dans la naissance du conflit ; et, comme d'habitude, une paix nouvelle était signée à Fleix qui confirmait les paix précédentes...

Mais le destin, qui n'aime pas trop l'ordinaire, n'avait pas fini de frapper : le 10 juin 1584, humilié par sa défaite dans les Flandres, épuisé par la poursuite de passions incertaines et toutes fuyantes, celle du pouvoir, la haine maternelle et fraternelle, rattrapé par la maladie congénitale de la famille, François, qui fut duc d'Alençon avant de devenir duc d'Anjou, héritier du trône, *Monsieur,* meurt à trente ans. Après le roi, qui demeure sans enfant, la dynastie des Valois n'a plus d'héritier.

L'homme du destin

Entre alors en scène l'homme de la Providence. Il est peu de destins dont on sache, de manière certaine, qu'ils ont changé le cours de l'histoire. La longue aventure de la Réforme en est une preuve. Chaque fois que l'on scrute l'événement avec une loupe, on a l'impression qu'il est le fruit de la volonté individuelle de ses acteurs. Chaque fois que l'on prend du recul, on découvre, au contraire, que cet événement était comme commandé par des causes si fortes et si lointaines qu'elles le rendaient nécessaire, déterminé par le cours invariable, impossible à détourner, implacable, des grands mouvements de l'histoire des hommes. L'histoire est comme un fleuve : la plupart de ses acteurs semblent nager dans un courant irrésistible. Parfois, ils peuvent se démener à contre-courant. Leurs efforts ralentissent quelquefois leur dérive. Mais ils ne ralentissent pas le courant, ils n'en changent pas la direction. Au contraire, ceux qui vont dans le sens du courant paraissent décupler leur vitesse.

Mais combien d'hommes d'Etat ont ce qu'il faut d'intuition, ce qu'il faut d'énergie, ce qu'il faut de subtilité et de force pour changer la direction du fleuve ? Qui l'a fait dans notre histoire ? Napoléon, peut-être, pas nécessairement dans le bon sens. Charles de Gaulle, je le crois. Henri IV assurément.

Au jour où meurt le dernier héritier mâle de la dynastie des Valois, Henri de Navarre est devant son destin. Désormais, dans la logique dynastique, il sera le premier, sans aucune contestation possible. Tous ceux qui se risqueront à discuter son droit d'aînesse se trouveront dans l'impasse. Que ce soit la Ligue, les Guises, la monarchie espagnole, chaque fois que quelqu'un essaiera de proposer un autre prétendant au trône, plus populaire, plus catholique, ou mieux accepté, il se heurtera au granit de cette conviction de l'Ancien Régime français : ce n'est pas l'élection qui fait les rois, ce n'est pas l'opportunité politique, c'est la logique du sang qui révèle les desseins de la Providence.

Henri III n'a pas d'enfants et n'en aura pas. Il ne connaîtra pas dans son couple le miracle de la naissance tardive chez Louis XIII et Anne d'Autriche, après vingt-deux ans de mariage, de cet enfant miraculeux qui serait si tôt Louis XIV. Henri IV sera roi. Mais il lui reste à montrer quel roi il sera...

Sur le visage du futur roi, ce qui frappe d'abord, ce sont les rides et les yeux. Rides de vie, rides de rire, qui peut faire la différence ? C'est un vieil emblème protestant que l'enclume avec sa devise : « j'ai usé bien des marteaux », manière de dire qu'on peut frapper sur l'église, qu'on peut abattre sur elle la masse de la guerre et de la persécution, elle en ressortira intacte et plus dense. L'enfant Henri, lui, a été pris entre le marteau et l'enclume, déchiré dans la tendresse de l'enfance, entre Jeanne d'Albret, sa mère, chef dynastique des protestants du royaume et Antoine de Bourbon, son père, premier prince du sang et chef de l'armée catholique. Fureur religieuse en apparence, fureur amoureuse en réalité, haine d'une femme blessée par les fredaines de son mari et qui se jette, pour s'opposer à lui, dans le parti protestant et le rigorisme calviniste.

La guerre des religions, c'est dans sa famille qu'elle commence. Le petit prince sort à peine de l'enfance béarnaise. Il a neuf ans lorsque son père chasse sa mère de la cour, menaçant de la faire arrêter. Pour se venger, elle organise le pillage de la chapelle du château des Bourbons à Vendôme, tombes comprises, puis s'enfuit vers son Béarn natal, où elle organise un état protestant, mettant le catholicisme hors la loi. Pendant ce temps, à coups de menaces et de cajoleries, puis de fessées et de fouet, la cour tout entière se ligue pour faire du petit huguenot un catholique. Trois mois durant, Henri résistera. Lorsqu'il cède enfin, il tombe gravement malade. On le guérit difficilement. A peine le temps de revoir son père qui part à la guerre, assiéger Rouen aux mains des protestants. Quelques semaines après, pour achever cette année terrible, la mort de son père laisse l'enfant seul à la cour.

Catherine de Médicis le garde auprès d'elle, en otage. Avec elle et le jeune roi, il fait le tour du royaume de France. Sa mère le reprend auprès d'elle, le temps d'en refaire un jeune prince protestant. Une paix, puis une autre, des défaites et des victoires, la découverte de la vie des camps : quand la France se cherche un équilibre, on s'avise qu'un mariage royal réunirait mieux que tous les traités les protestants et les catholiques. La Saint-Barthélemy sera le terrible réveil de ces noces de sang. De nouveau otage à la cour, de nouveau catholique, c'est son cinquième changement de religion. Puis de nouveau la fuite et les combats.

Qu'a-t-il appris, le futur roi de France et de Navarre ? Il s'est forgé, presque seul en son temps, une certitude : il n'a découvert ni dans un camp, ni dans l'autre, la vérité absolue. Un temps, il a même cessé de fréquenter l'une ou l'autre des deux églises. Il est l'ami des protestants, qui le soutiennent et se font tuer à côté de lui sur les champs de bataille où il montre une folle bravoure. Mais il n'arrive pas à haïr les catholiques : il ne cesse de répéter qu'il y a des braves gens dans les deux camps. Soldat expérimenté, assaillant impétueux, il sait aussi pardonner, faire preuve de mansuétude. Chaque fois qu'on le presse, en matière religieuse, il se dérobe : qu'on lui envoie des théologiens ! Qu'ils le convertissent ! Mais qu'on ne compte pas sur lui pour faire le théologien à leur place !

Avec cela, le meilleur des compagnons, coureur de femmes, toujours amoureux, mari malheureux, amant peu chanceux, prisonnier des beaux yeux des filles qui traquent en lui le futur roi, surtout quand la majesté du trône fera oublier sa moustache blanche, son amour de la chasse, ses habits grossiers, et cette peau d'homme dont l'odeur ne ressemble pas aux parfums de la cour.

Rides de rire ? Le roi de Navarre parcourt son pays, le prince de France guerroie pour son futur royaume. A ses hommes, il donne les surnoms familiers de l'amitié. Il leur écrit, « Crapaud » à l'un, « Borgne » à l'autre, et il s'esclaffe avec eux des farces qu'on leur fait. Il a vu la mort de près, il a traversé le massacre des siens. Il n'oublie jamais l'ingratitude et la versatilité des peuples. Quand il entrera dans Paris, sous les ovations des foules, un de ses proches le flatte : « Il n'y a jamais eu pareil triomphe, Majesté ! » Et lui, lucide : « C'est un peuple : si mon pire ennemi était là où je suis et qu'il le vît passer, il lui en ferait autant qu'à moi et crierait plus encore qu'il ne le fait. » Et depuis le début, il pense à la paix. La paix qu'il faudra faire, quand on aura vaincu l'armée du Roi, la Ligue, Paris, et l'Espagne ; quand on aura vaincu malgré la malchance, sans argent, malgré les renforts toujours annoncés et qui se dérobent toujours, panache blanc en tête, prêt à se faire tuer, toujours en première ligne.

Il n'a ni la morgue, ni la folie des Rois qui le précèdent. Il *voit* les hommes qui l'entourent. Il saura choisir Sully qui n'a ni la naissance, ni le prestige. Il frappera, s'il faut punir. Mais il est prêt aussi à la transaction, si c'est pour écarter la guerre. Il ne se laissera jamais emprisonner ou contraindre, ni par ses ennemis, ni par les siens, et le second combat est plus difficile encore que le premier. Le « roi libre » est libre comme Roi parce qu'il est libre comme homme, libre parce qu'il n'est pas dupe des hommes, ni de lui-même. Des femmes seulement, un peu trop, peut-être...

Les trois Henri

Un huguenot héritier du trône de France, un huguenot roi « très-chrétien » ? Ce qui paraissait perspective lointaine devient soudain menace très présente. La Ligue, du coup, n'est plus une organisation de grands qui cherchent à gagner le pouvoir : elle devient un parti populaire, répandu dans le corps social, la protestation catholique contre l'inacceptable. S'ajoute à la situation dynastique un problème social et politique. L'appauvrissement de la France est général, les impôts ont si lourdement augmenté qu'ils en deviennent insupportables : de partout, renaît la vieille revendication du grand seigneur féodal : « Maître chez soi ! » La Ligue elle aussi porte un projet politique, celui d'un fédéralisme très lâche où villes et seigneuries régionales s'affranchiraient de la tutelle du pouvoir monarchique, ne gardant avec lui que des liens de fidélité, pas d'obéissance, des liens de suzeraineté, pas de sujétion à l'Etat. Ainsi le projet de la Ligue était-il l'exact parallèle du mode d'organisation du fédéralisme protestant des Provinces-unies du Midi.

A choisir entre Guise et Bourbon, Henri III, spontanément recherche l'alliance d'Henri de Navarre. Henri de Guise est trop populaire, trop adulé par tous ceux qui méprisent le roi. Pour le roi, ce n'est pas un successeur possible, c'est un rival, plein d'arrogance et de morgue. Dès qu'Henri de Navarre est devenu héritier du trône, le roi l'a mis en garde contre Guise : « Mon frère, je vous avise que je n'ai pu empêcher, quelque résistance que j'aie faite, les mauvais desseins du duc de Guise. Il est armé, tenez-vous sur vos gardes et n'attendez rien [1]... » Le Roi offre donc à son cousin une alliance : qu'il se fasse catholique et ils pourront faire front commun contre la Ligue. Mais chacun des deux est prisonnier de ses soutiens et de son opinion publique : Henri de Navarre sait qu'il perdrait les siens, il ne peut que refuser, Henri III connaît l'exaspération de ses sujets catholiques, il doit en tirer les conséquences.

Pour les deux cousins, il est trop tôt, les temps ne sont pas

---

1. Lettre d'Henri III à Henri de Navarre, reçue le 23 mars 1585.

mûrs ; c'est la guerre qui est à l'ordre du jour, pas encore l'alliance.

En juillet 1585, Catherine de Médicis et les Guises parviennent à un accord. C'est le traité de Nemours où la monarchie s'abandonne à la Ligue. Les chefs ligueurs se voient reconnus dans leurs gouvernements, ils reçoivent honneurs et pensions, et la monarchie s'engage à « extirper l'hérésie ». Henri de Navarre, comme protestant, est déchu de ses droits à la couronne, au profit du cardinal de Bourbon. En même temps, le pape l'excommunie. Front contre front, catholiques royaux et catholiques ligueurs alliés contre les protestants, jamais les guerres de religion n'ont été si limpides. Quelles sont alors les chances d'Henri de Navarre ? Trois armées royales et ligueuses se massent contre lui. Mais le contact tarde à s'établir et les finances royales s'épuisent. Catherine de Médicis qui cherche toujours la négociation, essaie de parlementer avec son gendre, sans succès.

Après deux années de tergiversations, l'affrontement est devenu inévitable. Il aura lieu à Coutras, le 20 octobre 1587. C'est le duc de Joyeuse, le favori d'Henri III qui commande l'armée royale. Les troupes protestantes, capitaines et soldats, s'avance au chant grave du psaume CXVIII traduit par Agrippa d'Aubigné :

> *La voici, l'heureuse journée*
> *Que Dieu a faite à plein désir*
> *Par nous qu'elle soit en joie menée*
> *Et prenons en elle plaisir.*

Henri de Navarre commande en personne pour la première fois. Il a groupé son artillerie sur une petite butte, et placé ses arquebusiers dans un chemin creux. La cavalerie était gardée en réserve. Au début de la bataille, les catholiques paraissent avoir l'avantage. Mais lorsque l'artillerie entre en action, lorsque la cavalerie donne l'assaut, l'élan des royaux est brisé. C'est alors un corps-à-corps, où Henri fait preuve d'un extraordinaire courage physique. Tout d'un coup, une nouvelle se propage sur le champ de bataille, Joyeuse et son frère Saint-Sauveur ont trouvé la mort dans l'affrontement. C'est la débandade. Les catholiques compteront plus de 2 000 morts. Henri de Navarre est un chef de guerre victorieux et ami de l'honneur : loin de rééditer à l'égard des victimes les humiliations que son cousin Condé avait subies à Jarnac, il rend à Henri III leurs dépouilles avec les honneurs et un mot de tristesse : « Je suis bien marri qu'en cette journée je ne pus faire de différence des bons et naturels Français d'avec les partisans et adhérents de la Ligue... Croyez, mon cousin, qu'il me fâche fort du sang qui se répand... »

Pour les protestants, c'est un triomphe. Agrippa d'Aubigné trouve déjà les accents de Victor Hugo :

> *Voici deux camps, dont l'un prie et soupire en s'armant,*
> *L'autre présomptueux menace en blasphémant.*
> *O Coutras ! Combien tôt cette petite plaine*
> *Est de cinq mille morts et de vengeance pleine*
>
> (Les Tragiques)

Après Coutras, il y a une vraie victime politique : c'est Henri III qui a perdu tout prestige. Il n'a plus ni le soutien du peuple catholique, qui adule Henri de Guise, ni la bienveillance de ses sujets protestants à qui il a déclaré la guerre, ni le prestige des armes victorieuses. Il essaie de faire la loi, en interdisant à Henri de Guise d'entrer dans Paris. Celui-ci passe outre et le peuple de Paris se soulève. C'est la *journée des barricades*, les rues interdites à la circulation par des barrages de barils remplis de terre. Henri III n'a plus qu'à fuir sa capitale, avec les mots de l'amertume : « Ville ingrate, je t'ai aimée plus que ma propre femme... Je jure de n'y rentrer que par la brèche ! » En juillet, le roi a perdu toute influence en France. En Europe, on sait que l'Espagne a lancé sur l'Océan l'Invincible Armada pour prendre l'Angleterre d'assaut. Pour Henri III, il est urgent de composer : il signe alors le honteux

Edit d'Union des sujets catholiques, victoire de la Ligue sur toute la ligne. Son dernier espoir est dans les Etats généraux : il les convoque à Blois, mais c'est pour découvrir que la Ligue y dispose d'une immense majorité. L'Edit d'union est proclamé loi fondamentale du royaume. Tout paraît alors perdu... Restent les fortunes de la mer... L'Invincible Armada qui s'avançait, impérieuse, vers une victoire facile s'est fait surprendre par les audacieux marins et corsaires de Sa Majesté. Cachés dans les petits ports de la côte, armés de frégates rapides contre les lourds vaisseaux espagnols, prompts à envoyer contre eux des brûlots, ces barques chargées à ras bord de poix enflammée, ils ont renversé en quelques heures le sens de l'histoire. Henri III a l'intuition que les destins basculent. Alors il joue son va-tout. Il convoque les *Quarante-cinq* de sa garde personnelle et donne ses ordres. Le 23 décembre 1588, Henri de Guise est assassiné. Il reste à Henri III à se précipiter chez Catherine de Médicis : « Madame, je suis roi de France : j'ai tué le roi de Paris... »

Quand se retrouvent les deux Rois

L'annonce de l'exécution de Guise et de son frère le cardinal de Lorraine, leurs cadavres brûlés et les cendres jetées dans la Loire, firent en France l'effet d'un tremblement de terre. De partout, la Ligue cria vengeance. Les pamphlets appelant à l'assassinat du tyran se multiplièrent. Catherine de Médicis était morte épuisée quelques jours après ces événements. Henri III n'avait plus d'appui et son royaume entier paraissait dressé contre lui. Il ne lui restait qu'une issue : s'allier avec Henri de Navarre pour rétablir l'ordre et reprendre la situation en main.

A Plessis-lès-Tours, le 30 avril 1589, c'est un événement inouï. Les deux cousins, le roi de Navarre et le roi de France, qui ne s'étaient pas vus depuis plus de dix ans, ont décidé de se retrouver. Dans les jardins du château, il y a grand concours de peuple, excitation dans les allées, badauds perchés dans les arbres. Tous les protestants arborent l'écharpe blanche, sauf Henri de Navarre, vêtu comme à l'habitude de ses habits de soldat, usés à l'endroit de la cuirasse, aux épaules et au côté, le haut-de-chausse à l'ancienne, couleur feuille morte, un grand manteau d'écarlate, le chapeau gris avec son grand panache blanc. Henri III a l'élégance raffinée de la cour, son pourpoint à la dernière mode et les bijoux à l'habitude italienne. L'un est très grand pour son époque, sa prestance en impose. L'autre est du vif-argent, hâlé par la vie au grand air, les longues étapes à cheval, et les batailles sans nombre. Du plus loin qu'on lui annonce le Roi de France, Henri IV tombe à genoux. Henri III le relève. Ils s'étreignent à plusieurs reprises devant la foule qui crie sa joie. Vive le Roi ! hurlent les uns ; Vivent les Rois ! répondent les autres. La presse est telle qu'ils ne peuvent avancer dans les jardins où ils avaient prévu de se promener. L'alliance des deux rois a changé les rapports de force. On le verra très vite. Les ligueurs qui avaient prévu de s'emparer d'Henri III sont mis en fuite par des protestants. En signe de reconnaissance, le roi de France, à son tour arbore l'écharpe blanche. Les villes ligueuses tombent l'une après l'autre. Paris semble à portée, la capitale dont rêvent les deux rois, et devant laquelle les premières troupes d'Henri de Navarre se retrouvent à la fin du mois de juillet. Mais le destin n'a pas dit son dernier mot...

Ce 1er août, Henri de Navarre inspecte de loin les défenses de la ville, quand un coursier, hors d'haleine, son cheval écumant le rattrape. Un attentat vient de frapper le roi de France ! Il est blessé, gravement, il appelle son cousin. A bride abattue, on gagne Saint-Cloud. Quelques minutes avant midi, un moine est venu demander audience à Henri III, se disant porteur d'un message secret et urgent. Le roi, sur sa chaise percée, a insisté pour qu'on le laisse entrer, alors que les gardes lui barraient la porte : « Laissez-le, autrement on dira que depuis que j'embrasse les huguenots, je ne veux plus voir les moines ! » Le moine s'appelle Jacques Clément. Le message est dans sa manche. Mais c'est un couteau qu'il tire et plonge dans le ventre du souverain : « Ah ! le méchant moine, il m'a tué », crie Henri III. On croit d'abord que la blessure ne sera pas trop grave. Mais l'infection apparaît en quelques heures, gravissime. Le roi meurt, entouré de tous les siens, ayant fait jurer à tous serment de fidélité à son cousin : « Je vous prie comme mes amis, je vous ordonne comme votre roi que vous reconnaissiez après ma mort mon frère que voilà... » Un peu après minuit, Henri III expire. La dynastie des Valois s'est épuisée dans la tuberculose et les guerres de religion. Elle s'achève tout près de Paris. Au matin du 2 août, la France étourdie se réveille avec un roi dynastique qui est Bourbon, et protestant.

Les derniers mots d'Henri III ont été pour la religion du futur roi : « Mon frère, voyez comme vos ennemis et les miens m'ont traité ! La justice de laquelle j'ai toujours été le protecteur veut que vous succédiez après moi à ce royaume. Mais vous aurez beaucoup de traverses si vous ne vous résolvez à changer de religion... »

Changer de religion ! Henri, qui signe pour la première fois « Roi de France et de Navarre », se rend bien compte qu'il faut l'envisager. Mais sa défense est toujours la même : qu'on lui prouve d'abord, par un concile, où est la vérité. Il publie le 4 août sa première déclaration royale, en deux temps : d'abord l'engagement de protéger le catholicisme, et ensuite la perspective d'une conversion, à condition qu'un concile général lui montre le chemin : « Nous, Henri, par la grâce de Dieu roi de France et de Navarre, promettons et jurons en foi et parole de roi, par ces présentes, signées de notre main, à tous nos bons et fidèles sujets, de maintenir et conserver en notre royaume la religion catholique, apostolique et romaine dans son entier, sans y innover, ni changer aucune chose... et que nous sommes tout prêts et ne désirons rien davantage que d'être instruits par un bon et légitime et libre concile général et national pour en suivre et observer ce qui y sera conclu et arrêté ; qu'à ces fins nous le ferons convoquer et assembler dans les six mois, ou plus tôt si c'est possible. »

Le concile *général et national*, commun aux réformés et aux catholiques : c'est depuis des décennies la réponse d'Henri IV à ceux qui lui demandent de se convertir. C'est la réponse de sa liberté. Une manière de dire bien des choses à la fois : d'abord, comme il l'affirme depuis qu'il a vingt ans, que si les hommes se trompent en matière religieuse, ce n'est pas de leur faute, c'est qu'on ne les a pas instruits comme il convenait ; ensuite de se référer à l'autorité de l'Eglise galli-cane, et non pas à celle du pape qui l'a, naguère, excommu-nié ; enfin, et surtout, une façon de gagner du temps, de ménager sa décision.

Un royaume à conquérir

Roi de France et de Navarre par la vertu des règles de suc-cession de la dynastie française, cela n'empêche pas Henri IV de se retrouver bien seul. Il s'apprêtait à assiéger Paris avec une immense armée de quarante mille soldats. Mais les deux tiers de ces troupes se débandent à la nouvelle de la mort du roi. Paris semble désormais hors de portée. Henri décide de gagner la Normandie, dans l'espoir, comme si souvent, de renforts anglais qui l'aideraient à conforter sa position. Le duc de Mayenne choisit de lui couper la route, à la tête de l'armée de la Ligue deux à trois fois plus forte que celle du nouveau roi, trente mille hommes contre douze mille.

Le choc eut lieu à Arques, près de Dieppe, le 21 septembre. Idéalement appuyé sur le terrain, ayant occupé, pour y instal-ler ses canons, les deux hauteurs qui dominent le champ de bataille, et secouru à temps par la sortie d'une compagnie d'arquebusiers tenue en réserve, Henri put prendre un avantage décisif. Il envoya la cavalerie de Mayenne, prise au piège, s'enliser dans les marais. C'était un premier succès. On pouvait reprendre la route de Paris, aidé par les renforts d'Elisabeth. Après avoir poussé jusqu'aux faubourgs de la capitale, l'hiver permit à Henri d'occuper méthodiquement la Normandie.

Au printemps 1590, alors que le roi assiège Dreux, Mayenne marche sur lui. Une fois de plus, l'armée de la Ligue est deux fois plus nombreuse. Cette fois, ce n'est pas l'habileté tactique qui fera la différence, mais l'héroïsme physique. Ses lignes enfoncées, au bord de la défaite, Henri se jette dans la bataille, rassemblant autour de son panache blanc les courages défaillants. A lui seul, il renverse le cours de la bataille, comme le confessera Mayenne au roi d'Espagne qui le finance : « La charge de l'ennemi a tellement stupéfié ma cavalerie que la plus grande partie s'est enfuie tout de suite. Il n'est resté avec moi qu'une centaine de chevaux et quasiment pas un seul qui ne fût mort, blessé ou prisonnier. » Ivry, c'est le triomphe du roi chevalier, des vieilles vertus du courage français : la légende guerrière du nouveau roi a écrit une de ses plus belles pages.

Reste Paris. Auréolé de sa victoire, Henri peut mettre le siège devant la capitale, en organiser le blocus. Très vite, dans ses murs, c'est la famine. La faim entraîne des scènes atroces, les morts se multiplient, la Ligue organise la terreur. En août, le roi autorise la sortie de plusieurs milliers de pauvres. A ceux qui lui reprocheront d'avoir ainsi relâché sa pression, il répondra en souverain : « je suis vrai père de mon peuple. Je ressemble à cette vraie mère dans Salomon. J'aimerais quasiment mieux n'avoir point de Paris que de l'avoir tout ruiné et dissipé après la mort de tant de pauvres personnes... » La Ligue et l'Espagne l'obligeront à lever le siège.

Deux années durant, de Paris à la Normandie, Henri fait

l'expérience de sa faiblesse, de l'impasse dans laquelle il est engagé. Son armée de huguenots et des quelques catholiques loyalistes qui ne l'ont pas abandonné est toujours plus faible, les ressources toujours plus rares. Il n'a pour lui que la logique du sang royal, mais même cela commence à s'affaiblir. Du côté de la Ligue, on entend à nouveau parler d'élection du souverain. Alors Henri se décide : le 25 juillet 1593, à Saint-Denis, après avoir convoqué plusieurs évêques pour l'instruire, comme il l'avait promis, et non sans avoir tenu sa partie dans une grande controverse théologique, il se convertit. Le roi de France rentre dans le giron de l'église catholique. Le 27 février 1594, à Chartres, c'est le sacre. Tous les obstacles symboliques ont désormais disparu. Le 22 mars au petit matin, Henri IV qui a reçu la reddition du gouverneur de Paris, entre dans la capitale. La surprise passée, les cloches se mettent à sonner à toute volée, on gagne Notre-Dame pour un *Te Deum*. Le roi offre aux Espagnols qui ont perdu la partie de quitter la capitale le jour même. C'est chose faite dès l'après-midi. Henri peut se payer le luxe d'assister en personne au long défilé des troupes espagnoles, sortant par la porte Saint-Denis, avec armes, bagages, femmes et enfants : « Les soldats marchaient quatre à quatre et, lorsqu'ils étaient devant la fenêtre où était Sa Majesté, avertis de sa présence, ils levaient les yeux en haut, le regardant, tenant leurs chapeaux à la main, et puis, les têtes baissées, profondément ils s'inclinaient, et, faisant de très humbles révérences, sortaient de la ville. »

Il n'a pas fallu moins de cinq années de guerre pour que le roi soit roi en sa capitale.

La pacification religieuse et l'édit de Nantes

Le cadre légal de la paix religieuse, Henri a commencé à le construire en 1591. Il fallait mettre le droit en accord avec les faits et abolir les dispositions antiprotestantes qu'Henri III avait prises sous la pression de la Ligue. L'édit de Mantes, le 24 juillet 1591, rétablit les précédents édits de tolérance. Les protestants se voient reconnaître la liberté de conscience, la liberté du culte dans un faubourg de ville par bailliage ou sénéchaussée, comme dans les châteaux des seigneurs haut-justiciers, ainsi que le droit d'accès aux charges publiques. Mais les parlements refusent pour la plupart d'enregistrer cet édit, pris en temps incertain : rien, dans le texte, ne les rassure sur l'avenir de la religion catholique sous le règne de ce roi encore protestant.

Après l'abjuration et le sacre, Henri sait qu'il aura deux soucis. Il a déclaré la guerre aux Espagnols en janvier 1595. C'est la première fois depuis des décennies que l'affrontement a pris le visage d'une guerre nationale. Mais en même temps, il lui faudra conduire sur deux fronts la pacification religieuse : le pape doit lui accorder son pardon ; les protestants doivent lui pardonner sa conversion au catholicisme. Dans les deux cas, une démarche solennelle s'impose, juridique et symbolique, pour que les esprits puissent retrouver la paix.

Auprès du pape Clément VIII, le roi envoie deux ecclésiastiques, parmi les plus importants de ses conseillers : Jacques du Perron et l'abbé d'Ossat. Les négociations durent plusieurs semaines, tournant tout entières autour des libertés gallicanes qui irritent tant le pape. Il faut s'engager, au nom du roi, à l'acceptation en France des décisions du concile de Trente, ainsi qu'au rétablissement du culte catholique en Béarn. Le 17 septembre 1595, c'est l'absolution solennelle, assortie d'une humiliation symbolique. Les deux représentants d'Henri IV sont agenouillés devant le pape, et demandent pardon en son nom : « Pendant le chant du *Miserere*, Sa Sainteté ayant une baguette de Pénitencier frappait les épaules desdits du Perron et d'Ossat ainsi que l'on a accoutumé à le faire aux hérétiques pénitents en acte de leur absolution », raconte Pierre de L'Estoile. L'ambassade et la punition n'iront pas sans contre-partie : les deux plénipotentiaires y gagneront leur chapeau de cardinal.

Mais le roi sait bien que du côté des protestants, il n'est pas à l'abri d'une profonde amertume. Il faut donc les rassurer. Dès le 25 juillet 1593, quelques jours après l'abjuration de Saint-Denis il adresse à ses anciens coreligionnaires une *dépêche générale* : « Je fais présentement une dépêche générale pour vous donner avis de la résolution que j'ai faite de faire dorénavant profession de la religion catholique, apostolique et romaine ;... ce changement, qui est mon particulier, (n'aura pas de conséquences) en ce qui est permis par les édits précédents pour le fait de votre religion, ni en l'affection que j'ai toujours portée en ceux qui en sont... » Les actes suivent : le 15 novembre 1594, l'édit de Saint-Germain reprend les termes des édits de pacification. Mais les huguenots sont profondément insatisfaits. Leur Assemblée se réunit à Saumur au printemps 1596. Elle siégera sans interruption pendant deux ans, traduisant auprès du roi, représenté par Duplessis-Mornay, les plaintes de la communauté réformée et exigeant un nouvel édit : « En vain leur prêche-t-on la patience ; ils répliquent qu'ils l'ont eue en vain, qu'il y a sept ans que le roi règne, que leur condition empire tous les jours, qu'on fait pour la Ligue tout ce qu'elle veut, que la cour ni les cours ne lui refusent rien [1]... » Le 6 avril l'Assemblée écrit directement au roi pour exiger de lui « de pourvoir par un bon édit aux justes demandes... ci-devant faites ». Quelles sont ces demandes ? La liste en est jointe : exercice public de la religion, entretien des pasteurs, création de « trois ou quatre » chambres mi-parties dans les parlements.

Au début de 1597, les négociations s'engagent. Mais le 11 mars, c'est la prise d'Amiens par les Espagnols. Henri demande du renfort à ses anciens coreligionnaires. Uniquement obsédés de leur situation, ils le lui refusent. Et même

---

1. Lettre de Duplessis à de La Fontaine.

certains d'entre eux, les ducs de Bouillon et de La Trémoille, déclinent les ordres du roi et commencent à fomenter des troubles. Le 15 septembre, alors que le roi assiège Amiens, on lui présente entre les lignes les conditions d'un véritable chantage : il ne recevra les renforts demandés que s'il accepte les conditions posées par l'Assemblée protestante. La colère du roi est froide. Il ne cédera plus rien. Désormais, ses ambassadeurs auprès de l'Assemblée, de Thou, de Vic et Callignon n'auront plus de marge de manœuvre. La prise d'Amiens, le 25 septembre, puis la marche vers la Bretagne, à la fin de l'hiver, font comprendre aux huguenots l'erreur qu'ils ont faite en essayant de faire chanter le roi. Désormais, il est urgent de traiter. En février, les négociations s'accélèrent entre les quatre représentants de l'Assemblée et les commissaires royaux. Dès cette date, on sait qu'entre le roi vainqueur et ses anciens coreligionnaires, l'accord est proche.

L'édit « que le Roi fit à Nantes »

Le 3 juin 1598, Messieurs de Constans, de Cazes et de La Mothe, qui avaient été délégués dès le mois de février par l'assemblée permanente des églises réformées pour négocier le traité, reviennent auprès de leurs pairs. Sous le drap sombre, les gestes sont solennels. Les visages des députés sont graves. Ils rapportent à leurs mandants, les autres députés des églises, la série de documents dont ils ont obtenu la signature. Ils le savent, ces documents vont changer l'histoire de leurs coreligionnaires, l'histoire du règne et aussi celle de la France. Ils ont choisi la paix, comme le roi l'a choisie aussi. Ils l'ont choisie, consciemment ou inconsciemment, en adoptant un certain nombre de principes qui font l'édit de Nantes. Quelques-uns de ces principes sont une révolution. D'autres représentent des concessions, d'ailleurs dans les deux sens.

D'autres enfin, représentent des risques qu'ils connaissent, mais qu'ils ont décidé de partager avec le souverain.

Depuis dix-huit mois, ils ont patiemment, parfois durement, négocié les termes de cet accord avec les représentants du Roi. Le texte de l'Edit, lui-même, lorsqu'on le lit avec des yeux modernes, se présente comme le procès-verbal d'un accord négocié, bien davantage que comme une loi édictée par un souverain tout-puissant. Il est constamment balancé : une mesure pour les catholiques, une mesure pour les protestants. Il est constamment à la recherche de précisions qui sont autant de réponses à des objections : si la décision est ainsi prise, par exemple sur la restitution des biens du clergé, que fera-t-on dans le cas où d'autres bâtiments auraient été construits à la place des précédents ? Et si le clergé ne veut pas récupérer ces biens, en ayant acheté d'autres, alors comment fera-t-on ? Qui sera chargé de vendre ces biens ? Comment et quand versera-t-on l'argent ? Dans quel délai le versement de la somme obtenue par cette vente devra-t-il être effectué ? Et sur demande de qui ? Et dans l'intervalle, quel intérêt cette somme devra-t-elle rapporter ? C'est ainsi que l'édit de Nantes, monument historique de la conscience française n'hésite pas à fixer à 5 % (on disait : *le denier vingt*) l'intérêt dû par les protestants chargés de réaliser la vente de biens à rendre au clergé dans l'intervalle de temps qui séparerait la vente du versement. Ces précisions ne sont pas seulement celles d'un prince et d'une administration soucieux de détail, d'un *de minimis curat praetor*, c'est l'accord trouvé au terme d'un dialogue précis et grave sur la méthode pratique à suivre pour éviter de nouveaux troubles et de nouvelles contestations.

Les textes ramenés par MM. de Constans, de Cazes et de La Mothe, sont au nombre de quatre : un texte financier, un texte de sécurité militaire, et l'édit lui-même, en deux parties, quatre-vingt-douze articles généraux et cinquante-six articles particuliers, dits « secrets ». Chacun des quatre textes répond à un besoin précis. Chacun des quatre est un élément du puzzle qui fera la paix. Et l'on sent bien que pour faire la paix, il convient que l'édit de Nantes rassure les protestants et rassure les catholiques. Il faut rassurer les catholiques comme croyants. Ou plus exactement il convient de les rassurer comme défenseurs d'une vision du monde dans lequel *la foi* n'est pas seulement une conviction : elle est le ciment de l'organisation de la société. *La loi* n'est respectée, *le Roi* n'est légitime, que si la clef de voûte est indiscutée. Et la clef de voûte, c'est *la foi*. Il faut donc que la décision royale, que l'accord obtenu entre les communautés, rassure les catholiques comme défenseurs d'un ordre stable et unique.

Et *en même temps*, par le même texte, il faut rassurer les protestants sur un tout autre plan. Il convient de les rassurer comme « religionnaires », dans leur liberté de conscience et de culte. De les rassurer comme croyants libres. Il faut les rassurer comme citoyens, dans le principe d'égalité entre sujets du même roi, soumis à la même loi, et disposant, dans l'ordre civil et politique, des mêmes droits que leurs concitoyens catholiques. Il faut enfin les rassurer comme membres d'une communauté persécutée et organisée, depuis plusieurs années, pour sa défense et pour sa représentation.

Il faut que de ce désordre sorte un ordre nouveau. Chacun doit voir sa place reconnue, sans que cette reconnaissance provoque l'anarchie antérieure.

Rassurer les protestants

Les plus inquiets, ce sont les protestants. Les mieux organisés, ceux dont désormais Henri veut réduire la dissidence, parce qu'il craint qu'ils ne se tournent vers les puissances extérieures, l'Angleterre ou les Pays-Bas, ce sont les huguenots. C'est d'abord à eux que doit aller la reconnaissance.

Le premier mouvement à leur endroit est donc un mouvement de reconnaissance. On abandonne toute qualification qui exprime un jugement sur la vérité de la foi. Ils avaient été autrefois des hérétiques, ils deviennent une catégorie de sujets, aimés du roi : « Ceux de la religion prétendue réformée ». Plus encore, le préambule de l'édit de Nantes exprime une sorte d'excuse générale à tous ceux qui ont cédé à leur passion religieuse. Ce préambule est un chef-d'œuvre. On imagine qu'il n'est pas, ne peut pas être de la plume du Roi. Ce n'est pas le travail du Roi que de faire des édits. La charge de ses obligations ne lui permet pas l'effort de rédaction dans lequel la liberté d'esprit et l'habitude du juriste ou du lettré jouent un très grand rôle. A qui en douterait, d'ailleurs, il suffirait de noter la différence de style entre ce préambule et l'ensemble des lettres de la main d'Henri IV. Du côté du préambule, il y a l'habileté de la construction et l'amplitude de la phrase ; dans les lettres d'Henri de Navarre, même lorsqu'il est devenu Henri IV, au contraire, le style est nerveux, ramassé, la phrase courte. Le texte est de la plume de Forget, le secrétaire d'Etat. Sans doute de Thou y a-t-il aussi apporté. Mais l'inspiration est la même. Le texte du préambule de l'édit de Nantes n'a pas été écrit *par* le roi Henri IV, mais il est *de* lui, comme pensée, comme inspiration, comme méditation.

Ce n'est d'ailleurs pas d'avril 1598 que date cette méditation. Elle a commencé, sous cette forme, et sur ce sujet après la fuite de la cour en 1576. Henri, alors, n'a pas vingt-cinq ans. Mais il a vu de près, vécu dans sa chair, dans sa sensibilité, tant de déchirures, de souffrances, de morts, d'injustices dues à la religion ! Depuis l'abjuration qu'on imposa à l'enfant de neuf ans qu'il fut, enfant écartelé entre son père et sa mère, jusqu'à la Saint-Barthélemy et au massacre de tous ceux qui l'aimaient et lui obéissaient, depuis les jeux hypocrites et serviles de la cour des Valois, des Médicis et des Guises, jusqu'au dialogue théologique qui a précédé son ralliement à la religion catholique, il a vérifié que l'on pouvait être d'un camp ou de l'autre à son corps défendant, et sans que la qualité d'une âme soit en cause, se trouver aussi sincère ou aussi fourbe dans l'une ou l'autre foi. On ne comprend pas Henri IV si l'on ne se rappelle pas ces aller et retour, contraints ou libres, en nombre égal, trois fois du catholicisme au protestantisme, trois fois du protestantisme au catholicisme. On ne comprend pas Henri IV si l'on ne se souvient pas des protestations qui ont chaque fois été les siennes, depuis qu'il est conscient, depuis qu'il peut s'exprimer : passant de l'une à l'autre des deux religions, l'affirmation que sous la loi de l'un ou de l'autre des deux cultes, il n'a jamais cessé de croire la même chose. Il croit que les hommes se valent, qu'ils aient fait, ou qu'on les ait obligés à faire, le choix de l'un ou de l'autre des deux cultes. Il croit que l'on peut faire son salut de la même manière par l'un ou par l'autre des deux chemins. Et il croit que si l'une ou l'autre des deux églises se trompe, la faute ne peut pas en être imputée aux fidèles, pauvres âmes qui essaient de faire de leur mieux. Il croit que la faute est plus haut, chez les théologiens ou les magistratures ecclésiales. Au fond, et plus encore, il croit que si les choses sont ainsi, c'est que Dieu l'a voulu ou en tout cas l'a permis !

Le préambule de l'Edit ne dit pas autre chose. Et, sur ce point, sa formulation n'a jamais été vraiment comprise, même par les commentateurs les plus savants et les plus contemporains.

C'est même le point central du préambule, qui explique tout le reste. Comment est construit cet « exposé des motifs », comme on dirait aujourd'hui pour nos modernes lois, au ton si personnel qu'il paraît parfois être comme une méditation ?

Un préambule tolérant

On entre dans l'édit de Nantes, comme il est de coutume, par la grâce rendue à Dieu. Mais cette grâce rendue permet aussi un survol historique de l'époque et de l'aventure personnelle qui sont celles du souverain. Car, parmi les premières raisons de cette gratitude, il y a cette bienveillance de la Providence qui a donné au Roi « la vertu et la force de ne pas céder aux effroyables troubles, confusions et désordres qui se trouvèrent à notre avènement à ce royaume, qui était divisé en tant de parts et de factions que la plus légitime (de ces parts, celle du roi) en était quasi la moindre ».

Cette peinture du passé proche, de celui que l'on veut abolir, est un appel à la justification du souverain. Pour cette œuvre, il a fait ce qu'il devait « ce qui était de notre devoir et pouvoir » ; il a fait bien plus encore, que justifie ce qu'il y eut d'exceptionnel dans le drame et dans les risques qu'il a fallu prendre : « Quelque chose de plus qui n'eût peut-être pas été en autre temps bien convenable à la dignité (d'un roi), mais que nous n'avons pas eu crainte d'y exposer puisque nous avons tant de fois et si librement exposé notre propre vie. »

Justification politique : il était impossible de tout faire en même temps dans « de si grandes et périlleuses affaires ». Il a donc fallu choisir sa priorité. D'abord, il fallait conclure ce qui ne pouvait se régler que par la guerre, les combats contre les factieux, aussi bien que la guerre contre l'Espagne, ces affaires « qui ne pouvaient se terminer que par la force », et qui s'achèvent, après la chute d'Amiens par le traité de Vervins qui sera signé le 2 mai. Ensuite, vient le temps des autres décisions, celles qu'il avait fallu « remettre et suspendre pour quelque temps », celles qui doivent se traiter « par la raison et la justice », l'affrontement entre Français, « les différends... entre nos bons sujets », « que nous estimions pouvoir bien plus aisément guérir, après en avoir ôté la cause principale qui était la continuation de la guerre civile ». Le temps de la négociation vient après le temps de la force.

Ensuite le contexte de l'Edit : les plaintes des catholiques et les plaintes des protestants. De quoi se plaignent « les provinces et villes catholiques » ? « De ce que l'exercice de la

religion catholique n'est pas universellement rétabli »,
comme il devait l'être à la suite des édits de pacification. Que
demandent les protestants dans leurs « supplications et
remontrances » ? Que ces édits soient enfin appliqués à leur
égard, ce qu'ils ne sont pas. Ils veulent ensuite que l'on ajoute
aux édits dans trois domaines : « L'exercice de leur religion,
la liberté de leurs consciences, la sûreté de leurs personnes et
de leurs fortunes. » Les protestants ont sujet d'être inquiets,
« à cause de ces derniers troubles et mouvements dont le principal prétexte et fondement a été sur leur ruine ». En une seule
phrase c'est une explication et une justification des doléances
protestantes !

Il n'a pas été possible au roi de régler plus tôt les questions
qui sont ainsi en suspens. Parce qu'on ne mélange pas la mission du guerrier et celle du légiste : « La fureur des armes ne
compatit point (n'est pas compatible) à l'établissement des
lois. » Vient ensuite une phrase qui a donné lieu à des livres de
commentaires, qui, pour beaucoup d'historiens et de critiques,
même favorables à la Réforme, constituait, d'avance, une justification de la révocation, et qu'Henri IV, roi de France et de
Navarre ne *pouvait* pas écrire dans l'esprit qu'on a dit :
« pourvoir qu'Il puisse être adoré et prié par tous nos sujets et,
s'Il ne lui a plu permettre que ce soit pour encore *en une même
forme et religion*, que ce soit *au moins d'une même intention*
et avec une telle règle qu'il n'y ait point pour cela de trouble et
de tumulte entre eux... » « Encore en une même forme et religion » : depuis des siècles, on s'est appuyé sur ces mots pour
assurer que les rédacteurs de l'Edit avaient à l'esprit qu'un
jour viendrait nécessairement où une seule religion devrait
prendre le relais de cette dualité insupportable ! Ce n'est ni le
mouvement de la phrase, ni l'esprit du roi. C'est Henri de
Navarre qui inspire ce texte. Il répète ici, dans le texte de
l'édit, ce qui a toujours été sa vision de la réalité des guerres
religieuses. Ce n'est pas la faute des hommes s'ils se
trompent. Si certains se trompent, c'est Dieu qui a permis cet

errement, ou qui, du moins, n'a pas permis qu'il prenne fin. Alors, au moins, si la forme n'est pas la même, ce qui, après tout est secondaire, qu'au moins l'intention, le mouvement de l'âme, soit le même. La forme peut diviser, mais l'intention devrait réunir les âmes sincères. De surcroît, la règle de la société doit s'ajouter à l'unité d'intention pour éviter les troubles. C'est la moindre des choses, dans l'esprit du temps, de présenter cette dualité de forme comme devant s'achever un jour, lorsque la Providence le voudrait. Mais ce n'est pas déclaration de souverain organisant l'histoire : c'est clause de style. Tout le texte indique, au contraire, que la dualité de forme est prévue pour être durable, organisée de manière à éviter les troubles, mais qu'elle est moins importante que l'intention.

Si la responsabilité divine est engagée dans la séparation des croyants, alors c'est l'accusation même d'hérésie qui disparaît. Le texte de l'édit de Nantes renvoie à Dieu la tâche de rassembler un jour les croyants en une même forme religieuse et donne à l'Etat la responsabilité de la paix religieuse. Si l'on veut relire cette phrase du préambule dans son ensemble, on verra que l'interprétation habituelle qui laisse prévoir qu'un jour l'édit cessera de s'appliquer n'est pas autre chose qu'un contresens historique, psychologique et littéraire, pour ne pas dire littéral.

Et d'ailleurs le roi qui en a beaucoup vu, le roi qui est moins engagé que d'autres, conclut le mouvement non pas sur la vérité du dogme, ou sur l'importance essentielle de trouver la vérité religieuse mais par une réflexion de prudence, presque une observation de scepticisme, un mouvement de sagesse, l'expression d'une distance : la religion est toujours un sujet dangereux et explosif, fertile en « troubles », « le fait de la religion est toujours plus glissant et pénétrant que tous les autres ».

Comment l'Edit a-t-il été préparé ? Le préambule répond ensuite à cette question. Les catholiques ont donné des cahiers de doléances. Les protestants ont fait une assemblée de députés, et le roi a « conféré avec eux par diverses fois ». Le moment est venu de donner « sur le tout, à tous nos sujets, une loi générale, claire, nette et absolue, par laquelle ils soient réglés sur tous les différends qui sont auparavant survenus entre eux et pourront survenir encore après ». Générale, claire, nette et absolue : la loi du roi pour mettre fin aux troubles est présentée par une formule d'autorité qui n'est pas habituelle dans les édits des souverains. Les quatre adjectifs disent ensemble que l'Edit est une fin et qu'il est un commencement. Il est la fin des troubles, et il est le commencement de la monarchie absolue. C'est le pouvoir fort, la clarté de ses vues et le moyen de l'imposer qui fait la paix des peuples. Henri IV sait où il en est de l'histoire, et quelle démarche il fonde pour la monarchie française.

L'édit de Nantes est une déclaration de reconnaissance pour une minorité opprimée. Mais le souverain n'oublie pas que ses sujets inquiets doivent d'abord être rassurés. Plus exactement, l'assurance de sécurité doit être contemporaine de la reconnaissance.

Sécurité des Réformés

Parmi les quatre textes qui forment ensemble l'événement historique de l'« édit » de Nantes, deux, au moins, sont entièrement dirigés vers la sécurité des églises réformées.

Le premier, chronologiquement, est financier. Le 3 avril, comme le Roi n'est pas encore arrivé à Nantes, le Conseil délibère en son absence sur un engagement financier qui a fait l'objet d'âpres négociations et de longs débats entre les représentants du Roi et l'Assemblée protestante. Il s'agit, pour le Trésor royal, de prendre en charge, de manière assurée pour l'avenir, une partie du coût de fonctionnement des églises. Le « brevet » royal décide qu'une somme annuelle de quarante-cinq mille écus sera allouée aux réformés : « Le Roi... voulant gratifier ses sujets de la religion prétendue réformée et leur aider à subvenir à plusieurs grandes dépenses qu'ils ont à supporter... » L'usage détaillé de cette somme est un « secret » : « pour employer à certaines affaires secrètes qui les concernent, que Sa Majesté ne veut être spécifiées ni déclarées... »

En réalité, il s'agit des frais de fonctionnement annuel des églises, salaires des ministres, des professeurs en théologie, bourses pour les étudiants. La somme est importante. L'écu, la pièce d'or en circulation, valant trois livres, quarante-cinq mille écus représentent cent trente-cinq mille livres. Pour permettre des comparaisons, entre des économies éloignées de quatre siècles, dont les structures sont aussi différentes que celles d'une société développée contemporaine et d'un pays du tiers-monde, j'avais proposé il y a quelques années [1] que l'on fixe pour la livre une équivalence de cent francs. Cent trente-cinq mille livres représentent donc quelque quarante millions de nos francs, en un pays où le salaire annuel d'un ouvrier hautement qualifié à Paris était de soixante-dix livres (7 000 Francs) par an. Si l'on imagine que le salaire d'un ministre pouvait être d'une centaine de livres par an, celui d'un théologien peut-être du double (mais leur nombre était très réduit), la bourse d'un étudiant de 80 livres, on voit qu'il y avait là de quoi assurer le défraiement de plus de mille ministres et la formation de plusieurs centaines d'étudiants en théologie pour le service futur des églises réformées. Pour gérer cette somme, le Roi charge de mission Raymond de Viçose, originaire de Montauban, qu'il nomme conseiller au Conseil d'Etat et intendant des Finances. Le commissaire recevra les sommes allouées par quart le premier jour de chaque trimestre et la charge en est affectée aux recettes générales du Trésor royal : Paris, Rouen et Limoges (six mille écus

---

1. François Bayrou, *Henri IV, le roi libre,* Flammarion, 1994.

chacun), Tours et Orléans (quatre mille écus), Caen (trois mille écus), Poitiers et Bordeaux (huit mille écus). Il n'aura de compte à rendre à aucune juridiction pour ce qui touchera à l'utilisation de ces sommes.

Ce premier brevet est important : il garantit les frais de fonctionnement des églises réformées. Comme on l'a vu, il a été pris le 3 avril, c'est-à-dire avant la signature proprement dite de l'édit de Nantes.

Le deuxième brevet d'« assurance » est plus important encore. Il est signé le 30 avril, sans doute le même jour que l'Edit. C'est un brevet de sécurité militaire, qui garantit aux protestants toutes les places, villes, bourgs et châteaux dont ils avaient le contrôle effectif moins d'un an auparavant, en août 1597 (à l'exception de quatre d'entre elles, Vendôme, Pontorson, Aubenas et Chauvigny). Ce sont donc plus de cent soixante places qui sont ainsi dévolues aux réformés. Les gouverneurs et capitaines de ces places ne pourront être nommés par le roi que parmi les protestants, et, garantie suprême, ils ne pourront prendre leur fonction que lorsqu'ils auront reçu de leur consistoire, « attestation du colloque où il sera résident, qu'il soit de ladite religion, et homme de bien ». Ce certificat de l'église locale est un droit de veto reconnu par le roi aux protestants pour la nomination réelle des gouverneurs des places et des capitaines des garnisons. Lorsqu'il y aura à adapter les garnisons, le roi s'engage à ne le faire qu'après discussion avec les représentants réformés. Une garantie supplémentaire est accordée pour la maîtrise des moyens militaires : outre les gouverneurs et les capitaines, la nomination des intendants chargés des magasins de munitions, des canons et de la poudre est de la même manière réservée aux huguenots. Pour l'entretien de ces garnisons, le roi s'engage d'ores et déjà sur un budget de cent quatre-vingt mille écus annuels (près de soixante millions de francs). Les garnisons du Dauphiné seront entretenues sur un autre budget, car le Dauphiné bénéficie encore d'une autonomie administrative. Si ces sommes ne suffisaient pas, le Roi s'engage à les compléter par des budgets supplémentaires.

Cette garantie de maîtrise des places militaires est prise pour huit ans. Elle durera, dans les faits, bien au-delà de l'année 1606 qui aurait dû en voir le terme. Le privilège militaire sera reconduit en 1605, et de nouveau après la mort du roi, pour ne trouver son terme qu'en 1629.

On connaît la grande critique des historiens et des juristes. L'édit de Nantes instaurerait un Etat dans l'Etat. L'édit de Nantes porte atteinte à un principe imprescriptible : celui de l'inaliénabilité du domaine royal. On ne peut pas soustraire à l'autorité de l'Etat une partie du domaine national. C'est une critique pertinente, mais limitée. D'abord parce que c'est bien le Roi qui nomme les gouverneurs et que leur autorité dépendra de lui. Il le fait, pour chacun d'entre eux, après vérification de l'accord de la communauté réformée, mais il le fait de son autorité et sans être contraint. Ensuite parce que le terme est clairement fixé : il s'agit d'une transition en vue de conforter le sentiment de sécurité d'une communauté martyrisée et qui a payé assez cher dans le passé pour que son scepticisme sur les édits royaux soit justifié. Enfin et surtout parce que l'urgence est bien à sortir de la guerre et que, c'est l'idée qui préside à tous les articles de l'édit de Nantes, l'on ne peut sortir de la guerre qu'à deux. Ou plus exactement à trois : les protestants, les catholiques, le roi. Il faut que tous les acteurs du conflit sanglant aient le sentiment d'une avancée ou d'une confortation. La paix négociée – et il n'y a pas d'autre paix possible dans les temps modernes et dans les guerres civiles –, commence toujours par la reconnaissance de la logique de l'adversaire.

Rassurés financièrement, rassurés militairement, il faut que les réformés soient aussi rassurés comme fidèles et comme citoyens, comme sujets du royaume de justice. Ce sont les deux grands chapitres qu'aborde l'édit de Nantes proprement dit en ses 92 articles et ses 50 articles complémentaires, dits aussi « secrets ».

Liberté de conscience

D'abord la conscience religieuse. A plusieurs reprises dans le texte, sous diverses formes, l'assurance est réitérée que désormais la liberté de conscience est la loi du royaume. C'est notamment l'objet de l'article 6 : « Pour ne laisser aucune occasion de troubles et différends entre nos sujets, avons permis et permettons à ceux de la religion prétendue réformée, (de) vivre et demeurer par toutes les villes et lieux de notre royaume et pays de notre obéissance, sans être enquis, vexés, molestés ni astreints à faire chose pour le fait de la religion contre leur conscience, ni pour raison de celle-ci être recherchés dans les maisons et lieux où ils voudront habiter... » De la même manière, parmi les manifestations auxquelles ceux de la religion ne seront pas astreints, pour respecter leur liberté de conscience, il est précisé à l'article 24 : « Pareillement, ceux de ladite religion... (ne seront pas) contraints d'assister à quelques cérémonies contraires à leur religion. Et étant appelés par serment, (ils) ne seront (pas) tenus d'en faire d'autre que de lever la main, jurer et promettre à Dieu qu'ils diront la vérité. »

Accordée à la liberté de conscience, il y a la liberté de coutume, de vie. En particulier pour ce qui touche aux obsèques, où les protestants se voient reconnaître le droit à des cimetières particuliers, que ceux-ci leur soient rendus quand ils leur avaient été confisqués, ou qu'ils doivent leur être concédés lorsqu'ils n'existaient pas, ou encore que des « carrés » leur soient proposés dans les cimetières communs (article 28). L'article 29 enjoint aux officiers de la couronne, sous peine d'amende très importante, de garantir la paix et le respect des enterrements et de garantir, sous quinze jours, l'emplacement des sépultures protestantes. De même, pour les mariages, la coutume protestante est admise par la loi du royaume. L'Eglise interdisait en effet tout mariage entre cousins même aux troisième et quatrième degrés. On se souvient de la difficulté que le roi lui-même avait eue à obtenir du pape une dispense pour son mariage avec Margot, petite-fille de son grand-oncle François Ier. La communauté protestante n'a pas la même rigueur pour exclure la consanguinité. Et d'abord parce que l'étroitesse de la communauté, rend dans certaines régions presque impossible un mariage assez lointain pour exclure tout lien de parenté. L'article 40, comme ce fut le cas dans des édits antérieurs (Beaulieu, Nérac, par exemple), rend licites ces mariages interdits par l'église catholique : « Sa Majesté veut aussi que ceux de ladite religion qui auront contracté ou contracteront mariages au tiers ou au quart degré ne puissent en être molestés, ni la validité de ces mariages révoquée en doute (mise en cause). » Ainsi la loi de l'Eglise catholique cessait d'être la loi civile pour l'ensemble du royaume. C'est une mesure de « laïcisation » de l'état civil qui ne sera pas sans lendemain.

La liberté de conscience et la liberté de coutume établies, reste la question la plus délicate de toutes : la liberté du culte.

Les temps ne sont pas mûrs – ils ne le seront pas de longtemps ! – pour la liberté totale du culte. Sur ce point, dans le grand mouvement de balancier qui vit la loi rouler d'une position extrême à la position extrême contraire, du refus catégorique de la diversité religieuse à l'acceptation sans conditions, l'édit de Nantes est en recul sur ceux, parmi les édits antérieurs, qui avaient été les plus libéraux. L'esprit féodal revendique l'autorité religieuse. Bien loin d'avoir accompli la progression d'Henri IV, l'immense majorité des féodaux ressent comme un scandale qu'un autre culte que le sien puisse avoir lieu sur le territoire qu'il estime relever de lui. Pas plus avancée qu'Henri de Guise à Wassy, chaque autorité féodale vit cette marque d'indépendance de ses sujets comme une provocation. C'est vrai pour les grands et les petits seigneurs catholiques français. Mais c'est vrai, symétriquement et à l'identique, pour les princes protestants allemands ou hollandais. C'est vrai, symétriquement et à l'identique, dans l'autre royaume d'Henri, en Béarn et en Navarre. Le Béarn protestant d'Henri refuse la liberté de conscience et de culte avec la même intolérance que la France catholique du même Henri. Lorsque, dans quelques mois, le roi prendra un édit de tolérance à l'égard du catholicisme jusque-là interdit en Béarn, territoire protestant, il y aura les mêmes émeutes et les mêmes troubles, la même sédition de la part des protestants dominants, inspirée par le même refus qui était celui des catholiques dominants en France. Ce n'est pas le catholicisme qui est dominateur, c'est l'esprit du temps qui considère et considérera pendant des siècles que l'unité religieuse, déterminée par le souverain féodal, est la condition même de l'ordre social et de la vie équilibrée.

De tout cela, il convient que le roi de France tienne compte.

La France est royaume catholique : « que nous et ce royaume puissions toujours mériter et conserver le titre glorieux de Très-chrétien qui a été par tant de mérites et dès si longtemps acquis... » (Préambule de l'édit.) Dès le début de l'Edit, l'article 3 est donc consacré au rétablissement de la religion catholique en tous lieux du royaume : « Ordonnons que la religion catholique, apostolique et romaine sera remise et rétablie en tous lieux et endroits de notre royaume... où son exercice a été intermis (interrompu), pour y être paisiblement et librement exercé sans aucun trouble ou empêchement... » De la même manière défense est faite de gêner en quoi que ce soit le culte et la coutume catholiques. Pour protéger la nature symbolique de la royauté, son union intime avec l'Eglise, l'exercice du culte protestant est interdit à la cour. En réalité, les articles « secrets » en permettront l'exercice discret et privé, notamment pour que la sœur du roi, Catherine de Bourbon, protestante convaincue, puisse assister à l'office réformé. La démarche sera identique pour les villes sièges d'un évêché qui seront exclues des tolérances en matière de culte.

Pour le reste, l'édit de Nantes établit une liberté de culte restreinte : le culte réformé est autorisé en trois types de lieux. D'abord chez les grands seigneurs qu'on appelle haut-justiciers (parce qu'ils rendent même la « haute-justice », celle qui concerne des crimes engageant la peine de mort), ou, dans certaines régions, comme en Normandie, détenant « plein fief de haubert ». C'est le « culte de fief [1] » (article 7). Dans les autres maisons nobles, lorsque les seigneurs en question ne sont pas haut-justiciers, l'exercice du culte est limité à leur famille et à leurs proches jusqu'au nombre de trente fidèles (article 8).

Ensuite le culte est autorisé partout où il existe déjà à la date arrêtée du mois d'août 1597 : « Nous permettons à ceux de cette religion (de) faire et continuer l'exercice de celle-ci en toutes les villes et lieux de notre obéissance où il était par eux établi et fait publiquement. » C'est le « culte de possession », qu'on pourrait aussi appeler le « culte acquis ». Dans le même mouvement le culte est rétabli partout où il avait été autorisé par les édits de Poitiers ou Bergerac en 1577, Nérac et Fleix en 1579 et 1580 (articles 9 et 10).

Enfin, le culte est élargi aux faubourgs d'une ville par bailliage et sénéchaussée en plus de celles qui existent déjà, à cette réserve près qu'il ne s'agisse pas d'un évêché ou d'un archevêché. C'est le « culte de concession », qu'on pourrait aussi nommer « culte d'extension » (article 11).

En tout, ce sont donc quelque mille cinq cents lieux de culte qui se trouvent reconnus par l'Edit. Autant d'églises « dressées » reconnues ou en perspective.

---

1. Je reprends ici la triple terminologie, culte de fief, culte de possession, culte de concession, établie par Francis Garrisson, dans son *Histoire du droit et des institutions*, t. II, *La société des temps féodaux à la Révolution*, Paris, Montchrestien, 1983. Etant donné sa parution récente, je n'ai pris connaissance qu'en fin de rédaction de cet ouvrage de la publication de Janine Garrisson, *L'Edit de Nantes*, conjointe avec Michel Rocard, *L'Art de la paix*, Atlantica, 1997. Il ne m'a pas paru y avoir d'importantes contradictions entre ce remarquable travail d'historien, établissant, présentant et annotant l'Edit, et ma réflexion. Je me suis efforcé, chaque fois que possible, d'harmoniser mon texte de l'Edit avec le sien.

La liberté du culte, reconnue et garantie dans ses acquis, mais limitée dans son extension, paraît si naturelle à notre temps que l'édit de Nantes en est comme amoindri. Que de bruit pour si peu... Il suffit pour prendre mieux la mesure de la difficulté des choses de rappeler deux faits historiques : en 1598, il n'y a aucun autre pays en Europe qui garantisse ainsi la liberté de conscience et la liberté, même limitée, du culte. Et les droits établis par l'Edit paraîtront si révolutionnaires, si déstabilisateurs encore aux générations suivantes qu'un siècle plus tard, comme on sait et comme nous allons voir, on les abolira.

Le « citoyen » réformé

Il faut enfin traiter du protestant comme citoyen. Après les exclusions dont les réformés ont été régulièrement l'objet, l'édit de Nantes établit une égalité parfaite devant la loi et devant les emplois publics. L'article 26 rend caduques les actes qui avaient déshérité des protestants pour le seul fait de leur religion. Plus encore, l'article 27 prend une disposition révolutionnaire et qui ne sera pas pour rien dans la contestation de l'édit : « Afin de réunir d'autant mieux les volontés de nos sujets, comme c'est notre intention, et d'ôter toutes plaintes à l'avenir, déclarons tous ceux qui font ou feront profession de la religion prétendue réformée capables de tenir et exercer tous états, dignités, offices et charges publiques quelconques, royales, seigneuriales, ou des villes de notre royaume, pays, terres et seigneuries de notre obéissance... » S'il y a un pas décisif vers la laïcité de l'Etat, c'est bien ici qu'il faut le trouver. La conséquence de l'Edit est bien que la légitimité de l'action de l'Etat se trouve séparée de l'Eglise, du seul fait que des officiers et fonctionnaires rejetant l'Eglise sont investis cependant et sans aucune restriction de l'autorité de l'Etat.

A partir de l'article 30 de l'Edit, c'est de justice qu'il s'agit. La revendication ancienne du monde protestant, c'était la construction d'une justice impartiale. Or le temps ne voyait d'impartialité possible que dans le partage de la justice. L'idée de la dépendance religieuse est si profondément ancrée dans la conviction des hommes du XVIᵉ siècle, qu'ils ne voient d'issue à leur désir d'être également traités par la justice que dans la création de chambres qui seraient formées, à égalité, de catholiques et de protestants lorsqu'il s'agirait de juger leurs coreligionnaires. Ce sont les chambres mi-parties dont la première du genre existe depuis près de vingt ans, puisqu'elle a été créée par l'édit de Beaulieu. Cette chambre a été installée à Castres, dépendant du Parlement de Toulouse. Le principe de ces chambres mi-parties est étendu : à Bordeaux, à Grenoble, à Paris aussi, même si, au bout du compte, le parlement de la capitale réussira à échapper à cette création juridique au bénéfice d'une « chambre de l'Edit » qui aura la même fonction sans accepter la contrainte de ce moitié-moitié. Les articles suivants précisent que les sujets protestants du royaume, chaque fois qu'ils seront en cause dans une affaire pourront être jugés par ces chambres spéciales, sans exception : « Lesdites chambres composées comme il est dit, connaîtront et jugeront en souveraineté et dernier ressort... des procès et différends mus et à mouvoir, dans lesquels ceux de la religion prétendue réformée seront parties principales, ou garants, en demandant ou défendant, ou toutes matières, tant civiles que criminelles... »

Le XVIᵉ siècle est par certains côtés très proche de nos inquiétudes ; par d'autres, il en est très loin. Ses réponses, parfois, tangentent les nôtres : le libre accès de tous aux emplois publics est un mouvement de laïcité. Les dispositions de l'édit de Nantes sur la justice sont exactement le contraire : elles supposent en fait qu'un magistrat ne peut pas s'abstraire de ses propres convictions pour juger selon la loi et sa conscience. Qu'il n'y a de garantie possible que si l'on mêle, pour ainsi dire, les deux arbitraires pour les annuler l'un l'autre. En doctrine, l'Edit est sur ce point très en retrait de nos convictions, comme il l'est sur le culte. Mais pour ce qui touche à la psychologie des protestants de l'époque, les chambres mi-parties sont plus efficaces que notre moderne principe de laïcité : elles réconfortent le plaignant angoissé, assuré désormais que sa cause sera examinée dans un esprit bienveillant. Comme en matière militaire, l'Edit apporte aux protestants une situation de privilège. Ils ont le choix de leur juridiction. Il y aura là un des points sur lesquels se concentrera la critique de l'Edit. Mais pour la paix publique, qui était, après tout, le but recherché, on aura réellement progressé.

Effacer la mémoire

L'Edit, enfin, s'efforce d'effacer les séquelles de ces décennies de troubles qui ont fait de la France l'homme malade de l'Europe. Les deux premiers articles proclament l'amnistie totale et l'obligation d'oubli de ces troubles. Ne sont exclus de l'amnistie que les actes barbares, les « cas exécrables » qu'énumère l'article : « Ravissements et forcement de femmes et de filles, brûlements, meurtres, voleries faites par prodition (trahison), guets-apens hors les voies d'hostilité. » Le texte des articles d'amnistie est classique : il est pratiquement le même que dans de précédents édits, le même, au mot près, que celui des deux premiers articles de l'édit de 1577. Telle quelle, cependant, la double disposition qui ouvre les deux édits, l'amnistie et l'oubli, forment une de ces nécessités auxquelles ne peut échapper le politique pacificateur, qui entreprend de sortir les siens des désordres d'une guerre civile. « Premièrement que la mémoire de toutes choses passées durant les troubles précédents et à l'occasion de ces troubles demeurera éteinte et assoupie, comme de chose non

advenue. Et ne sera loisible ni permis à nos procureurs généraux, ni autres personnes quelconques, publiques ni privées,
en quelque temps, ni pour quelque occasion que ce soit, en
faire mention, procès ou poursuite en aucune cour ou juridiction que ce soit. » Oubli, amnistie, protection sur l'avenir qui
seule permet de sortir de l'horreur. « Défendons à tous nos
sujets, de quelque état et de quelque qualité qu'ils soient, d'en
renouveler la mémoire, s'attaquer, ressentir (vouloir se venger), injurier ni provoquer l'un l'autre par reproche de ce qui
s'est passé, pour quelque cause et prétexte que ce soit, en disputer, contester, quereller, ni s'outrager, ou s'offenser de fait
ou de parole : mais se contenir et vivre paisiblement ensemble
comme frères, amis et concitoyens, sur peine aux contrevenants d'être punis comme infracteurs de paix et perturbateurs
du repos public. » Le rappel des troubles est exclu même de la
polémique privée. La concitoyenneté ne se reconstruira pas
sans cet effort : la réconciliation exige parfois, pour un temps,
le sacrifice de la mémoire.

L'édit de Fontainebleau, « édit de Nantes » pour le Béarn

L'édit de Nantes signé, deux obligations s'imposaient au
roi. Il convenait de le faire enregistrer par les parlements, sous
peine de voir l'Edit demeurer invalide. Or les parlements, au
nombre de huit, disposant de ce droit de contrôle de la législation royale, sont souvent indociles et redoutables dans leurs
manœuvres de retardement. Il fallait d'autre part qu'Henri
accepte de publier un autre édit, pour le deuxième de ses
royaumes, puisque le souverain était roi de France *et* de
Navarre, et que les deux royaumes, s'ils étaient réunis dans la
même personne n'étaient pas pour autant confondus sous la
même couronne. Entre France et Béarn, il y avait *union personnelle*, mais pas *réunion à la couronne*. Le texte concernant

le Béarn, que le roi signera à Fontainebleau le 15 avril 1599, un an après la signature de l'édit de Nantes, quelques semaines après la vérification de l'Edit par le Parlement de Paris, éclaire très exactement les intentions qui inspiraient la politique religieuse du roi pacificateur. Car le Béarn était comme un symétrique de la France. La religion imposée en Béarn était le protestantisme, comme la religion dominante en France était le catholicisme. Les interdictions qui frappaient les uns en France frappaient les autres en Béarn. Et les interrogations du pape sur la sincérité de la démarche d'Henri IV s'étaient constamment appuyées sur la situation de la religion catholique en Béarn. En 1596, une lettre du cardinal d'Ossat rappelait à l'ordre le roi de France : le pape se plaignait « de ce que rien n'avait encore été fait touchant la publication du Concile de Trente et le rétablissement de la religion catholique au pays de Béarn ». Le 28 mars 1599, alors que la nouvelle de l'édit de Nantes a profondément troublé le Vatican, le pontife demande au cardinal de revenir à la charge : « La plus grande consolation que Sa Sainteté pourrait recevoir dépend de votre Majesté ; et ce serait, disait-il, en faisant la publication du Concile de Trente et la restitution de la religion catholique au pays de Béarn [1]. »

L'édit du 15 avril 1599 est donc le symétrique de l'édit du 30 avril 1598 et la comparaison des deux textes éclaire les intentions du roi. Il est comme une réponse à ceux qui reprochent à l'Edit de Nantes une « préférence catholique ». Si cette préférence avait été l'intention cachée du souverain, il l'aurait imposée en même temps en Béarn. C'est le contraire qui se produit. Les catholiques béarnais se voient reconnaître moins de droits en Béarn que les réformés français en France. Et pourtant, les réformés sont ultra-minoritaires, quelque huit pour cent de la population, alors que les catholiques béarnais

---

1. Les deux lettres sont citées par Christian Desplat, « Edit de Fontainebleau du 15 avril 1599 en faveur des catholiques du Béarn », *Colloques Henry IV*, 1989.

sont très majoritaires, soixante-dix pour cent au moins. Les catholiques en Béarn n'auront pas de justice particulière, aucune garantie militaire. Le culte qui leur sera concédé sera plus limité encore qu'il ne l'est pour les protestants au royaume de France : une douzaine de paroisses à peine sur l'ensemble du Béarn.

Le texte part des mêmes prémisses que l'édit de Nantes : « Nous n'avons plus rien désiré depuis qu'il a plu à Dieu de nous appeler à la conduite des peuples qu'il nous a soumis que de réunir les courages et les volontés de nos sujets... en bon accord et conformité de la vraie foi et croyance ; ayant toujours estimé que Dieu ferait couler plus abondamment ses bénédictions et prospérités sur les Etats où il serait servi purement et où l'union serait établie en son église ; et pour parvenir à ce bien... nous aurions embrassé de cœur et d'affection toutes les voies propres et convenables... sans avoir jamais approuvé la force et contrainte des consciences... » Regrets de l'unité perdue ; condamnation de la force comme moyen de la retrouver. Le but est donc d'« établir un bon et assuré règlement entre nos sujets tant de l'une que de l'autre religion, qui leur serve de loi à l'avenir, par le moyen de laquelle ils puissent continuer de vivre en bonne paix et union... » Et après cette introduction, il établit les trois principes majeurs. D'abord la liberté de conscience : « Premièrement que tous nos sujets catholiques dudit pays souverain de Béarn auront liberté de conscience... » Ensuite l'égalité devant la loi et pour l'accès aux emplois publics : « nous les avons déclarés et déclarons capables de tenir et exercer tous états, dignités, offices, charges et fonctions publiques... » Enfin liberté limitée du culte pour écarter tout ce qui pourrait créer des incidents et, en particulier, séparation des lieux de culte : « Voulons en outre que l'exercice de la RC (religion catholique : le sigle est symétrique de RPR, religion prétendue réformée) soit rétabli en deux lieux de chacun des six parsans (régions) du pays... »

Henri roi de France se conduit en roi catholique tolérant à l'égard des protestants et Henri roi de Navarre en roi protestant tolérant à l'égard des catholiques. Ainsi en dehors des lieux où il est officiellement rétabli, le culte catholique doit demeurer privé et discret : « Nous avons permis tant aux évêques que curés... de visiter et consoler les malades, dire la messe *en leurs chambres*... » Des articles complémentaires indiqueront que cette messe devra avoir lieu « portes fermées » et que lorsque des catholiques décéderont ailleurs que dans les douze paroisses rétablies, ils devront être accompagnés au cimetière « par les parents et les amis, sans l'assistance d'aucun prêtre... » Mais les deux évêques rétablis dans leurs évêchés, les curés qui dépendront d'eux reçoivent mille six cents écus, en plus des « lieux de Bénéjacq et de Bordères, leurs appartenances et dépendances [1]... » On voit qu'il n'y a dans l'âme du roi aucune préférence pour l'une ou l'autre des deux confessions : s'il y en avait, les protestants béarnais apparaîtraient sans doute comme mieux traités que les catholiques français. La vérité est que le Roi a dramatiquement vérifié qu'il n'y a pas de sujet plus dangereux que la religion et que si l'on veut éviter les troubles il faut défendre *à la fois* la liberté de conscience et la prudence dans l'exercice public du culte minoritaire. L'édit de Nantes comme l'édit de Fontainebleau ne sont pas de tolérance théorique : ils sont de tolérance pratique, de tolérance enracinée dans la réalité humaine de leur temps, et c'est probablement pourquoi, étant réalistes, ils réussiront.

En France, comme en Béarn, on rencontrera évidemment les mêmes problèmes d'enregistrement de l'Edit. Le Conseil Souverain et, dans une moindre mesure, les états de Béarn sont révoltés, malgré les préférences protestantes du texte et la majorité numérique des catholiques privés de messe depuis longtemps et ardents dans leur foi (« J'ai reconnu parmi ce

---

1. Proprement inestimable...

peuple une ferveur si grande pour la religion de ses pères qu'elle est presque incroyable », écrira dans quelques mois le commissaire royal chargé de l'application de l'Edit). C'est qu'en Béarn, les protestants sont majoritaires dans les milieux de pouvoir : « La nouvelle loi ne fit que tourner les esprits vers la recherche des moyens propres à la combattre », écrit un chroniqueur du temps. « L'édit fut envoyé à Pau et le Conseil Souverain refusa de le vérifier... » Le roi se fâche au mois d'août : « Je trouve très mauvais que ceux de mon conseil y apportent de telles longueurs... » Finalement, l'Edit est enregistré « sera legut et publicat [1] », malgré réserves et tentatives de retardement.

Accueil de l'édit de Nantes

Le scénario est le même en France, avec la morgue et la pompe qui sont proprement la marque des Parlements d'Ancien Régime. Pendant des mois, l'édit de Nantes a été tenu secret. Henri voulait d'abord conclure les négociations avec l'Espagne et rien ne pouvait davantage les mettre en péril que l'annonce de la tolérance à l'égard des réformés. Presque rien ne filtre des dispositions qu'il contient. Pendant l'été, l'assemblée du clergé s'inquiète sans précision aucune d'« un édit que l'on dit avoir été obtenu par ceux de la nouvelle opinion... », mais c'est seulement l'aspect judiciaire de l'édit qui paraît en cause. Au début du mois de novembre, le conseil se réunit pour réfléchir à la vérification. Les inquiétudes qui s'expriment touchent aussi bien les difficultés au parlement que celles qui peuvent se manifester dans la rue. Le 15 décembre, le roi remet l'Edit au Parlement. Dans les paroisses de Paris, en chaire, les prédicateurs tonnent. Henri les connaît bien : il leur a consacré les mêmes articles dans l'édit de

---

1. En béarnais : « sera lu et publié ».

Nantes et dans l'édit de Fontainebleau. Catholiques ni protestants ne lui disent rien qui vaille : « Enjoignons à tous prêcheurs et autres qui parlent en public de se comporter modestement en leurs discours... sans user d'aucunes paroles qui puissent mouvoir leur public à troubles et à sédition [1]. » Il sait le rôle qu'ils ont joué dans les troubles de la Ligue, dans la journée des barricades, il sait ce qu'ils ont dit de lui à longueur d'homélies enflammées...

Mais désormais, il tient le cœur de son peuple. Et il sait faire la police. Un moine est arrêté, venant de Lorraine, qui cherche à assassiner le roi : il sera condamné à mort et livré au bûcher. Et il n'a pas l'intention de se laisser impressionner par le Parlement. Il le dit dans un discours célèbre au début du mois de janvier. L'émotion d'abord : « Avant que de vous parler de ce pourquoi je vous ai mandés, je veux vous dire une histoire : après la Saint-Barthélemy, (nous étions) quatre qui jouions aux dés sur une table, quand nous vîmes paraître des gouttes de sang, et voyant qu'après les avoir essuyées par deux fois, elles revenaient la troisième, je dis que je ne jouerais plus : que c'était une augure contre ceux qui l'avaient répandu. M. de Guise était de la troupe. Voyez-vous ce que je veux dire ? » Et ensuite l'autorité paternelle, mais inflexible du roi : « Vous me voyez en mon cabinet. Je viens vous parler non point en habit royal, ni avec l'épée et la cape, comme mes prédécesseurs ; mais vêtu comme un père de famille, en pourpoint, pour parler familièrement à ses enfants. Ce que j'ai à vous dire, c'est que je vous prie de vérifier l'Edit que j'ai accordé à ceux de la religion. Ce que j'en ai fait est pour le bien de la paix ; je l'ai faite au-dehors, je veux la faire au-dedans de mon royaume. Vous me devez obéir, quand il n'y aurait d'autre considération que de ma qualité et de l'obligation que m'ont tous mes sujets, et principalement vous, de mon parlement. J'ai remis les uns dans leurs maisons dont ils étaient bannis et les autres en la foi qu'ils n'avaient plus. Les

---

1. Edit de Fontainebleau, article 16.

gens de mon Parlement ne seraient en leur siège sans moi...
J'ai fait l'édit, je veux qu'il s'observe. » Les parlementaires
repartent et l'examen du texte commence.

Très vite, les réformés cherchent une transaction sur la disposition qui constitue l'obstacle le plus important, la chambre
spéciale de l'Edit. Ils acceptent que, sur dix-sept parlementaires qui la constitueront, un seul, au lieu des six prévus,
soit réformé. Dans les derniers jours du mois de janvier et au
début du mois de février, plusieurs séances solennelles mani-
festent encore les réserves du parlement. Le 7 février, une
délégation parlementaire se fait recevoir au Louvre. C'est le
tonnerre royal : « Je sais bien qu'on a fait des brigues au parlement, que l'on a suscité des prédicateurs factieux... C'est le
chemin que l'on prit pour faire des barricades et venir, par
degrés, à l'assassinat du feu Roi... Je couperai à la racine
toutes les factions et toutes les prédications séditieuses, faisant (r)accourcir tous ceux qui les suscitent. J'ai sauté sur des
murailles de villes, je sauterai bien sur des barricades. Ne
m'alléguez point la religion catholique, je l'aime plus que
vous. Je suis plus catholique que vous. Je suis fils aîné de
l'Eglise. Nul de vous ne l'est ni ne peut l'être. Vous aurez
beau faire, je saurai ce que chacun de vous dira... J'ai fait
autrefois le soldat. On en a parlé et je n'ai pas fait semblant. Je
suis roi maintenant et parle en roi... A la vérité, les gens de justice sont mon bras droit, mais si la gangrène se met au bras
droit, il faut que le gauche le coupe. Quand mes régiments ne
me servent pas, je les casse. Enregistrez donc l'Edit. Vous
n'agirez pas seulement pour moi, mais pour vous et pour le
bien de la paix. »

Le 16, enfin, on sent bien que les choses arrivent à leur
terme : le parlement tarde, mais il finira par ratifier l'Edit. A la
délégation qu'il reçoit pour la troisième fois, Henri détaille
son projet de réconciliation, en marquant clairement qu'il est
un modéré, en condamnant les plus durs : « Je suis roi et berger qui ne veux répandre le sang de mes brebis, mais les veux

rassembler avec douceur et non par force. Je suis roi catholique. Catholique romain et non catholique jésuite. Je connais les catholiques jésuites. Je ne suis pas de l'humeur de ces gens-là, ni de leurs semblables qui sont des tueurs de rois. Je ressemble au berger qui veut ramener les brebis en la bergerie avec douceur et non avec cruauté... » Le conseiller qui lui répond a compris la leçon, et sans doute aussi les menaces voilées : « Que la charité chrétienne anime toutes nos démarches... que des compatriotes et des concitoyens jouissent des honneurs, des privilèges et des dignités qu'ils ont le droit de partager avec nous. » On entend dans ce ralliement que pour les parlementaires, l'article de l'Edit le plus dur à avaler, c'était bien l'égalité devant les fonctions...

Le 25 février 1599 l'enregistrement de l'Edit est acquis. Le texte a été changé sur une vingtaine de points, peu importants pour la plupart, en dehors de deux : la chambre de l'édit, une définition plus restrictive des lieux du culte déjà établi, la publication des ouvrages réformés qui dans le texte initial échappaient à toute censure ecclésiastique et y sont au contraire soumis, dans le texte vérifié par le parlement, chaque fois qu'ils seront imprimés en dehors des villes réformées. Duplessis-Mornay, le conseiller réformé d'Henri, après avoir regretté ces changements, essaie cependant de rassurer l'assemblée des églises : « vous jugerez, messieurs, s'il n'a pas été plus expédient de l'avoir tel que de ne l'avoir point. Car on ne pourra plus dire désormais que cet édit n'ait passé avec mûre délibération et avec grande connaissance de cause, pour tenir lieu, désormais, de loi juste et nécessaire... »

Il faudra plusieurs années pour que les parlements de province cèdent à leur tour et procèdent à la vérification de l'édit. Le parlement de Rouen y mettra plus de dix ans puisque l'acte de vérification interviendra seulement en août 1609 ! Mais Toulouse, Bordeaux, Dijon, Aix et Rennes, chaque fois malaisément, ont cédé dans le courant de l'année 1600. Grenoble les avait précédés de quelques mois, à la fin de 1599. Chaque fois, le roi a envoyé des commissaires, a multiplié les lettres, comminatoires ou cajoleuses, les ordres, les supplications. Chaque fois, dans la langue fleurie qu'aime le temps, formé à la rhétorique romaine, et sensible au baroque qui s'installe, ce sont des torrents d'éloquence. Le souverain est un soleil, déjà, « qui fait sentir en ce monde sa lumière et splendeur ». Il est un médecin face à son pays blessé « qui dès sa jeunesse avait vu le commencement de ce mal, qui en avait observé le progrès et qui mieux que nul autre connaissait l'humeur et la complexion du malade... ». Il est un capitaine de navire, à la barre du « vaisseau de cette monarchie, tellement agité et tourmenté ». Dans les difficultés et les traverses qui accompagnent la vérification de l'édit, chaque fois que l'on plaide devant un parlement, chaque fois qu'un parlement cède, c'est le roi et la monarchie qui se trouvent glorifiés et renforcés. L'édit de Nantes apparaîtra, avec le recul du temps, comme un élément de l'affirmation de la monarchie absolue.

L'opinion du temps

Comme il était prévisible, les passions se déchaînent autour de l'édit. Le pape convoque d'Ossat : « Cela me crucifie. Ecrivez-le à Sa Majesté de ma part. » Et il précise que cet édit « le plus mauvais qui se pouvait imaginer, permettait la liberté de conscience à tout chacun, qui était la pire chose du monde. Grâce à lui, les hérétiques allaient envahir les charges et les parlements pour promouvoir et avancer l'hérésie et s'opposer désormais à tout ce qui pourrait tourner au bien de la religion ». Le pape exprime les fantasmes du temps. Partout où le culte protestant est imposé, en particulier dans l'Ouest, c'est un grand scandale. Les cortèges protestants sont insultés, les obsèques troublées, les monuments funéraires attaqués. Les commissaires que le roi a nommés pour veiller à l'application de l'édit ont fort à faire pour calmer les troubles.

Dans chaque camp, comme c'est la règle lorsqu'on trouve une paix de compromis, les plus durs exaltent les frustrations. Les catholiques ont l'impression que le Roi ne s'est converti que pour l'apparence et qu'il ne cesse d'accorder de nouveaux avantages aux coreligionnaires qu'il n'a pas cessé d'aimer. La preuve : malgré l'édit, leurs livres sont en vente à Paris. De grands temples sont édifiés, en infraction de la règle des cinq lieues, dans la périphérie de la capitale, à Grigny, à Ablon, enfin à Charenton grâce à l'influence de Sully. Ce sont des milliers de personnes qui s'y rendent et forment une immense assistance. Quand on les voit sortir en cortège et revenir dans l'enceinte de la ville, des milliers de Parisiens les attendent pour les huer et les lapider : il faut que le Roi menace de la potence pour calmer les esprits.

On fait, parmi les catholiques, l'énumération douloureuse des conseillers réformés qui accaparent tout le pouvoir en France : Sully, d'abord, qui a toujours refusé de se convertir, a l'essentiel du pouvoir, les finances, l'armée, l'équipement du royaume, l'économie. Des protestants sont pairs de France, maréchaux, gouverneurs : Turenne, Rohan, Charles de La Trémouille, Polignac. Les médecins du roi sont protestants, les membres de son cabinet politique, comme Antoine de Loménie. L'intendant des finances est réformé, comme les contrôleurs généraux, comme l'architecte du roi, Jacques Androuet du Cerceau. Olivier de Serres, dont le roi s'inspire pour la réforme agricole du royaume, comme Barthélemy de Laffemas, à qui Henri IV a demandé de faire de la France une grande puissance industrielle et commerciale, sont protestants eux aussi. Les catholiques ont l'impression que le réseau d'influence de la RPR ne cesse de s'étendre dans l'entourage du roi et dans l'administration du royaume. Dix-sept tentatives d'assassinat scanderont et sanctionneront le développement de cette phobie, jusqu'à l'exaltation meurtrière de Ravaillac.

A l'inverse, nombreux sont les réformés qui s'inquiètent à

la fois des manquements à l'édit, de la partialité des commissaires, et de la logique d'étranglement dont ils se sentent prisonniers. Il faut que le roi intervienne, quand il le peut pour les rassurer : par exemple, le texte prévoyait que le culte protestant était rétabli de droit partout où il était pratiqué le 17 septembre 1577, jour de l'édit de Poitiers. Les commissaires prétendent alors que la preuve doit être apportée qu'il y a eu culte précisément le 17 septembre, et pas un autre jour ! Une décision royale doit mettre bon ordre à ces abus en indiquant qu'il suffit pour que le culte soit établi qu'il ait eu lieu au cours de ce mois de septembre. Mais il est facile aux détracteurs de l'édit de montrer que la démographie protestante est en baisse. Déjà, l'esprit du temps, chez les plus mécontents laisse présager la conclusion qui sera celle d'un historien au début de notre siècle : « La situation fixée désormais aux réformés français acheva leur défaite : l'édit de Nantes se referma sur eux comme un tombeau. A la faveur de cet édit s'établirent des conditions politiques et sociales, des mœurs, une politesse, une mondanité, un culte monarchique et des goûts intellectuels qui tuèrent une seconde fois, mieux que ne le feront les impuissantes dragonnades, l'âme d'Anne du Bourg, le martyr, et l'esprit de Calvin, le maître [1]. » Le pasteur Le Faucheur, voyant la crise, écrit : « Nous sommes un fort grand peuple et une fort petite église. » Et Agrippa d'Aubigné conclut : « La paix fut mieux reçue des peuples qu'on eût estimé, mais surtout pour l'opinion que les plus avisés tenaient qu'elle était avantageuse aux catholiques et ruineuse aux réformés. »

Pour l'application de l'Edit, c'est un tandem de commissaires que nomme le roi, un catholique et un protestant. C'était déjà la méthode utilisée en 1563 pour l'édit d'Amboise. Une équipe de commissaires par région gouvernée par un parle-

---

1. F. Strowski, *Pascal et son temps,* t. I (Paris, 1907, p. 1) cité par E. Léonard, *op. cit.,* t. II, p. 313.

ment, quatre pour l'immense ressort du parlement de Paris. A eux d'imposer les décisions symétriques : rétablissement du culte catholique chez les protestants, fixation du culte réformé dans chaque bailliage, restitution des biens, organisation des cimetières. A eux aussi, les conflits et les accusations contradictoires.

Mais les réactions passionnées et l'expression du sectarisme dans chaque camp ne peuvent effacer la signification de cette délégation de l'autorité royale à ces équipes mixtes de commissaires catholiques et protestants quadrillant le royaume.

Une légitimité égale, si l'on n'est pas encore à une égalité de traitement, est reconnue, pour la première fois, aux fidèles de deux religions différentes sur le même sol du royaume. Par là même, la légitimité politique se trouve détachée de son enracinement religieux. Par là même, la réalité civique est distinguée de la fidélité d'église. Même si l'Eglise et l'Etat sont encore en situation d'intimité, le politique et le spirituel viennent de se séparer. Ainsi l'édit de Nantes écrit-il, en français, le premier chapitre de la longue histoire de la laïcité française.

Le « fédéralisme » national que consacre l'édit en accordant à la communauté protestante le privilège judiciaire, le privilège de sécurité et la représentation autonome de ses assemblées auprès du souverain est un des articles les plus éloquents de cette longue histoire. Les protestants ne sont plus des citoyens « tolérés ». Ils sont une communauté reconnue au sein de la communauté nationale. Et les conséquences de cette situation sont subtiles : la France invente, bien entendu, une situation politique inédite qui rompt avec le « cujus regio, ejus religio [1] » avec lequel, au moment de la paix d'Augsbourg,

---

1. « A chaque royaume sa religion » : autrement dit, c'est la religion du prince qui s'impose à ses sujets.

l'empire avait cru régler, à l'avantage des princes, la question posée par la réforme.

Mais en même temps, ce régime de tolérance, l'institution de cette double légitimité, la reconnaissance d'une communauté différente par sa religion, rendent d'autant plus indispensables la présence et la force du seul principe d'unité qui subsiste désormais : la monarchie. Au contraire de ceux qui dénonçaient dans l'édit de Nantes un affaiblissement de l'unité nationale au détriment de la monarchie, l'histoire va montrer que la monarchie est entrée, comme autorité politique, dans la voie d'une affirmation qui n'admettra plus de rivaux. Hier, le pouvoir du roi était limité par l'église. L'affirmation gallicane, en séparant l'église de France du saint-siège, avait été le moyen de rabattre l'influence de cette autorité jalouse. Désormais, il était évident aux yeux de tous que l'Eglise était une partie essentielle, mais une partie seulement, de la complexe réalité nationale. Le trône seul, la couronne et la main de justice pouvaient rassembler ces légitimités divisées. Un tournant de l'histoire avait été pris, en même temps que la société avait changé de visage.

« QU'IL N'Y AIT POINT DE TROUBLES
ET DE TUMULTE ENTRE EUX »

Henri IV, d'une certaine manière, est mort de l'édit de Nantes. Dix-sept attentats, entre 1598 et 1610, scandèrent le règne du pacificateur. Tous, ou presque, avaient la même inspiration. Il fallait le tuer, comme l'a dit Ravaillac, « parce qu'il ne convertissait pas les Huguenots... parce qu'il n'avait pas voulu, comme il en avait le pouvoir, réduire ceux de la religion réformée en l'Eglise catholique, apostolique et romaine ».

Lorsque le couteau de Ravaillac frappe le souverain, le 14 mai 1610, une émotion intense saisit tous les Français. La légende du bon roi Henri est née, en un instant. Mais les huguenots sont bouleversés plus que les autres. Il n'avait pas cessé d'être *leur* roi, malgré sa conversion, une garantie vivante pour les protéger des exactions et des persécutions. Leur réaction est patriotique : « Que l'on n'emploie plus les mots de huguenots et de papistes », dira Duplessis-Mornay, faisant ainsi écho, tant d'années après, au vœu de Michel de L'Hospital.

Pour rassurer l'opinion la plus troublée, la reine et ses conseillers choisissent de faire confirmer l'édit. D'une certaine manière, les juristes auraient pu conclure, avec bon sens, que confirmer un édit « perpétuel et irrévocable », c'était forcément l'affaiblir. Mais d'entendre renouveler les engagements de Nantes, c'était aussi se confirmer dans la certitude que les temps avaient changé et qu'aucun accident de l'histoire ne viendrait remettre en cause le nouvel équilibre.

Guerres de Religion, dernière

Cependant, dans chaque camp, les « durs » sont à l'œuvre. Les assemblées du clergé en viennent à demander un renouvellement de la lutte contre l'hérésie, chaque fois qu'il est fait appel à elles pour renflouer, sous forme de « don gratuit », le Trésor royal. Dans le camp protestant, au contraire, on voit grandir avec crainte l'influence espagnole, qui sera concrétisée, dans quelques mois par l'annonce du mariage entre le jeune Louis XIII et l'infante Anne d'Autriche.

A Saumur, en 1611, les protestants trouvent leur protecteur. C'est le gendre de Sully, Henri de Rohan, qui va jouer ce rôle, courageuse figure de soldat et prestige moral exemplaire, duc et pair de France.

C'est la question béarnaise qui servira de détonateur. Depuis l'édit de Fontainebleau, le culte catholique est théoriquement rétabli en Béarn. Mais la réalité est loin de respecter l'édit. Le pape s'en est ému. Les assemblées du clergé aussi. Or les protestants ont imprudemment demandé la réunion des églises béarnaises aux églises françaises. Tout changement de situation qui les concerne devient donc une affaire nationale. Ainsi, lorsqu'à partir de 1616 Louis XIII décide la réunion des deux couronnes, il ne fait que suivre la logique protestante, mais en même temps, il ouvre un sujet de conflit. Si les couronnes sont réunies, c'est l'édit de Nantes qui devra s'appliquer en Béarn.

La question de la souveraineté de cette vieille terre indépendante et celle de la religion se trouvent donc intimement mêlées. En 1617, une assemblée des Eglises de Languedoc, Guyenne et Béarn, se réunit à Pau dans une ambiance tendue. Depuis cinq années, la défense des protestants a organisé le royaume en huit provinces militaires sous le commandement de Rohan. Le climat de tension n'est donc pas sans danger. La royauté s'en exaspère. Le 25 juin 1617, un édit royal prend de front la protestation béarnaise : « Sa Majesté étant en son conseil, assistée des princes, ducs, pairs et officiers de la couronne... a ordonné et ordonne que l'exercice de la religion catholique, apostolique et romaine sera remis et rétabli en toutes les villes et bourgs, villages et autres lieux de son pays de Béarn : a fait pleine et entière mainlevée (remise) aux ecclésiastiques de ce pays, tant séculiers que réguliers, de tous et chacun de leurs biens, terres, seigneuries, justices, dîmes, rentes, revenus et tous autres droits de quelque nature qu'ils soient étant aux mains de Sa Majesté, sans rien en réserver ni excepter. »

En apparence, les réformés se voyaient confirmer dans leurs libertés de croyance et de culte. Mais l'édit de Fontainebleau qui faisait du protestantisme la religion majoritaire du royaume de Navarre et de Béarn, comme le catholicisme l'était en France, se trouvait bel et bien aboli. Et la remise des biens issus du domaine royal à l'Eglise catholique privait l'église réformée de l'essentiel de ses revenus.

Les états du Béarn refusent l'application de l'édit. Ils rappellent que depuis que le Béarn existe, les lois fondamentales ont toujours été respectées, que « pas un de leurs seigneurs souverains n'a jamais fait aucun changement en l'Etat, sans l'avis ou réquisition de tous les ordres de l'Etat... ».

La solidarité de tous les protestants français est engagée, du moins en paroles. Les mâles déclarations se succèdent aux assemblées de La Rochelle en 1619, de Loudun, en 1620.

Mais au mois d'août de 1620, lorsque l'armée de Louis XIII se met en marche, c'est d'abord pour mettre à la raison les troupes de la reine-mère. C'est la victoire de Pont-de-Cé (7 août 1620). Le roi décide alors de soumettre aussi le Béarn. Il y parviendra presque sans combattre. Les protestants béarnais comprennent, un peu tard, qu'ils seront, en cas de guerre, livrés à leurs seules forces. Il ne leur reste qu'à accepter, de mauvais gré, l'édit royal. On rendit au culte catholique l'église Saint-Martin, la « grande église de Pau, depuis près de

soixante ans possédée par les ministres de la religion prétendue réformée », en présence du roi lui-même, qui assista à la
première messe.

Le porte-parole des libertés béarnaises et protestantes,
Jean-François de Lescun, réfugié à La Rochelle, fut arrêté,
jugé par le Parlement de Bordeaux et décapité, principale et
seule victime de ces événements.

Le sentiment des protestants est désormais à l'inquiétude.
Ils confient à Rohan le commandement de leurs troupes.
Louis XIII choisit de les réduire, se mettant en campagne au
printemps et prenant l'une après l'autre et comme dans la foulée de nombreuses places, Saint-Jean-d'Angély, Pons, Castil-
lon, Nérac. Au mois d'août, on met le siège devant
Montauban. Mais la résistance de la cité dépasse tout ce que
l'on avait imaginé, la peste s'en mêle et l'armée royale est
obligée de lever le siège dans un état pitoyable, ayant perdu
des milliers d'assiégeants. Louis XIII apprend que la guerre
est rarement jolie. Le duc de Luynes, son déplorable ministre,
que le roi avait fait connétable laisse lui aussi la vie dans la
campagne. Deux ans encore, et le temps de Richelieu va pouvoir commencer.

La politique du cardinal de fer en matière religieuse se
décrit en peu de mots : abattre les huguenots comme parti,
comme *Etat dans l'Etat*, et conserver, par ailleurs, leurs libertés religieuses, protéger l'égalité de leurs droits civiques.

Mais la guerre d'abord. La campagne de 1626 oppose
l'armée royale au duc de Rohan à la tête des protestants du
Languedoc et des Cévennes, et son frère Soubise à la tête des
Rochelais. La Rochelle est à l'époque une ville qui apparaît
imprenable, armée d'une flotte puissante, plus puissante
même, dit-on, que celle du roi de France. Alors le cardinal
relâche pour un moment son étreinte. L'opinion catholique lui
en fait procès, le dénonçant comme « pape des huguenots et
patriarche des athées... » Richelieu laisse dire et prépare sa
revanche. L'année suivante, en 1627, il met le siège devant la

ville, avec une flotte reformée de quelque deux cents navires, ayant isolé le port de la mer libre par une gigantesque digue, d'un kilomètre et demi de long, plus haute que la marée. Du côté de la terre, c'est un ensemble de fortifications de plus de dix kilomètres, avec treize forts, des redoutes, une puissante artillerie. La Rochelle, follement héroïque, tiendra quinze mois !

Lorsqu'elle tombera, lorsque ses forteresses seront rasées, c'est la puissance protestante qui tombera avec elle. Il ne s'agit même plus de négocier la paix. L'absolutisme royal est désormais en mesure d'imposer sa volonté. L'édit de grâce d'Alès, le 28 juin 1629, supprime les places de sûreté et la liberté de tenir les assemblées politiques. Les villes et les châteaux des places de sûreté sont démantelés, les murailles abattues. La communauté protestante a disparu comme entité militaire à l'intérieur du royaume. Richelieu peut dire aux pasteurs de Montauban qui vient de se rendre : « Maintenant qu'ils s'étaient remis dans la règle commune de tous les sujets, dont la sûreté ne devait et ne pouvait dépendre que de la bienveillance et de la foi du prince, Sa Majesté aurait un soin particulier de faire connaître à leur avantage qu'en qualité de sujets, il ne faisait point de distinction entre eux et les catholiques... »

Le protestantisme protégé

L'édit de Nantes ouvre l'époque du protestantisme protégé par la loi. La réforme n'est plus menacée d'être une hérésie. Elle est une religion, même si ses représentants ne cesseront de s'émouvoir de l'appellation qui leur est imposée : les protestants protestent, chaque fois qu'ils délibèrent, dans toutes leurs assemblées et par la voix de leurs députés, contre ce qu'a de péjoratif l'adjectif « prétendu » et demandent à être reconnus sous le nom de RR, Religion Réformée.

Les soixante années qui suivront l'édit de Nantes seront marquées par cette relative sécurité. Pendant trente ans, ce sentiment de sécurité aura été garanti par la dissuasion militaire, les places fortes et les armes que les protestants détiennent. Mais, après que Louis XIII et Richelieu auront mis fin à cet Etat dans l'Etat en juin 1629, la protection juridique ne cessera pas. Les chambres de l'Edit rendent, jusqu'en 1660, des arrêts équitables, donnant souvent raison aux réformés.

C'est ce sentiment de sécurité qui domine dans l'esprit des réformés. En 1604, dans une lettre au Pasteur de l'Eglise réformée de Londres, Mornay écrit : « Nos églises, par la grâce de Dieu et sous le bénéfice des édits du roi, jouissent d'une condition qu'elles n'ont point envie de changer. L'Evangile est prêché librement, non sans progrès ; la justice nous est départie ; nous avons des lieux où nous mettre à l'abri contre l'orage ; s'il survient quelque contravention, on entend nos plaintes ; souvent on les répare. On pourrait désirer en plusieurs lieux que nos exercices fussent ou plus proches ou plus commodes ; que nous eussions plus de part aux honneurs et aux charges ; et peut-être ne serait-il pas ni inutile au roi, ni indu à nos services. Mais ce sont choses à souhaiter, et non à exiger. » L'édit de Nantes a réellement ouvert, pour la réforme française, une ère nouvelle.

Non pas que les temps soient iréniques. L'édit de Nantes a changé la condition des protestants dans leur époque, il n'a pas changé l'époque. Dans l'immense majorité des esprits et des âmes, le combat de la vérité contre l'erreur n'a pas cessé. Les catholiques zélés ne cesseront de prier, de discourir, de se battre pour la réunion de tous les chrétiens et de tous les Français au sein de la seule Eglise catholique, apostolique et romaine. Mais symétriquement, les protestants fidèles ne cesseront de maudire la « puante Ninive », de dénoncer le « Temple de Baal » du catholicisme. En 1603, sous le règne d'Henri IV, malgré les avertissements de modération de l'Edit, le synode de Gap jette l'anathème sur l'Eglise catholique et sur le pape : « Nous croyons et maintenons qu'il est proprement l'Antéchrist et le Fils de Perdition, prédit dans la parole de Dieu sous l'emblème de la Paillarde vêtue d'écarlate *(la grande prostituée)*, assise sur les sept montagnes de la Grande Cité, qui avait son règne sur les rois de la Terre et nous attendons que le Seigneur le vainque par l'Esprit de sa Bouche et le détruise finalement par la clarté de son avancement comme il l'a promis et déjà commencé de le faire. »

Dans des temps intolérants, seul l'Edit impose et défend la tolérance. L'Edit, et le Roi. Henri IV, pendant qu'il régnera, ne se laissera jamais détourner du but qu'il s'est fixé : à défaut de concorde religieuse, et malgré les passions, assurer au moins la paix entre ses sujets. Il n'oubliera jamais qui il est, et qui il a été, même lorsqu'il se coulera dans le moule du Roi Très-Chrétien, même quand il aura permis aux jésuites de rentrer en grâce, même lorsqu'on l'accusera, ayant pris en 1607 le fameux père Coton, jésuite, comme confesseur, « d'avoir désormais du coton dans les oreilles ». Son fils et son petit-fils n'ont pas la même expérience de la vie. Ils n'ont pas changé six fois de religion. Ils n'ont pas partagé avec leurs sujets protestants la fraternité des armes. Ils sont bons catholiques depuis leur enfance, orphelins de père, fils de mères pieuses. Ils assistent à la messe tous les jours. Ils sont contemporains de la renaissance de l'Eglise catholique portée par l'élan du concile de Trente, qui a revu ses institutions, qui a ressaisi la vie intellectuelle et vivifié ses liens avec la société tout entière. Pour eux, le protestantisme est une hérésie. Pour leur père, il était une confession chrétienne, un accident malheureux de l'histoire des temps, un chemin aussi efficace vers le salut individuel, un peuple de braves gens.

Malgré la conviction catholique militante et prosélyte de Louis XIII et de Louis XIV, l'édit protégera pendant plus de soixante ans le peuple protestant. Les tensions, les conflits, les flambées guerrières, les abcès de fixation, n'empêcheront pas que, pendant cette période, l'immense majorité du million de réformés français vivront leurs convictions sous la protection des lois, la garantie des tribunaux et la paix civile. Et il ne faudra pas moins de vingt-cinq ans encore, entre 1660 et 1685, pour que l'érosion continue de la tolérance, restreignant chaque jour davantage les garanties et l'équité de l'édit, finisse par en venir à bout. Pour qu'une loi résiste vingt-cinq années à la conviction presque unanime du roi et des puissants, il faut qu'elle soit étonnamment forte, enracinée, et presque légendaire. Un trait de plume, autrement, dans la passion de l'époque, eût suffi à s'en débarrasser.

Pendant tout ce temps, et jusqu'à la veille de la révocation, les protestants se sont sentis parfaitement à l'abri, parfaitement à leur place dans le royaume, croyants plus ou moins engagés, plus ou moins militants, et souvent moins que plus, mais libres dans leur foi, et sans réelle inquiétude sur l'avenir. La révocation sera pour eux comme un coup de tonnerre.

Un million d'âmes

Quelle est réellement, au temps de l'édit de Nantes, cette communauté ? Numériquement, dans un royaume de vingt millions d'habitants, elle représente à peu près un million de Français, quelque 5 % des sujets du royaume. Leur nombre ne variera pas beaucoup durant le XVIIᵉ siècle, avant la révocation. Pour la très grande majorité d'entre eux, ils sont calvinistes. Seule l'Alsace, qui n'est pas encore annexée, et le pays de Montbéliard sont luthériens.

La communauté de base, autour du lieu de culte, église ou « prêche », est dirigée par un consistoire. Les consistoires se rassemblent en colloques, entre églises voisines ou proches. Les colloques envoient eux-mêmes des députés aux synodes provinciaux. Consistoires, colloques, provinces, ce régime d'assemblées emboîtées, « presbytéro-synodal », culmine au synode national, en principe une fois tous les trois ans, avec l'autorisation du roi qui est représenté au synode par des réformés qui sont ses fidèles : Duplessis-Mornay et Sully du temps d'Henri IV.

Le Béarn excepté, qui n'est pas encore français, le royaume est divisé en quinze provinces. Au centre du protestantisme français, la province d'Île-de-France, qui comprend aussi la Champagne et la Picardie, est profondément influencée par la communauté parisienne, plus de dix mille fidèles, femmes et hommes dont beaucoup sont en cour, habités d'un profond sentiment de supériorité par rapport au reste du protestantisme français.

En Normandie, l'église de Dieppe compte elle aussi dix mille fidèles, plus du quart de la population, avec d'importantes communautés à Rouen et Caen. En Bretagne, deux grandes églises, Rennes et Vitré. En Anjou-Touraine-Maine, Loudun, Saumur et Tours sont les grandes villes du protestantisme. L'Orléanais-Berry compte des communautés puissantes autour de Blois et de Sancerre. Le Poitou compte quelque 50 000 protestants, avec trois grandes églises à Poitiers, Châtellerault et Niort. En Saintonge-Aunis-Angoumois, près de 90 000 fidèles, autour de la puissante église de La Rochelle. Dans la Basse-Guyenne et le Bordelais, près de 100 000 fidèles très dispersés. La situation est la même en Haut-Languedoc-Haute-Guyenne, avec les églises de Castres, de Mazamet, du pays de Foix. En revanche, le Bas-Languedoc est la plus puissante des provinces de France avec quelque 200 000 fidèles, grosses communautés urbaines à Montpellier et Bédarieux, et à partir de Nîmes en direction d'Uzès, l'adhésion au protestantisme de la quasi-totalité de la population. Dans les Cévennes, un nombre important de protestants ruraux. Le Vivarais, quelques communautés rurales, en particulier dans le Haut-Vivarais et le Velay, une communauté à Annonay. Le protestantisme est presque inexistant en Provence, la communauté de Marseille ne compte, par exemple, que 250 fidèles. Dans le Dauphiné, plus de 50 000 fidèles de Montélimar à Gap et Briançon, avec une église de plus de 3 000 fidèles à Grenoble. Le Lyonnais et la Bourgogne rassemblent des églises faibles et dispersées en dehors de Lyon (3 000 fidèles) et du pays de Gex, qui a hérité de la réforme suisse.

Le Béarn pour sa part compte 30 000 fidèles, répartis autour de Pau en plusieurs communautés de bourgs ruraux, Nay, Oloron, Pontacq et la vallée d'Aspe, Orthez, avec son université, et Salies-de-Béarn. Pour simplifier, 200 000 protestants au nord de la Loire, 800 000 au sud et au sud-ouest.

La communauté réformée

Depuis le synode national de 1559 qui a fixé la « Discipline », en même temps que les articles de la Confession de Foi, l'organisation des Eglises de France, reconnue par Henri II en 1562, n'a que peu changé. La cellule de base, celle d'où émane toute légitimité, c'est l'église locale. Le principe d'égalité régit les rapports entre toutes les églises, quelle que soit leur importance. « Une église ne pourra prétendre primauté ni domination sur une autre. »

Chaque église est dirigée par le Consistoire, formé des anciens et du pasteur, qu'il soit attaché à l'église ou qu'il en desserve plusieurs. Le Consistoire est formé par cooptation, et devrait être renouvelé totalement tous les deux ans (par moitié annuellement), même si ce renouvellement est largement théorique. Il n'y a donc pas d'élection, mais les fidèles ont le droit de faire opposition aux noms qui leur sont proposés, lus au culte trois dimanches de suite. Ce *veto* ouvre un appel devant le synode provincial. Les anciens doivent, dit la Discipline, « gouverner l'église et être un exemple pour les fidèles ». Ce gouvernement est d'abord un gouvernement moral : l'assistance au culte, le contrôle de la morale publique et de la vie privée. Les anciens inspectent les rues au moment du culte pour vérifier que tout le monde assiste au prêche ; ils distribuent les jetons, les *méreaux*, qui permettent à ceux qui n'ont pas été suspendus par une décision du consistoire et qui ont acquitté leurs contributions de recevoir, quatre fois l'an, la Sainte-Cène. Ils défèrent devant le consistoire les fidèles de mauvaise vie ou de comportement critiquable, paillards, ivrognes, violents, coquettes et grossiers. Ils ont à leur disposition plusieurs sanctions : l'« admonestation », qui a un caractère privé, la « censure », rendue publique, et, punition suprême, la suspension de la Cène ou l'excommunication. Leur mission est de morale publique. Ils n'ont pas à fouiller les consciences, puisque la Réforme a banni la confession. Les diacres sont chargés de la solidarité à l'égard des malades et des plus pauvres.

Visages du temple

Le temple sert de centre à la communauté réformée. Dans les temples, le dépouillement est la règle. Ils sont ainsi la figure et la représentation de la vision religieuse des protestants. L'église catholique est *la demeure* de Dieu qui s'y trouve présent dans l'Eucharistie, contenue dans le tabernacle et parfois exposée sur l'autel. C'est pourquoi y brille une veilleuse. C'est pourquoi aussi ces églises sont richement ornées, chargées de représentations symboliques, croix, crucifix, chemins de croix, ou humaines, saintes et saints qui ont fait la joie de Dieu. Au contraire, les anciens temples protestants sont parfaitement dépouillés [1] : pas de croix ni à l'intérieur de

---

1. Les détails techniques sont le plus souvent extraits de l'ouvrage du Pasteur Paul de Félice : *Les Protestants d'Autrefois*, Librairie Fischbacher, Paris, 1897, ou de *L'Histoire de l'édit de Nantes* d'Elie Benoist.

l'édifice, ni à l'extérieur. On ne cite qu'une seule exception : le grand temple de Caen, qui, à l'image des basiliques catholiques porte une croix sur son clocher et de surcroît, un coq qui sert de girouette. Pas davantage de croix matérialisée dans la forme de l'édifice, au contraire des églises catholiques, dont le transept inscrit une croix dans le plan même de la construction. Par voie de conséquence, pas de chapelle latérale. Tout est construit pour que la Parole s'entende de partout, sans obstacle et sans transition.

Le temple de Charenton, celui que fréquentent les réformés parisiens, prend la forme d'un rectangle de 36 mètres de long sur 24 de large. Rectangulaires aussi, les temples d'Anduze et de Mer. A Lyon, le temple est circulaire. Le Grand-Temple de La Rochelle est octogonal. A Montauban, Rouen et Caen, le plan circulaire est à pans coupés. A Dieppe, le temple est ovale.

Dans tous les temples importants, il y a des galeries. Celles de Charenton sont les plus vastes : à deux étages superposés, elles peuvent contenir trois à quatre mille fidèles. Quatre escaliers doubles les alimentent, un à chaque angle du temple. A Lyon, les galeries font le tour complet du temple occupant même le mur qui soutient la chaire. La vieille coutume catholique a été importée dans les temples et seuls les hommes sont admis dans les galeries. Aux jours de Cène, des anciens prennent place en haut des escaliers pour diriger les mouvements des communiants, éviter les bousculades et le brouhaha.

Les temples sont éclairés par des fenêtres simples, depuis celles tendues de papier huilé dans les petits temples-granges des villages éloignés jusqu'aux vitraux armoriés des grands centres. A Charenton, le Grand-Temple compte 81 de ces ouvertures, « en trois étages, l'une au-dessus de l'autre, élevées de 27 pieds (9 mètres) jusqu'à l'entablement ». Trois grandes portes permettent l'entrée « une à chaque bout et une au milieu des deux grandes faces ».

L'intérieur des temples ᴄ   ᴙ. Les pla-
fonds boisés sont arrondis en   décorations... A Charenton, les tables   veau
testament, en lettre d'or sur fond ᴜ   ᴏnt des
maximes bibliques : à Bergerac, au-ᴄ   porte du
temple : *C'est ici la porte de l'Eternel. Lᴇ* ᴊ~~~~ *y entreront.
Ps CXVIII, 20.* A Civray, dans la Vienne : *Domus mea domus
orationis vocabitur* (c'est ici ma maison et son nom sera maison de prière). A Nîmes : *C'est ici la maison de Dieu, c'est ici
la porte des Cieux* (Gen. XXVIII). Souvent, ce sont les armes
de la ville qui surplombent les portes ou servent de chapiteaux
aux colonnes intérieures. Pas d'autre ornement à l'intérieur
que, parfois, un ou deux tableaux représentant Moïse et les
Tables de la Loi ou les Tables elles-mêmes, et, ici ou là, sur
les murs, des inscriptions bibliques.

Les temples avaient tous une cloche, dont l'usage servira de
matière à maintes procédures lorsque viendra le temps de la
restriction de l'édit de Nantes. La cloche sonne deux fois
avant chaque culte. En matière d'avertissement, quelquefois
une heure avant et comme signal de commencement immédiatement avant le début de la cérémonie. Ces cloches sont
aussi belles que celles des églises catholiques. Elles portent
parfois les mêmes inscriptions, comme à Montauban : « *Sit
nomen domini benedictum* » (Béni soit le Nom de Dieu). Parfois, quand viendra l'heure tragique de la démolition des
temples, on les récupérera pour le culte catholique, comme
celle de La Rochelle, qu'il faudra exorciser avant de l'affecter
à son nouvel office, après l'avoir fouettée (!) pendant des
heures pour la faire expier, et l'avoir dûment baptisée...

Autour des temples, lorsqu'il s'agit d'importants lieux de
rassemblement, comme à Charenton, hôtels, restaurants permettent l'accueil des fidèles qui ont cheminé plusieurs heures
pour assister aux offices et qui, parfois, restent deux ou trois
jours de suite. De nombreux libraires permettent la vulgarisa-
tion des ouvrages protestants, conformément à l'édit de
Nantes qui en réserve le commerce aux lieux de culte.

« Une si sainte cérémonie »

A l'intérieur si dépouillé du temple, pas d'autre ornement que la chaire, souvent détachée du mur, surmontée d'un abat-voix en forme de clocheton. A l'intérieur de la chaire, un tiroir pour la Bible, quelquefois un sablier pour le pasteur prudent décidé à limiter l'abondance de son éloquence.

Les bancs sont, en principe, de même valeur et d'usage démocratique, sans préséance. Dans la réalité, il en va tout autrement. La société du XVIIe siècle est si profondément hiérarchisée que les querelles se multiplient autour de la forme et de l'attribution des bancs. A gauche de la chaire, comme à l'église, les bancs des hommes, à droite, les bancs des femmes. Les bancs d'honneur sont réservés au pasteur et aux anciens. Là devrait s'arrêter la hiérarchie des bancs. Mais chacun se bat, lorsqu'il estime relever de quelque distinction, pour avoir son banc marqué : la noblesse a les siens, les magistrats, les consuls, les capitaines, les procureurs, les médecins, les avocats, gentilshommes et bourgeois, au point de faire garder leur place, pour que nul ne les occupe, en attendant le début des offices, par des serviteurs catholiques ! Pour marquer la différence entre les bancs de distinction et les bancs ordinaires, on donnera aux premiers un dossier, qui demeurera interdit aux autres. Quand viendra le temps des humiliations, la justice royale imaginera de faire supprimer ces dossiers, pour marquer que les personnes « de qualité » ne devraient pas participer à ces offices déclassés... Il y a même, dans les temples, des bancs fréquentés par les catholiques, curieux ou espions, qui viennent observer et noter le contenu des prêches, et, qui, souvent, se voient expulser *manu militari* lorsque leur attitude déplaît aux fidèles.

Au temple, les habits somptueux sont interdits. Mais le jugement qui condamne la coquetterie est susceptible de bien des interprétations. L'épouse de Duplessis-Mornay est ainsi au centre d'une controverse qui va jusqu'au synode. Malgré l'érudition et l'esprit de sa défense, elle se voit interdite de Cène par un pasteur rigoriste parce qu'elle porte une coiffure trop élégante, les cheveux tressés avec du fil de laiton brillant. Sur le chemin du temple, le fidèle doit se garder des pensées impies : il est recommandé de chanter des psaumes. On voit ainsi les groupes nombreux qui sortent de Paris en direction de Charenton faire entendre à tous le chant de leur foi. Les psaumes occupent d'ailleurs une grande place dans la vie de la famille, dans le travail de la boutique ou de l'atelier. Les psautiers de poche sont le compagnon quotidien de bien des réformés. Paul de Felice en décrit qui sont de véritables chefs-d'œuvre d'imprimerie « de poche » reliés plein cuir et dont la taille ne dépasse pas soixante millimètres sur quarante ! Lorsque la « rigueur » gagnera, annonciatrice des persécutions, la jurisprudence ne cessera de restreindre la place des psaumes dans la vie de tous les jours, interdisant qu'on les chante en public, puis qu'on les entende de la rue, en imposant enfin l'interdiction même en famille, si un non-protestant risque de les entendre.

Au temple, on est réputé bien se tenir. Mais là encore, il y a loin de la théorie à la pratique. D'abord, la société de castes impose que l'entrée d'un grand soit entourée de manifestations de déférence. Les pasteurs s'en émeuvent, les synodes le condamnent, tant ces habitudes troublent le culte. Pour autant, lorsque le seigneur du lieu gagne sa place, les fidèles ne manquent pas de se lever à grand bruit pour saluer son entrée. L'attention est souvent distraite, même chez les meilleurs. Sully, par exemple, est dénoncé par Benoist : il avait la réputation d'assister « au culte qui se fait dans sa maison d'une manière fort indécente. Il demeurait assis, la tête couverte, même pendant les prières, et le plus souvent il jouait avec un petit chien qu'il avait sur ses genoux ». Les synodes sont fort préoccupés de cette discipline du culte. Ils interdisent à tour de bras et multiplient les rappels à la règle. Ils proscrivent les grossièretés et les « irrévérences », les conversations entre fidèles, le sommeil qui les gagne. Ils s'indignent contre les manifestations mondaines, la compétition pour être admis à la Cène avant les autres, ou, au contraire, les interminables manifestations de politesse « pour laisser passer devant soi ceux auxquels on croit le devoir, ou à qui on veut faire cette soumission ».

Au temple, les femmes ont la tête couverte et le plus souvent le visage voilé. Les hommes doivent entrer au temple sans épée et se découvrir au moment des sacrements, même s'ils n'y participent pas, pendant le chant des psaumes, au début et à la fin de la prédication. Tout le reste du temps, ils peuvent garder la tête couverte, comme les pasteurs. Ce sera d'ailleurs un grand scandale en Angleterre lorsque les pasteurs français chassés par la Révocation apparaîtront le chapeau sur la tête pendant le prêche...

La Cène a lieu quatre fois par an. Pour permettre à tous les fidèles d'y participer, on double les dimanches de Cène. Cela offre aux fidèles quelque huit occasions annuelles de remplir leur devoir d'assistance au sacrement. Les anciens veillent scrupuleusement à ce que chacun remplisse son devoir, n'hésitant pas à patrouiller dans les rues pour vérifier l'absence des contrevenants. Dans le même temps, on n'est admis à la Cène que si l'on remplit strictement les conditions requises : être de bonne vie et mœurs et avoir acquitté les cotisations trimestrielles dues pour frais de culte et qui faisaient vivre la communauté. Vérification faite, on distribue donc à chacun des fidèles un « jeton de sacrement » qui est exigé au moment de la distribution du pain et du vin, et qui porte le nom de *méreau* ou *marreau, marque* parfois même *marron.* Le méreau est une pièce de plomb, assez grossièrement fondue, ou de fer-blanc, parfois même comme à Charenton, de carton, portant à l'avers une figure symbolique, cœur ailé, coupe avec pains, berger, et au revers, le nom de l'église, l'année et une maxime, par exemple, « ne crains point, petit troupeau ». L'origine de ces marques est très ancienne, au moins médiévale : elles servaient en particulier à faire la preuve de la réalisation véritable d'un pèlerinage lorsque celui-ci était fait par procuration, pour obtenir, par exemple, la guérison de quelqu'un. Le méreau distribué à l'arrivée dans le sanctuaire était la preuve que le pèlerinage avait été mené à bonne fin. La tradition rapporte que c'est Calvin lui-même qui institua le méreau en « permis de communier ». La coutume n'en disparut, rapportent les mémorialistes, qu'au milieu du XIXᵉ siècle.

Chaque fidèle, dans les communautés de quelque importance, est tenu d'aller chercher son méreau chez l'ancien du quartier, qui tient à jour les comptes et surveille la tenue de ses ouailles.

Par décision synodale, la Cène est toujours célébrée un dimanche. Même à l'occasion de Noël, lorsque Noël tombe un jour de semaine, c'est le dimanche précédent et le dimanche suivant que se distribue la communion. Lorsque les députés du Béarn demandent la permission de poursuivre leur vieille habitude de célébrer la Cène indifféremment le dimanche et les jours de semaine, ce qui faciliterait considérablement la vie des pasteurs desservant un grand nombre de paroisses, ils se voient opposer un refus par le synode national de Loudun en 1659 : « encore que le culte religieux ne soit plus attaché aux circonstances des temps ni des lieux... il est à propos, vu l'importance d'une si sainte cérémonie, qu'elle soit célébrée, tant que faire se pourra le jour du dimanche et non en un autre jour... »

A la fin du service ordinaire, le pasteur qui préside la Cène commence la liturgie. Pendant la lecture et la bénédiction, le pain est découvert par les anciens sur la table dressée, les coupes d'étain, d'argent ou de verre, remplies de vin. Le pain est du pain ordinaire, dépouillé de sa croûte, le vin est blanc ou clairet « indifféremment ». Descendu de la chaire, le pasteur s'approche de la table, prend du pain et le mange, puis il prend la coupe et boit le vin versé. Il communie seul ou avec les autres pasteurs s'il y en a. Après lui, c'est le consistoire. Puis les fidèles sont appelés à entourer la table. On prononce une bénédiction préalable à la communion. Puis le pasteur distribue le pain, disposé en longues tranches, croûte enlevée, sur un plateau d'argent ou d'étain. Il le rompt et le tend aux fidèles de la main à la main. Tous alors mangent leur pain. Puis le ministre consacre le vin et fait circuler deux coupes autour de la table.

Même la communion ne va pas sans incidents. Parfois les fidèles refusent la coupe que leur tend leur voisin, s'il est atteint d'une maladie qu'ils croient contagieuse. Par souci d'hygiène, d'autres viennent avec leur propre coupe. La formule de la communion varie quelque peu. A Charenton, c'est : « Le pain que nous rompons est la communion au corps de notre Seigneur Jésus-Christ, qui s'est donné la mort pour la rémission de nos péchés », puis en tendant la coupe « Ayez mémoire que Christ a répandu son sang à la croix pour la rémission de vos péchés ». Ayant participé au sacrement, les fidèles font place à une nouvelle tablée. Après la bénédiction, l'usage veut que, regagnant sa place, on dépose une offrande au tronc des pauvres.

La Discipline et la vie

Ce culte public est accompagné, dans la vie de nombreux protestants, d'un culte familial émouvant et sensible. C'est le père de famille qui préside la prière et enchaîne, devant sa femme, tous ses enfants et les serviteurs de la maison, les bénédictions, le chant des psaumes et la lecture de quelque passage de la Bible. Parfois, il fait dire la prière par les enfants. La bénédiction de la table est respectée de tous. La prière personnelle, matin, midi et soir, a lieu,

comme pour les catholiques, lorsque se fait entendre le carillon
à l'heure de l'Angélus. Quand sera revenu le temps des persécutions, le culte familial sera le cœur de la résistance de la foi
des réformés. On se souvient de la description d'André Gide [1] :
« Alors il (le vieux paysan) alla chercher la grosse Bible que
j'avais entrevue et la posa sur la table desservie. Sa fille et ses
petits-enfants se rassirent à ses côtés devant la table dans une
attitude recueillie qui leur était naturelle. L'aïeul ouvrit le livre
saint et lut avec solennité un chapitre des Evangiles, puis un
psaume ; après quoi chacun se mit à genoux devant sa chaise,
lui seul excepté que je vis demeurer debout ; les yeux clos, les
mains posées à plat sur le livre refermé. Il prononça une courte
prière d'actions de grâces, très digne, très simple et sans
requêtes, où je me souviens qu'il remercia Dieu de m'avoir
indiqué sa porte... Pour achever, il récita " Notre Père " ; puis il
y eut un instant de silence, après quoi seulement chacun des
enfants se releva (pour recevoir le baiser de paix de l'aïeul). »
    Les baptêmes ont lieu à la fin de la prédication et tous ceux
qui assistent au baptême sont tenus d'avoir préalablement
assisté au culte. L'enfant est présenté au pasteur couvert d'un
voile blanc. Puis on lit, en présence des parrain et marraine le
texte de l'institution du baptême, le pasteur prononce la bénédiction en versant l'eau sur la tête du nouveau-né, le baptisant
ainsi « au nom du Père, du Fils et du Saint-Esprit ». Le baptême est le plus précoce possible, mais l'église réformée
n'admet pas qu'un laïc puisse baptiser, même en cas
d'urgence. Elle considère la crainte catholique selon laquelle
un enfant ne peut être admis au paradis s'il n'est pas baptisé
comme une superstition. Personne donc n'est admis même à
« ondoyer » (donner par précaution un baptême provisoire, de
la main d'un laïc).
    La Discipline traite aussi de la question des noms de bap-
tême, interdisant les noms indécents ou ridicules, bannissant
ceux « qui restent de l'ancien paganisme », comme Hercule,

---

1. *Si le grain ne meurt*, Gallimard, NRF, 1928.

César, Cléopâtre, Lucrèce et autres, demandant de préférer les prénoms bibliques à tous les autres, puisqu'ils sont dans l'Ecriture. Sont interdits de la même manière les prénoms qui sont le nom de Dieu, comme Emmanuel, ou ceux qui sont en fait des noms communs des puissances célestes comme Ange ou Séraphin. Sont déconseillés les noms des Saints d'après le Christ dont le culte est, pour les réformés, du paganisme. C'est ainsi que l'Ancien Testament sert de vivier inépuisable aux familles protestantes les plus pieuses. Emile Léonard sourit encore en notre siècle en citant ce paysan du Tarn : « Abraham, Isaac et Jacob, venez à table tous à la fois. Josué, ferme la porte et si Josué ne le fait pas, Melchisédec le fera [1]. »

A l'autre extrémité de la vie, les funérailles sont doublement restreintes. C'est un caractère de la religion réformée que de refuser l'idée même d'un culte particulier au moment de la mort. Pour elle, c'est une superstition que de vouloir bénir le corps, bénir la terre, organiser le chagrin en dramaturgie sacramentelle, et bâtir, à force de pompe et de monuments funéraires, un culte aux morts. De surcroît, l'édit de Nantes, s'il a contraint toutes les villes à rendre des cimetières aux réformés, a très rigoureusement réglementé les obsèques. Les heures choisies sont celles de funérailles presque clandestines. L'assistance ne doit pas dépasser dix personnes là où le culte n'est pas autorisé, trente ailleurs.

Touchant au déchirement de la mort, ces articles sont parmi les plus scandaleux des dispositions de l'édit de Nantes. Les protestants les ont donc tournés, de deux manières. L'interdiction de l'assistance au moment de l'inhumation n'interdit en rien l'hommage au disparu. C'est pourquoi les morts protestants sont exposés devant les maisons, sous les porches, afin que chacun puisse venir leur rendre hommage. C'est une coutume généralisée sur le territoire du royaume. A cette occasion, parfois, des pasteurs plus libres que les autres à

---

1. Cité d'Emile Léonard, *Le protestant français*, Paris, 1953, p. 119, note 2, par Janine Garrisson, *L'homme protestant*, op. cit., p. 82.

l'égard de la Discipline prononcent des paroles de consolation et d'édification. Ailleurs, on organise les obsèques en contravention avec l'Edit, avec la tolérance des populations et de leurs édiles. C'est le cas à Castres, où l'on organise de grands convois, en plein jour. Une plainte de 1662 entraînera une sanction : on considérera désormais la ville, du point de vue des enterrements, comme région non autorisée, les convois seront dès lors limités à dix personnes.

Partout ailleurs, le cérémonial est très simple. Dès la confirmation de la mort, on avertit l'ancien du quartier ou le pasteur. Le consistoire informé met à la disposition des familles le matériel nécessaire au convoi : une civière, qu'on appelle aussi « lit des morts », des draps mortuaires, les manteaux noirs pour vêtir les porteurs et ceux destinés aux femmes qui accompagnent le corps, un escabeau qui sert à poser le cercueil en route. Ni croix, ni cierges, ni luminaires, parfois seulement des flambeaux lorsque l'inhumation n'est pas éclairée par le jour. Parfois la bière est portée par les proches, membres de la famille, du voisinage ou de la corporation. Suivent deux à deux, les hommes d'abord, puis les femmes, le public si limité. Le corps est toujours accompagné par un ancien. Si le pasteur suit le convoi, c'est à titre privé. On recommande strictement aux participants « de se comporter avec modestie, durant le convoi, méditant les misères et la brièveté de cette vie, aussi bien que l'espérance de la vie bienheureuse ». Toutes les autres conversations profanes doivent être bannies.

La simplicité des cimetières confine au dépouillement. Pas de monuments, très peu de pierres tombales. Aussitôt après l'inhumation, on signe l'acte de décès. Puis on raccompagne la famille jusqu'à sa demeure que, parfois, le pasteur assistera de sa présence.

L'école est religieuse, pour les protestants comme pour les catholiques. Un vaste effort d'alphabétisation est entrepris dans les communautés protestantes. Les petites écoles, avec à leur tête un « régent », un instituteur ont la charge d'apprendre à lire aux enfants. Ce régent assume aussi des tâches d'animation cultuelle. C'est lui qui, pendant le culte, est chargé de la lecture des textes. Mais il n'est pas facile de trouver des régents, ni de les garder quand on en trouve. Le salaire qu'on leur verse est si faible, et si peu régulier, que souvent ils changent d'affectation ou interrompent leur travail. En Béarn, les biens de l'Eglise ont été saisis pour entretenir le système éducatif. Il est vrai qu'au-dessus de l'école élémentaire, il faut aussi entretenir les collèges et les universités. A Orthez, au collège, le programme est à la fois théologique et humaniste : on étudie aussi bien les auteurs classiques latins, Cicéron, Virgile et Salluste, que les grecs Isocrate, Xénophon et Plutarque.

La tolérance au quotidien

Malgré les crispations du temps, la protection accordée par l'Edit au protestantisme installe les réformés dans un sentiment de profonde sécurité. Aux yeux des catholiques, le droit qui les protège leur donne un statut qui peu à peu fait évoluer les esprits. Les communautés hier affrontées se découvrent souvent l'une l'autre. Les jugements réciproques deviennent plus positifs : des voisins, dont on connaît la vie, et qui sont protégés par la Loi, ce ne sont plus des démons, des antéchrists. Les mariages mixtes, chacun conservant sa religion, deviennent une marque fréquente de cette conciliation. Il y en a d'autres : à Pontacq [1], aux limites du Béarn et de la Bigorre, la situation légale est complexe. C'est une terre culturellement

---

1. Dominique Bidot-Germa : *Un protestantisme martyr et oublié : la révocation de l'Edit de Nantes à Pontacq (1620-1685)* in *Réforme et Révocation en Béarn*, Eglise Réformée de France, Consistoire du Béarn, Editions J&D, Pau, 1986.

béarnaise mais juridiquement dépendante à l'époque du diocèse de Tarbes. La communauté réformée est importante puisque quatre jurats sur six sont protestants. A Pontacq, on a tout bonnement décidé d'affecter l'église Saint-Laurent... aux deux cultes. On partage les charges financières et malgré les interdictions réitérées, on sonne sur les cloches communes aussi bien les prêches que les offices. L'archiprêtre, Joan Segla, et le pasteur, Gedeon Tholoze, « ministre de la paraule de Diu en l'esglise de Pontac (!) » font apparemment bon ménage, puisque malgré les capacités financières de la communauté, on ne se hâte pas de construire un temple : vaguement commencé en 1622, conformément aux dispositions de l'édit de Nantes, il n'est toujours pas achevé plus de vingt ans plus tard, ce qui donne un assez bon indice de l'indifférence de la communauté à l'égard de cette construction. C'est à partir des années 1660 que le climat se dégrade à Pontacq comme ailleurs. Les évêques combattent ce climat de tolérance. Il faudra consommer la séparation, achever le temple, à temps pour qu'il soit démoli par le terrible Foucault après la Révocation en 1685.

Naturellement, il est des lieux qui aiment moins la paix que le Béarn. Il est facile de trouver des chicanes, des injures dans les prêches. Janine Garrisson a relevé les chansons populaires, la gauloiserie des plaisanteries qui circulent dans le monde huguenot à propos des moines, des évêques et du pape. A l'inverse, on sait ce que produit l'apologétique catholique. Mais il demeure que l'apaisement est certain entre 1630 et 1660. La preuve : la population protestante s'accroît, son influence économique se renforce. Dans le Languedoc et l'ensemble du Midi, les protestants ont organisé entre eux d'efficaces systèmes de discrimination économique : lorsqu'il y a deux communautés en présence, inutile d'imaginer trouver du travail chez les maîtres d'ouvrage huguenots quand on est artisan catholique. La situation provoque des plaintes bien amères ; sans doute à charge de revanche dans l'autre sens.

Tout le monde voit bien cependant que les temps sont à la multiplication des temples plutôt qu'à leur raréfaction. Même si l'Eglise catholique profite de l'élan de la Contre-Réforme, les églises réformées constituent un ensemble vivace et solide. L'édit de Nantes a porté les fruits qu'en espéraient ses promoteurs.

Le vent nouveau de la Réforme catholique

Un esprit nouveau avait soufflé sur l'univers à partir de l'apparition de la Réforme. Les cadres qui formaient la vie des hommes en avaient été si profondément ébranlés qu'il était inévitable que l'Eglise catholique ressente à son tour l'appel au changement. De très nombreux esprits, fidèlement attachés à la vérité catholique, aux dogmes de l'Eglise, n'en ressentaient pas moins ses faiblesses et ses errements. Et même, plus ils étaient attachés à la conviction catholique, plus ils étaient portés à mettre en cause les pratiques anciennes : c'était à ces pratiques qu'ils attribuaient la responsabilité du schisme et des souffrances infinies qui en découlaient.

La réforme de l'Eglise devint ainsi un des leitmotive du xvie siècle. Cette réforme, qui se fit si longtemps attendre, allait porter des fruits inespérés. Le concile de Trente, dont les décisions finirent par atteindre l'Eglise et le Royaume de France, longtemps réticents, changea profondément le visage du catholicisme. L'Eglise du xviie siècle est en mutation profonde. De nouvelles sources ont jailli, les habitudes du peuple des paroisses en sont bouleversées. Le *siècle des saints* commence dans une ambiance de ferveur catholique renouvelée, dans un climat de renaissance, comme l'Eglise n'en avait pas connu depuis la haute époque de la chrétienté, trois ou quatre siècles auparavant. Le Concile revivifie l'Eglise en clarifiant ses convictions et en réformant sa vie quotidienne. Si profondément contesté, le vieil arbre a été obligé de se régénérer pour survivre. Il le fera en profondeur. Le siècle qui a commencé avec l'édit de Nantes ne mettra plus en présence le monde ancien des catholiques avec le monde nouveau de la réforme : les catholiques, bon gré mal gré, l'Eglise de France, en dépit de ses réticences, ont été obligés d'adopter leur propre réforme. Ce sont deux organismes nouveaux qui se trouveront désormais face à face : progressivement, l'énergie de la réforme s'est transmise au-delà des murs des temples jusqu'aux basiliques, aux cathédrales et à l'humble église des villages.

Ce mouvement a commencé au milieu du xvie siècle, quelque cinquante ans auparavant. C'est le vieux pape Paul III, après bien des hésitations et des consultations, qui convoque le concile pour le 15 mars 1545. On est encore sous François Ier et Charles Quint, c'est l'époque exacte du massacre des Vaudois, des signes avant-coureurs des guerres de Religion. La petite ville de Trente, dans le Tyrol tourmenté, a été choisie pour accueillir le dix-neuvième concile œcuménique, parce qu'elle permet un équilibre subtil entre l'Italie du pape dont elle parle la langue et l'Empire à qui elle appartient.

Au début, personne ne croit au concile. C'est à peine si cette assemblée en principe générale de tous les évêques et de tous les prélats de la chrétienté réunit une poignée d'entre eux, moins de trente, en additionnant cardinaux, évêques et responsables d'ordres religieux, sur un total de plusieurs centaines.

Les conflits entre eux étaient au premier abord innombrables. Les querelles étaient religieuses : fallait-il rechercher le salut de l'Eglise dans une reformulation des vérités de sa Foi, de son dogme ? Ou fallait-il au contraire commencer par réformer sa pratique, son organisation, ses mœurs, sa vie interne ? L'Empereur insistait pour un changement de la pratique afin d'éviter la condamnation définitive des protestants qui dépendaient de lui. Le pape, au contraire, pesait dans le sens de la clarification et de la condamnation. Mais les affrontements étaient aussi politiques et nationaux. Entre Espagnols, Français et Romains, on sentait que les oppositions avaient d'étranges arrière-goûts politiques. Longtemps, les évêques français allaient vivre le concile avec beaucoup de réticences, affirmant que leur Eglise n'avait nul besoin de réforme. C'était une manière de résister au pouvoir du pape et à la recherche de compromis de l'Empereur.

Il fallut en réalité dix-huit ans pour trouver une issue à ces conflits. Suspendu à plusieurs reprises, presque oublié pendant près de dix ans, le Concile apparut comme une impasse. Le farouche pape Paul IV, élu au Saint-Siège après deux pontifes furtifs, enlevés en quelques années, choisit la voie de l'*Inquisition* plutôt que celle de la réforme. Il dirigea lui-même les travaux du terrible tribunal ecclésiastique, chargé de poursuivre l'hérésie où qu'elle se trouve, et quelles que soient ses manifestations. C'est sous son autorité que fut établi l'*Index* des ouvrages interdits. Il fallut attendre son successeur, Pie IV, et une certaine entente européenne à l'endroit de la réforme pour que le concile se réunisse à nouveau et arrive à son terme en 1562. Charles Quint ne s'y opposait plus, ayant déposé les insignes de son pouvoir en 1557, avant de se retirer au monastère de Yuste et d'y mourir l'année suivante. Henri II lui-même l'avait suivi dans la mort, victime de la lance de Montgomery. Catherine de Médicis avait donné son accord, Philippe II aussi. Dans une ambiance de liesse, le dernier concile de l'Eglise avant Vatican I s'achève le 4 décembre 1563, dans une messe d'action de grâces qui rassemble cette fois des centaines de prélats de l'Europe chrétienne.

Le travail du concile a été immense. C'est une œuvre de refondation et de clarification de la foi de l'Eglise, une réponse majestueuse à la contestation théologique de la Réforme. La millénaire tradition y est reprise et reformulée, emportant une adhésion générale. Quelques décennies plus tard, Bossuet le dira avec enthousiasme : « Qu'on me montre un seul auteur catholique, un seul évêque, un seul prêtre, un seul homme, quel qu'il soit, qui croie pouvoir dire, dans l'Eglise catholique : je ne reçois pas la foi de Trente, on peut douter de la foi de Trente ! Cela ne se trouvera jamais. »

En face de chacune des affirmations de la Réforme, le concile de Trente fait claquer comme une oriflamme la doctrine réaffirmée de l'Eglise romaine. Luther et Calvin disent : *sola scriptura*, l'Ecriture seule comme origine de la vérité, Trente répond : « Il y a deux sources de notre foi : l'Ecriture Sainte et la Tradition de l'Eglise, également placées sous la dictée de l'Esprit-Saint. » Au lieu du libre examen qui permet à chacun de fixer sa vérité, l'autorité de l'Eglise se trouve réaffirmée. Pour mettre à la disposition de tous cette vérité, l'Eglise reprend l'idée des pères de la Réforme en rédigeant un catéchisme du concile de Trente, publié en 1566, qui explicite ces dogmes à l'usage des fidèles. En face de la doctrine de la prédestination et de la justification par la foi, *sola fide, sola gratia*, l'Eglise réaffirme son optimisme : l'homme peut gagner son salut par la conduite de sa vie. Le concile réaffirme et réhabilite la place du sacerdoce, celle du prêtre dans la communauté des croyants, celui par qui les sept sacrements sont distribués aux fidèles : non seulement le *baptême* et la communion, l'*Eucharistie*, où la *présence réelle* du Christ se trouve proclamée, mais encore la *confirmation* qui transmet l'Esprit, l'*ordination* qui fait le prêtre, intermédiaire indispensable et consacré, la *pénitence*, qui assure le pardon, l'*extrême-onction* qui sert de viatique au mourant, et le *mariage* indissoluble.

En tout, ce sont quinze volumes de décisions doctrinales, sur tous les points en litige, que laisse le Concile. Il n'y aura plus d'assemblée de ce type dans l'Eglise catholique pendant trois siècles, avant les deux conciles modernes, Vatican I au XIXe siècle et Vatican II au XXe, notre contemporain.

Parallèlement, la vie de l'Eglise est réformée en profondeur. Les décrets du concile de Trente tranchent en matière de discipline, comme ses canons en matière théologique. L'autorité du pape est réaffirmée, même si son infaillibilité n'est pas retenue. Il faudra attendre Vatican I pour que le Souverain Pontife soit déclaré infaillible lorsqu'il s'exprime sur la foi de l'Eglise et parlant de la chaire de Pierre... Mais il est déjà proclamé Pasteur Universel et investi des pleins pouvoirs sur l'Eglise. Evêques et même cardinaux sont l'objet de sévères rappels à l'ordre. Le concile exige d'eux qu'ils adoptent un train de vie modeste et qu'ils soient assignés à leur tâche. Fini, le cumul des évêchés. Désormais, il faudra que chacun réside en son diocèse et accomplisse vraiment sa tâche d'animation pastorale. La vie des prêtres est au centre de toutes les réflexions : « Ceux qui portent les Vases du Seigneur doivent être purifiés... et formés à la pratique de toutes les vertus. » Pureté de vie et formation solide, ce sont les deux orientations majeures. Avant Trente, on devenait prêtre, nous l'avons vu, sans formation et sans discipline. En quelques décennies, la règle nouvelle changera cette anarchie. Comme Calvin dans son Université, le concile de Trente mesure qu'il faut à l'Eglise des pépinières de prêtres, pour préparer la « semence » de son apostolat. Ce seront les *Séminaires* où sera formé le futur clergé catholique et qu'il faudra fonder dans chacun des diocèses de la chrétienté. Ils recevront là l'éducation théologique, l'instruction rituelle, et la formation morale qui font le vrai pasteur.

Mais des décennies seront nécessaires, presque un siècle, pour que les conséquences du concile de Trente atteignent tout le Royaume. La résistance au pape est grande encore, et singulièrement en France. L'Eglise nationale regimbe. Les rois successifs participent à cette surdité. Ils auraient, en effet, beaucoup à perdre à voir Rome reprendre son autorité sur une Eglise d'où ils tirent à la fois pouvoir direct, puisqu'ils nomment à tous les bénéfices majeurs, évêchés et abbayes, et abondants revenus matériels.

C'est donc une longue guerre de retardement qui commence entre le Saint-Siège et les autorités du royaume de France. Pas de négociation entre l'un et l'autre, à partir de la fin du xvie siècle, où ne soit exigée du roi la réception des décrets du Concile. Les milieux gallicans offrent une résistance qui ne se lassera que lentement. Parlementaires parisiens, théologiens de la Sorbonne, représentants du Tiers-Etat se liguent pour faire échouer l'enregistrement des décisions du Concile lors des Etats généraux de 1614. Les assemblées du clergé durent les adopter unilatéralement et leur pratique s'imposa lentement, sans que jamais les textes du concile de Trente se voient reconnus officiellement comme lois du royaume.

Une application progressive

Le calendrier politique a joué son rôle dans ce retard. Le début des guerres de religion a coïncidé avec la fin du concile (15 décembre 1563). Aussi, l'application des mesures de Trente ne se fit vraiment sentir qu'au milieu du xviie siècle.

Négligée par le pouvoir accaparé par la guerre civile (ou extérieure) et par deux régences successives jusqu'en 1661, l'application des idéaux de la Réforme catholique doit beaucoup, en France, à une minorité de pieux laïcs, chez lesquels s'affirme un renouveau spirituel. Madame Acarie, qui devint en religion Marie de l'Incarnation, transforme sa maison en cénacle où se rencontrent laïcs et religieux en quête d'un accomplissement mystique. Aidée de Bérulle, elle introduisit le Carmel en France, en faisant venir d'Espagne, en 1604, quelques religieuses formées par sainte Thérèse. Conseillée par François de Sales, Jeanne de Chantal, devenue veuve, institue en 1610 à Annecy la congrégation de la Visitation Sainte-Marie. De la même façon, Henri de Lévis, duc de Ventadour, lieutenant général du roi en Languedoc, fonde en 1627 la

Compagnie de Saint-Sacrement en réunissant chez lui quelques personnalités laïques ou religieuses désireuses de « promouvoir la gloire de Dieu par tous les moyens » dont disposent ses membres, car la compagnie n'intervient jamais en son nom propre. Faisant du secret le ressort de son action et de son efficacité, elle se distingue par son souci de défendre la morale chrétienne contre les libertins et les blasphémateurs (on se souvient de la caballe des dévots tentant d'interdire le *Tartuffe*).

La vie des évêques change réellement. Au milieu du XVIIᵉ siècle, libertins ou débauchés n'ont certes pas disparu du haut clergé : Emmanuel de Beaumanoir de Lavardin, évêque du Mans, le protecteur de Scarron, ou bien Paul de Gondi, archévêque de Paris, cardinal de Retz en 1652, ne placent pas l'essentiel de leur force dans l'évangélisation de leur diocèse...

Mais les progrès se font sentir néanmoins. L'évêque prend en main l'application de la réforme catholique dans son diocèse. Les visites pastorales se font plus régulières. Alain de Solminihac, évêque de Cahors, accomplit, à partir de 1636, neuf voyages en treize ans à l'intérieur de son diocèse, dont chacun engloba l'ensemble de ses 700 paroisses... Sous l'autorité de l'évêque, les synodes diocésains, qui regroupent les curés d'un diocèse, se réunissent de façon plus fréquente et plus systématique. Ils servent à diffuser les idéaux de réforme jusqu'aux plus humbles paroisses. Surtout, la plupart des évêques, par leur pureté de vie et la régularité de leurs mœurs, s'efforcent de prendre exemple sur le grand précurseur que fut Charles Borromée, archévêque de Milan (1564-84), canonisé en 1610.

Le modèle français est François de Sales, évêque *in partibus* de Genève de 1602 à sa mort en 1622. La figure de François de Sales, c'est d'abord celle d'un enfant, si pieux qu'il demande et obtient de recevoir à onze ans la tonsure monastique, la première marque de l'engagement d'une vie. Les compagnons d'étude du petit Savoyard venu se former à Paris, d'habitude si cruels, émus d'une telle vocation, qui s'exprime en prières, en dévotions discrètes, l'ont surnommé « l'ange ». Il connaît pourtant, comme tant de mystiques, la nuit du doute et l'inquiétude théologique. Mais le doute ne l'emportera pas : il remet ses souffrances entre les bras maternels de la Vierge et s'abandonne au chemin que sa foi lui trace. Il n'a pas vingt-cinq ans quand il est ordonné, se jette sur les routes de sa Savoie natale, dirige tous ses efforts vers le Chablais converti au protestantisme, mobilise toutes les ressources de la prédication, de l'exemple, de l'encouragement des paysans, de la communication par l'écrit, non seulement le livre, mais aussi l'affiche et le tract, presque de petits journaux avant l'heure. Le Chablais tout entier, saisi d'enthousiasme, se rassemble derrière ce jeune pasteur et se convertit. D'un bout à l'autre du royaume et de la chrétienté, sa réputation se répand. Henri IV lui offre de devenir archevêque de Paris ! Mais François refuse avec un sourire timide : « Sire, je suis déjà marié avec une pauvre femme. Ne me proposez pas de la quitter pour une plus riche. » Il sera évêque chez lui. Evêque de Genève en titre, en résidence à Annecy, faute de pouvoir accéder à la ville qui appartient à la Réforme. Dès lors, il est infatigable. Les femmes, particulièrement, se laissent prendre à la douceur de ce visage charmant et à la force de cette âme intraitable. A la jeune veuve qu'est Jeanne de Chantal, l'unit une amitié « plus blanche que la neige, plus pure que le soleil ». Il en fera la fondatrice de l'ordre de la Visitation, les Visitandines, vouées à la contemplation et à l'enseignement. Il prêche devant des cathédrales prises d'assaut, avec un art si simple, que les plus rétifs fondent devant sa conviction. Il publie, en 1608, l'*Introduction à la vie dévote*, écrit pour une autre jeune femme, et qui servira de guide au siècle tout entier, à toutes les âmes parties, après des décennies d'obscurité, à la découverte de Dieu. Le *Traité de l'Amour Divin* en sera comme la suite mystique, l'accomplissement de la Découverte pour l'âme la plus haute.

Dans l'œuvre et dans l'action, François de Sales, qui mourra épuisé en 1622, a défriché un chemin nouveau : celui de l'amour de l'homme à la lumière de l'amour de Dieu, celui de l'humanisme chrétien. Le siècle entier en sera ébloui, ne cessant de méditer l'œuvre du jeune évêque d'Annecy. Il ne faudra pas plus d'un demi-siècle pour que Rome le proclame Saint, et bientôt docteur de l'Eglise.

Mais les saints font des émules, y compris dans le pouvoir politique. Bientôt, renouant avec les efforts de Richelieu qui n'hésitait pas à prendre conseil auprès de Bérulle, Anne d'Autriche instaure le conseil de Conscience (dont Vincent de Paul est membre), chargé de guider la régente dans les nominations épiscopales, en mettant l'accent sur les qualités proprement religieuses des candidats. Le père La Chaize joue un rôle identique auprès de Louis XIV, avant que le roi, pris à son tour dans le grand mouvement missionnaire, n'aille jusqu'à l'excès non pas dans la foi, mais dans la persécution.

Formation du clergé et instruction des fidèles

La mise en place d'un clergé intellectuellement et spirituellement mieux formé est le défi religieux du xviie siècle. Entreprise de longue haleine, la création de séminaires, à raison d'un par diocèse ne prend vraiment effet qu'à partir de 1650. Pour diriger et encadrer les séminaires diocésains, Jean-Jacques Olier, curé de Saint-Sulpice, crée en 1640 une compagnie de prêtres dont les membres, les sulpiciens, venus de tout le royaume, sont formés à Saint-Sulpice même. Auparavant, les futurs prêtres étaient formés, quand ils l'étaient, sur le tas, par le curé dont ils se préparaient à prendre la relève, ou bien à l'université. D'autres compagnies religieuses sont créées, spécialisées dans la formation des futurs prêtres : Oratoriens, fondés par Pierre de Bérulle en 1611, prêtres de la Mission (ou lazaristes) en 1625 par Vincent de Paul, eudistes en 1643 par Jean Eudes : ces compagnies, sans vœux et presque sans vie commune, ne sont pas de véritables ordres religieux. L'oratoire avait en vue la sanctification du clergé : ses membres animaient de nombreuses retraites d'une durée variant d'une semaine à trois mois, destinées aussi bien aux ordinands qu'à de jeunes prêtres. De cet usage naquirent les premiers séminaires, qui furent souvent confiés à des oratoriens.

L'enjeu de ces efforts est évidemment une meilleure instruction des fidèles, prise en main par les prêtres, au travers du catéchisme : concurrent de celui de Calvin qui date de 1541, le catéchisme catholique est publié par Rome en 1566. Il est l'exposé, sous forme de demandes et réponses, des vérités du christianisme. L'enseignement des fidèles se fait aussi par la prédication, à laquelle le concile avait attaché une importance toute particulière. Cette préoccupation est partagée, si l'on en croit Vincent de Paul, qui écrit : « Le pauvre peuple des champs se damne faute de savoir les choses nécessaires à son salut. » Succédant immédiatement à la lecture de l'Evangile, le prône doit « consister en une explication familière de l'Evangile du jour ou de quelque point de la morale chrétienne, pour l'instruction et l'édification des peuples ». Il doit être fait dans la langue des fidèles et ne pas durer plus d'un quart d'heure, pour ne pas lasser l'auditoire. L'ignorance des adultes est souvent telle que la compagnie des prêtres de la Mission vient en aide à des curés parfois dépassés par l'ampleur de la tâche : la durée de la mission qu'ils assurent est de quatre ou cinq semaines, au cours desquelles, six jours sur sept, se succèdent prédications, catéchisme, confessions. Atteignant les paroisses les plus reculées, ces prédicateurs itinérants connaissent un grand succès auprès des populations.

Les jésuites, chassés en 1594 sur le soupçon d'apologie du régicide, sont de retour en France dès 1603. Ils jouent dès lors un rôle considérable, multipliant leurs maisons et leurs collèges, en dépit de l'opposition des gallicans qu'inquiète leur ultramontanisme. Ils avaient fondé leur premier collège à Billom dès 1556, qui fut suivi par l'ouverture du collège de Clermont, à Paris, cinq ans plus tard. En 1643, les jésuites avaient en France 109 établissements, où ils menaient de pair formation de la jeunesse et instruction des prêtres. Un père de la Compagnie, Coton, devint confesseur du roi Henri IV. « Confesseurs des princes d'Europe et astronomes des empereurs de Chine, missionnaires et enseignants remarquables, les jésuites constituèrent, surtout entre 1550 et 1650, l'élément le plus dynamique de l'Eglise romaine » (Jean Delumeau).

Apogée des ordres religieux

La réforme du clergé régulier n'est pas oubliée : des ordres anciens se réforment peu à peu, telle la vieille famille bénédictine. La nouvelle congrégation, dite de Saint-Maur, car c'est de cette abbaye que partit le mouvement de réforme en 1618, s'étend à la fin du siècle à plus de 200 monastères. La congrégation de Saint-Maur joua un rôle majeur dans le développement des sciences historiques, donnant son essor à la numismatique, l'archéologie et surtout la diplomatique, marquée par le renom de Jean Mabillon. Poursuivis jusqu'à la Révolution, ces travaux d'érudition donnèrent naissance à l'expression « travail de bénédictin ».

L'irruption de la réforme dans les monastères se traduit souvent par une scission. Les cisterciens réformés se divisèrent en feuillants, dont la congrégation regroupa en France 31 monastères, et en trappistes, réformés à partir de 1662 par l'abbé Jean Le Bouthillier de Rancé. Sa controverse avec Mabillon sur la place à accorder à l'activité intellectuelle dans la vie monastique est restée fameuse. L'abbaye de la Trappe,

dans le Perche, devint un foyer spirituel et un lieu de retraite
très fréquenté par les gens de la cour (Bossuet, Saint-Simon,
Jacques II d'Angleterre s'y rendirent), dont elle formait le
parfait négatif. Elle se distingua aussi par son austérité et sa
mortalité effrayante, due autant à l'insalubrité du lieu qu'aux
terribles mortifications qui y étaient pratiquées.

Les ordres nouveaux multiplient les fondations dans de
nombreuses villes du royaume ; une telle floraison était sans
précédent depuis le XIIIe siècle. Deux nouvelles branches fran-
ciscaines arrivent alors en France : les capucins (auxquels
appartenait le fameux père Joseph, « éminence grise » de
Richelieu) qui, nés en Italie, connaissent une grande faveur
dans les milieux populaires en raison de leur dévouement en
période d'épidémies ou d'inondations, et les récollets, venus
d'Espagne. Pendants des carmélites réformées qui, à partir de
1633, essaiment dans tout le royaume, les carmes déchaux,
adeptes de la spiritualité de Thérèse d'Avila et de Jean de la
Croix, s'installent à Paris en 1611. Parmi les nouveaux ordres
féminins, les plus nombreux se consacrent à la contemplation,
telles les ursulines, qui se spécialisèrent dans la formation des
filles de famille bourgeoise, ou les visitandines, instituées par
François de Sales et Jeanne de Chantal, et qui se consacrent
aussi à l'éducation des jeunes filles. Riche de 86 couvents à la
mort de Jeanne en 1641, l'ordre de la Visitation contribua à
l'extension du culte du Sacré-Cœur, car les apparitions de
Jésus à Marguerite-Marie Alacoque, visitandine de Paray-le-
Monial, en 1673-1675, eurent un grand retentissement.

Les règles de la clôture s'assouplirent devant les nécessités
du temps, et le désir de remédier aux souffrances du pauvre
peuple donna naissance à plusieurs œuvres hospitalières, dont
se détachent les filles de la Charité, congrégation séculière née
en 1634 des efforts de Vincent de Paul et Louise de Marillac.
Liées par de simples vœux annuels et intérieurs, ces filles
avaient, selon les propres termes de leur fondateur, « pour
monastère, les maisons des malades. Pour cellule, une

chambre de louage.[...] Pour clôture, l'obéissance. Pour grille, la crainte de Dieu. Pour voile, la sainte modestie ». Parallèlement, les dames de la Charité, issues de la bonne société, visitent et consolent les malades dans les hôpitaux. Epoque de crise, le XVIIe siècle voit en effet se multiplier le nombre des pauvres et des miséreux, que l'on dirige vers les « hôpitaux généraux » qui se mettent alors en place, comme la Vieille Charité à Marseille : c'est ce qu'on a appelé le « grand renfermement » sans voir toujours que l'institution de ces établissements, qui tiennent autant du monastère que de l'atelier, expriment une nouvelle image de la pauvreté, vue comme un drame social et non plus individuel.

Ces vocations et nouvelles fondations religieuses sont inspirées par un idéal de rupture, au moins spirituelle, avec le monde. Le monde ou la damnation : pour beaucoup, l'alternative se pose en termes tragiques, incompréhensibles et cruels pour notre temps. *Dieu, premier servi :* Vincent de Paul abandonne ses parents à l'aumône. Jeanne de Chantal passe pardessus le corps de son fils qui s'était couché sur le seuil de sa maison pour l'empêcher de suivre sa vocation religieuse. L'introduction de la réforme au couvent de Port-Royal est habituellement datée de la Journée du Guichet, en 1609, où Mère Angélique Arnauld refusa de recevoir son père.

Sur le plan de l'architecture, la construction de maisons religieuses favorise la propagation de formes d'inspiration romaine, avec une large nef unique, un transept non saillant et une façade aux lignes simples. Entre 1627 et 1641, Martellange, l'architecte de la compagnie de Jésus, construit avec l'église Saint-Paul-Saint-Louis, rue Saint-Antoine, le modèle de ces nouveaux édifices, inspiré du Gesù de Rome. Ces sanctuaires vastes et lumineux sont splendidement décorés ; le retable, en particulier, cet « ornement d'architecture contre lequel est appuyé l'autel et qui enferme ordinairement un tableau » connaît un franc succès : celui de Saint-Nicolas-des-Champs, un des seuls subsistant dans la capitale, est justement réputé.

Le succès des ordres religieux dans la première moitié du siècle entraîne bientôt, dans beaucoup de villes, un sentiment de saturation. A Paris, le nombre de couvents passe d'une trentaine vers 1590 à plus de cent vers 1650. A Angers, ville provinciale de 20 000 habitants, douze nouvelles fondations voient le jour dans la même période. De nombreuses municipalités expriment leur inquiétude : hausse du prix des terrains, fuite des élites, manque de recettes fiscales (les religieux ne sont pas imposés)... Les hautes eaux spirituelles du « siècle des saints » ne tarderont pas à refluer : dès 1720 la plupart des ordres religieux verront leur recrutement baisser, comme si l'effacement des protestants avait privé, un peu, l'Eglise catholique de l'authenticité de sa foi.

Ainsi vont les tremblements de terre. A chaque secousse, répondent de multiples répliques, comme un écho, comme une réaction, comme un reflet. La foi simple et inébranlable des chanteurs de psaumes a réveillé la foi du vieil arbre catholique. Une même sève s'est mise à circuler chez les meilleurs, chez les plus convaincus des deux confessions. Mais l'exigence unitaire, parfois idéaliste, parfois furieuse, le désir de convertir l'autre, à défaut de le bannir, ne s'est éteinte ni chez les uns ni chez les autres. Dans cette foi militante, c'est la charité qui manque le plus. Le prosélytisme catholique va mettre son empreinte sur le siècle, jusqu'à la révocation.

VERS L'INTOLÉRANCE

Le quart de siècle de la Révocation

« Vous cherchez un modèle de haute stratégie, des combinaisons, un ensemble ? Peine perdue. Vous ne trouvez que des lambeaux de plans qui ne se rencontrent point, des mouvements qui se contrarient... L'anarchie, en un mot, dans le plus misérable et dans le plus odieux détail [1]. » Voilà pour l'historien qui entre dans la jungle des décisions, dans le marais des événements. Et il est vrai que quinze jours encore avant la révocation de l'Edit, en 1685, le 15 septembre, un arrêt réglait le détail de l'organisation de l'état civil pour les protestants privés de culte. Toute l'administration n'était donc pas informée, ni convaincue, de l'approche de la décision qui allait faire basculer une part décisive du destin français. Pourtant, si l'on prend soin de regarder en perspective la deuxième moitié du siècle, on voit nettement se former, puis se renforcer le grand courant du retour à l'ordre unique. Courant aveugle, d'ailleurs, et qui ne voit pas qu'il va détruire les fondations mêmes de ce qu'il prétend sauver.

Qui sont les acteurs de la période ? Le roi Louis XIV d'abord. Au printemps 1661, il va avoir vingt-trois ans. La mort de Mazarin sera l'occasion d'un coup de théâtre à la dimension de l'histoire de France. Le jeune roi décide et annonce que désormais il gouvernera lui-même son royaume. Il n'y aura plus de

---

1. Louvois, cité par Léonard, *op. cit.*, tome 2.

Premier ministre tout-puissant comme l'avaient été Sully et bien plus encore Richelieu et Mazarin. Il n'y aura plus même de Connétable pour commander l'armée. Au Conseil du Roi, plus de prince du sang, plus de cardinal, plus de noble de haute lignée. Les hommes avec qui il gouvernera, s'ils ont rang ministériel, sont peu nombreux et d'extraction modeste pour le temps : ce sont des bourgeois. Ainsi, en cas de disgrâce, personne ne les défendra. Au contraire, les grands du royaume, jaloux, applaudiront. On le vit bien avec Fouquet, le dernier surintendant des Finances, au moment de la prise de pouvoir effectif de Louis XIV. Ses successeurs, Colbert, Le Tellier ou son fils Louvois savent qu'ils ne tiennent donc leur pouvoir que du roi. C'est ainsi qu'il faut entendre le pouvoir « absolu », a fait justement remarquer François Bluche : non pas « sans limites », puisque les parlements et les peuples constituent de sévères freins, mais « sans liens », du latin *absolutus,* ne dépendant que de soi-même.

Tout concourt à cet « absolutisme » royal. A commencer par l'histoire personnelle du jeune souverain. Sa naissance est regardée comme un miracle, après vingt-deux ans de mariage de Louis XIII et d'Anne d'Autriche et quatre fausses couches de la Reine. C'est un vœu de son père, et pas n'importe lequel, celui de mettre la France sous la protection de la Vierge, « notre personne, notre Etat, notre couronne et tous nos sujets », qui est, pour tous, la cause de ce miracle. Le « vœu de Louis XIII », qui est à l'origine de notre fête du quinze août, est en fait légèrement postérieur à la conception royale, mais l'esprit du temps ne fait pas dans le détail. La mort de son père, alors que l'enfant n'a pas encore atteint l'âge de cinq ans, ne peut que renforcer dans sa sensibilité ce sentiment d'avoir été choisi. Dans son enfance encore, durant la régence de sa mère et le règne de Mazarin que le peuple déteste épisodiquement, il découvre les angoisses de la Fronde : un jour, il a dix ans, la famille royale doit prendre honteusement la fuite ; une autre nuit, il en a douze, il doit supporter que des milliers de conjurés excités défilent de longues heures dans sa chambre pour vérifier qu'il ne s'est pas enfui ; deux ans encore, et c'est la guerre civile, avec ses craintes et ses angoisses.

De tout cela, ce jeune homme secret (on n'est pas pour rien l'élève de Mazarin) a retenu une chose : le pouvoir ne se partage pas. La cour tout entière est organisée pour confirmer et conforter cette certitude que le roi est l'instrument de la Providence divine. Henri IV ne savait pas qu'il régnerait. Il a donc eu l'enfance normale d'un jeune prince, renforcée, dans son cas, par le caractère populaire de sa première éducation. Mais sans même remonter aux courses avec les petits campagnards à travers le parc du château de Coarraze dans les Pyrénées, les classes du collège de Navarre ne l'ont en rien distingué des jeunes nobles « normaux » qui l'entouraient. Ce n'est plus le cas avec Louis XIII et Louis XIV, rois avant que d'avoir pu s'interroger sur le règne. Quatre jours après la mort de son père, Louis XIV a quatre ans et demi lorsqu'il tient, par la force des choses, son premier lit de justice devant le Parlement. Il s'agit de casser les dispositions du testament de Louis XIII quant à l'organisation de la régence. Mais l'objet importe peu. Représentons-nous seulement ce que peut laisser, dans la mémoire consciente et inconsciente d'un enfant de cet âge, le spectacle de « toutes les chambres assemblées en robes et chaperon d'écarlate, les présidents revêtus de leurs manteaux et tenant leur mortier », tous agenouillés lors de l'entrée de l'héritier du trône, « vêtu d'une robe violette, et porté par les ducs de Joyeuse, grand chambellan, et comte de Charost, capitaine de ses gardes en son lit de justice ». Sa naissance est un miracle voulu par Dieu et la Vierge. Dès ses cinq ans, l'univers est agenouillé autour de lui. Tous les jours ou presque, à partir de ce moment, il recevra des ambassades, il assistera à des parades militaires, il passera en revue des régiments. Tout concourt donc à cette idée de la providence royale. C'est l'idéologie du temps. C'est la logique du trône de France et de ceux qui y sont appelés par la grâce de Dieu. C'est l'inévitable conséquence de l'éducation des enfants-rois. C'est la politique du monarque qui veut régner sans partage parce qu'il sait, pour l'avoir expérimenté, ce qu'est le désordre des frondes.

L'ordre et la gloire

Dès lors la concentration du pouvoir est en marche et atteindra tous les aspects de la vie du royaume. Les provinces sont soumises aux intendants nommés par le Roi. L'économie devient un sujet d'intervention de l'Etat : Colbert taxe lourdement les importations et encourage les exportations en attribuant le privilège royal à des manufactures et à des compagnies commerciales. Il se bat pour faciliter la circulation intérieure des marchandises, en abattant les péages, en améliorant, comme Sully, les voies de circulation. Les parlements et la noblesse voient leurs privilèges restreints. L'armée est reconstruite, rendue cohérente par une administration renouvelée. L'Eglise elle-même est soumise à l'autorité royale. Louis profite, en effet, du fort sentiment gallican pour asseoir son autorité sur la hiérarchie catholique. Il affronte le pape sur d'importants intérêts matériels. L'affaire fiscale dite de la « régale » lui permet d'affirmer son autorité et de braver celle du pape en revendiquant les revenus des évêchés vacants. Aucune fracture n'est négligée : à la fin de son règne, il interviendra dans la polémique janséniste en ordonnant la dispersion des religieuses de Port-Royal. Le royaume est sous une autorité unique : c'est la condition de l'ordre intérieur et de la puissance extérieure.

Enfin il y a, pour le roi, la considération de sa gloire. Dans l'ordre de la Providence, le roi est infaillible : c'est pour exercer cette infaillibilité qu'il a été choisi. Dans l'ordre de l'histoire, il faut qu'il soit Grand, que subsiste éternellement dans les mémoires le souvenir de son règne, à l'égal de celui de son grand-père, Henri IV. « Le roi est possédé plus qu'homme du monde du désir de la gloire », dit le pasteur Jurieu [1]. « On lui fait voir qu'après avoir fait trembler toute l'Europe, il n'y a rien qui soit plus capable de rendre la mémoire de son règne glorieuse que de réunir les religions en France. » Or l'histoire lui impose souvent de mettre l'accent sur sa réputation de roi Très-Chrétien. Chaque fois qu'il faut faire un signe à l'Espagne dont on convoite l'alliance, comme plus tard envers ceux des princes allemands qui sont catholiques, chaque fois qu'il faut essayer de marquer un point contre l'empereur pour l'empêcher de reconstituer l'empire de Charles Quint, le roi durcira sa politique d'unification religieuse. L'inverse sera vrai, bien sûr, mais moins souvent, moins fortement.

Et puis, il y a les convictions religieuses personnelles du monarque. L'homme est secret, difficile à percer à jour. Comme tous ses contemporains, il est assidu à la pratique religieuse, suivant ponctuellement la messe quotidienne, à la fin de son travail de la matinée, de son lit même, s'il est malade, et attentif aux sermons du dimanche et des fêtes, plusieurs dizaines par an. Les aventures du roi sont légion, d'autant plus secrètes qu'elles sont plus sérieuses, de Louise de la Vallière à Mme de Montespan, jusqu'à son remariage morganatique avec Mme de Maintenon, à qui on fera porter une lourde part de responsabilité dans la révocation, elle qui est, ironie du sort, la petite-fille d'Agrippa d'Aubigné. Mais quel est le fond de la conviction royale ? Le roi a de la piété. Il écarte de son esprit, malgré les innombrables démonstrations des plus grands prédicateurs du temps, toute question théologique. Il considère la religion comme un cadre du royaume. Quant à sa foi, elle connaîtra un tournant aux alentours de 1680. Mme de Maintenon note dans une lettre de 1679 : « Le roi est plein de bons sentiments. Il lit

---

1. Cité par D. Ligou, *op. cit.,* p. 245.

quelquefois l'Ecriture Sainte et trouve que c'est le plus beau des livres. Il avoue ses faiblesses. » Elle pousse son royal amant à se rapprocher de la Reine, pendant que l'aumônier du trône le père La Chaise le presse de s'en remettre à la dévotion. Ce mouvement est contredit par la flambée amoureuse pour Mme de Fontanges qui intervient à cette époque. Mais la jeune femme meurt en couches. « Le roi a de fréquents recours à Dieu », peut se réjouir à nouveau Françoise de Maintenon. A partir de cette époque, la conversion du roi, contemporaine de son remariage secret, très vite après la mort de la reine, se transmet à la cour. « Tout ici est missionnaire », écrira Mme de Sévigné.

Quant aux protestants, il n'a pas d'inclination pour eux. « Mon grand-père aimait les huguenots, dira-t-il vers 1668, mon père les craignait. Pour moi, je ne les crains ni ne les aime. » Dès 1671, dans ses *Mémoires pour l'instruction du Dauphin*, il dicte : « Je crus... que le meilleur moyen pour réduire peu à peu les huguenots de mon royaume était, en premier lieu, de ne point les presser du tout par aucune rigueur nouvelle, de faire observer ce qu'ils avaient obtenu de mes prédécesseurs, mais de ne rien leur accorder au-delà, et d'en renfermer même l'exécution dans les plus étroites bornes que la justice et la bienséance pouvaient permettre. » C'est la définition même de l'application restrictive, l'application « à la rigueur » de l'Edit, qui aurait dû donner l'alarme au monde protestant sur l'évolution de la politique royale.

Les autres acteurs de cette tragédie étaient moins en lumière que le roi. Les ministres étaient divisés : du vivant de Mazarin, dont le manque de passion en matière religieuse le défendait de toute aventure, seule la politique étrangère ou la pression de l'opinion publique commandait les changements. Mais il protégeait les protestants, au moins de sa passivité. En réponse aux doléances de l'Assemblée du clergé, il prend en 1656 la décision de réactiver les équipes de commissaires, un catholique, un protestant, chargés de contrôler sur place l'application du texte de Nantes. Il compte bien pouvoir mettre en valeur cette décision dans ses négociations avec l'Espagne pour obtenir la main de Marie-Thérèse. Mais il se garde bien de mettre cette annonce à exécution. Plus tard Colbert mesure tout le poids économique des protestants dans le royaume. Le Tellier, en revanche, est un dévot. Et son fils Louvois comprend vite qu'il y a là sujet à faire carrière. Il se range du côté de la répression. Quand Colbert mourra en 1683, les partisans de la compréhension à l'égard des protestants se trouveront fortement affaiblis au sein du Conseil.

L'Edit « à la rigueur »

On distingue généralement trois moments dans le quart de siècle qui conduit à la révocation. Deux périodes de durcissement, les années 60, de 1661 à 1669, et les années 80, jusqu'à la révocation de 1685, séparées par un entracte, la période calme des années 1670.

La crise des années 1660 commence par la mise en œuvre par le roi de la décision prise par Mazarin en 1656, à la demande de l'Assemblée du clergé : les commissaires royaux sont envoyés pour enquêter sur l'application de l'édit. Le catholique est généralement l'intendant, personnage respecté et fort de son autorité, le gentilhomme protestant qui l'accompagne est forcément de moindre importance. Ils sont accompagnés d'un ecclésiastique, chargé de faire la liste des manquements supposés à l'édit. C'est sur l'autorisation du culte que portent les contestations. Comme à la fin du siècle précédent, on généralise l'obligation de présenter des preuves écrites de l'existence du culte d'autrefois, près de cent ans auparavant, en 1577, 96 ou 97, pour admettre le droit d'exercice. A ce jeu, beaucoup de communautés sont victimes du manque de traces écrites et voient leur temple interdit. Partout, on supprime des lieux d'exercice, comme en pays de Gex, où l'on ferme 21 temples sur 24. Dans le Languedoc, 135 temples sont condamnés, sans qu'on soit certain que leur destruction est réalisée.

Dans le même temps, l'assaut de la « rigueur » est donné sur le plan juridique. Il s'agit d'abord de limiter, puis de supprimer le recours aux chambres de l'édit, dont la composition et la spécialisation avaient rendu la jurisprudence trop indulgente aux protestants. En 1667, on exclut donc la plupart des affaires de la compétence de ces chambres, avant de les supprimer purement et simplement à Paris et à Rouen en 1669, à Bordeaux, Toulouse et Grenoble en 1679.

Cette évolution « à la rigueur » est théorisée par plusieurs « juristes » ou apologistes. Le père jésuite Meynier publie une étude « de l'exécution de l'Edit de Nantes et le moyen de terminer dans chaque province le Grand Différend et ses principales suites ». Son argumentaire lui vaut une pension de mille livres. Pierre Bernard, magistrat, conseiller au présidial de Béziers, publie en 1666 une monumentale « Explication de l'édit de Nantes par les autres édits de pacification ». Partout la démarche est la même, il s'agit de suggérer des raisonnements juridiques ou casuistiques pour vider l'édit de son contenu en interprétant le texte dans le sens littéral le plus restrictif. Exemple, entre cent : les articles VII et VIII de l'édit de Nantes reconnaissaient aux seigneurs protestants haut-justiciers le droit d'exercer le culte en leurs châteaux « tant qu'ils y seront résidents », ainsi qu'en « leurs autres maisons de toute justice ou fiefs de haubert, tant qu'ils y seront présents ». On va donc prendre les mots de « résidents » et « présents » au pied de la lettre. Lorsque le seigneur est officier d'une cour souveraine, il est tenu d'avoir résidence à la ville où se trouve cette cour. Par conséquent, son château n'est plus sa « résidence », et ce raisonnement annule la liberté de culte dans nombre de maisons nobles. De même, la « présence » ne peut s'entendre, selon Bernard, que physiquement. Si le seigneur n'assiste pas en personne au culte, celui-ci doit être interdit. Ainsi encore de la définition des régions françaises concernées par l'édit de Nantes : le Béarn n'appartenant pas, on l'a vu, à la couronne de France en 1598, les garanties accordées par l'édit ne peuvent pas s'y appliquer ; idem pour le pays de Gex, etc.

Dans cette ambiance, les parlements et les magistrats multiplient les jugements défavorables aux protestants dans leur vie de tous les jours. Plusieurs centaines de jugements nationaux ou locaux vont tous, ou presque, dans le même sens. Interdictions et humiliations s'attaquent aux symboles : les nobles protestants se voient interdire de posséder au temple des bancs ornés de fleurs de lys ; les communautés doivent rendre les cloches frappées de quelque signe catholique ; à ces cloches, on impose le « repentir » du fouet ou un ensevelissement provisoire, puis le baptême officiel avant de les remettre en service ! Le chant des psaumes est particulièrement visé : il est interdit d'abord de les chanter dans la rue ou en public, de peur d'offenser les catholiques oreilles ; puis on en vient à interdire de les chanter chez soi, à domicile ou au travail, si quelqu'un peut les entendre de la rue. Les obsèques sont sévèrement censurées : la lumière du jour leur est presque interdite de fait et les cortèges aussi, nous l'avons vu. La même sévérité frappe les assemblées qui voudraient fêter un baptême ou un mariage : pas plus de douze personnes !

Peu à peu, en particulier après 1680, la liste s'allonge des professions interdites aux huguenots : greffiers, notaires, administration fiscale, modeste fonction publique locale, leur deviennent interdits ; puis procureurs, huissiers et sergents ; puis les métiers d'apothicaires et d'épiciers ; d'imprimeurs et de libraires ; d'avocats. En 1681, il fut fait défense aux artisans de recevoir des apprentis ; il n'est pas jusqu'à la vocation de sage-femme et même à celle de lingère qui ne se voie désormais réservée aux catholiques.

Les ministres huguenots sont spécialement visés. Si l'on

veut empêcher la multiplication de l'hérésie, il convient de diminuer de toutes les manières le nombre de ceux qui la prêchent. On les assujettit aux impôts, les tailles, dont ils étaient dispensés comme les ecclésiastiques. Puis on leur interdit de se former hors du royaume. On interdit la venue de pasteurs étrangers. On supprime tout exercice religieux hors de la présence du pasteur, ce qui suspend le culte en cas de maladie. On interdit aux communautés de participer à l'entretien d'un pasteur s'il ne réside pas à plein temps. Cela revient à condamner les annexes. On défend aux pasteurs d'avoir auprès d'eux des stagiaires pour les former. On interdit aux ministres de demeurer plus de trois ans dans la même bourgade. Tout cela construit une jurisprudence sans pitié, extrêmement dissuasive.

Une des armes les plus efficaces contre les communautés sera l'ensemble des édits antirelaps. Sous couvert d'interdire le prosélytisme huguenot, on met en place une jurisprudence impitoyable. En 1663, 1665, 1679, on interdit toute conversion à la réforme. Puis les « relaps » sont condamnés au bannissement. Le but est atteint lorsque les ministres qui auront reçu un converti sont à leur tour condamnés à être bannis. En 1679, enfin, il est prescrit que tout temple où sera simplement entré un relaps se verra condamné à la destruction. C'est presque l'arme absolue pour l'éradication des temples protestants. Il suffit de témoigner qu'un ancien huguenot converti au catholicisme est revenu au temple pour obtenir que le lieu de culte soit rasé ! Des guetteurs postés à l'entrée des temples ont pour mission de renseigner les autorités.

C'est enfin à l'enfance que l'on s'attaque : l'idée générale étant de multiplier les conversions précoces de petits protestants. Dès le début des années soixante, le changement de religion est accepté à quatorze ans pour les garçons et à treize ans pour les filles. En 1681, cet âge sera avancé à « l'âge de raison » de sept ans ! On interdit aux pasteurs de recevoir chez eux des pensionnaires. L'école n'est autorisée qu'autour d'un seul maître par communauté et les programmes suivis ne peuvent pas dépasser la lecture et l'écriture. Rapidement, ce sont les collèges qui sont frappés et transmis aux ordres religieux catholiques.

Ce grand mouvement de persécution juridique connaît parfois des périodes de répit : c'est le cas pendant une dizaine d'années à partir de 1669. Une déclaration du roi au mois de février, vivement attaquée par l'Assemblée du clergé l'année suivante, annule une série de décisions très agressives. C'est que l'on a besoin des protestants pour conduire la guerre. Le roi les rétablit alors dans la plupart de leurs droits : il reconnaît les organisations ecclésiastiques, le droit de participer aux conseils municipaux, le droit de demander des contributions aux fidèles pour le culte réformé, il les exonère des contributions au culte catholique, et rend aux pasteurs le droit de visiter les malades dans les hôpitaux.

Payer pour convertir

Dans la période 1669-1679, on va suivre une autre stratégie. Au lieu du bâton, la carotte. L'autorité royale va proposer des avantages matériels considérables aux protestants qui acceptent de se convertir. Cette politique commence dès 1663 : les « nouveaux catholiques » se voient reconnaître le droit de ne pas avoir à payer leurs dettes à leurs coreligionnaires protestants. A la fin des années soixante-dix, on leur accorde un moratoire de trois ans pour rembourser le capital de leurs créances : on est en période de récession et c'est donc un immense avantage.

L'idée fait peu à peu son chemin d'élargir ces avantages matériels. Pourquoi ne pas payer des indemnités aux protestants qui se convertiraient ? C'est l'objet de la Caisse des

Conversions que dirigera Paul Pellisson. Ce dernier est avocat et écrivain, né à Béziers, monté à Paris. Assez vite, il est bien en cour, reçu au nombre des intellectuels sceptiques du temps, où son esprit, son détachement sont appréciés. En 1653, il entre à l'Académie. Il devient un des proches de Nicolas Fouquet. Il se bat pour lui, le suit à la Bastille où il passera quatre ans. Mais lorsqu'il en sort, au lieu d'être disgracié à vie, il retrouve assez vite son crédit. En 1669, il est nommé historiographe du roi. Il se convertit en 1670 et bâtit sa fortune sur la politique de conversion des protestants dont il se fait le théoricien : « L'appât du gain, dit Pellisson, est un pédagogue qui chasse les mauvais sentiments. Le temporel ouvre la voie au spirituel. »

On met donc en place, à partir de 1675, une caisse, dont Pellisson est l'administrateur, destinée à financer les conversions. Cette caisse est alimentée d'abord par la Compagnie du Saint-Sacrement et les Etats du Languedoc, puis par le testament de Turenne et le revenu d'un certain nombre d'abbayes. Le revenu dégagé est de l'ordre de 150 000 livres par an. C'est une somme importante. Mais l'entreprise se heurtera à deux inconvénients majeurs. D'abord le nombre. Même si l'intégralité des sommes se trouvait répartie, sans déperditions, entre les convertis, l'indemnité individuelle ne pourrait être, au bout du compte, que relativement basse. Et elle n'est attribuée qu'une seule fois, pour quelqu'un qui perd d'une certaine manière son réseau de relations. N'émargeront donc à la caisse que les plus misérables, dont la préoccupation spirituelle est faible et l'intention bien arrêtée de se présenter plusieurs fois, sous des noms différents, pour encaisser l'indemnité, de plus en plus forte. D'autre part, et comme on pouvait le prévoir, l'administration de la caisse est une passoire. Tout le monde se sert. Au bout du compte, c'est un fiasco, malgré les bilans flatteurs que Pellisson, rendant compte au roi, dresse de sa propre action, quelque dix mille convertis réclamés, dont près de cinq mille dans une seule région.

La terreur missionnaire

On aborde le tournant des années 80 : la persécution juridique a pris un nouveau départ ; la caisse de conversion a montré ses limites. Reste la violence. C'est le début des dragonnades. Depuis longtemps, on avait observé qu'une des contraintes qui terrifiait le plus les populations était l'installation dans les villes et les bourgs de troupes nombreuses de gens de guerre, dépendant de l'immense armée, quelque 300 000 soldats, réunie par Louis XIV. Les Dragons, spécialement, font peur, en raison de la violence de leur comportement, aussi bien que de leur uniforme spectaculaire à bonnet rouge. Marillac, l'intendant du Poitou, avait développé une méthode de conversion fondée sur la terreur fiscale. Il appliquait aux protestants des impôts particuliers, exigibles immédiatement, pour rembourser par leur seul effort les arriérés d'impôt dus par la province. Le personnel fiscal ne suffisant pas à recouvrer ces taxes, il eut l'idée de faire appel à la soldatesque. Ses liens avec Louvois lui permirent d'obtenir une permission au moins tacite.

En quelques semaines, la troupe s'installe chez les protestants et chez eux seuls, ruine et dévaste les logements, emporte les meubles pour les vendre, puis elle s'installe à leur compte dans les auberges, dépensant en un mois tout ce que possédaient leurs hôtes, et au-delà, multiplie les violences à l'égard des biens et des personnes. Le maître d'école Jean Migault qui nous a laissé un récit autographe de l'événement voit sa femme, qui relève de couches, « chauffée » par les soldats, qui l'exposent à la chaleur étouffante d'un gigantesque foyer. Elle ne se remettra pas de cette épreuve et mourra quelques semaines après leur forfait. Partout, dans les maisons protestantes, ce sont des violences et des dévastations. La dragonnade dure deux grands mois. Les populations terrifiées se soumettent. La première dragonnade fait 30 000 « convertis » d'un coup, trois fois plus que la totalité des listes de la caisse de Pellisson.

En Béarn, c'est Nicolas-Joseph Foucault qui dirige la politique de répression. Homme de guerre et fin lettré, il est arrivé à Pau le 1er mars 1684, nommé intendant, tout entier habité par l'idée de « travailler aux conversions ». Dès le mois de mai, il va se « faire la main » sur les protestants de Pontacq : en deux jours, il en « convertit » une centaine sur les cinq cents que compte le bourg. A ceux que les menaces ne convainquent pas, on montre des exemples plus éloquents. On chasse du Parlement de Navarre les magistrats favorables à la réforme. On se met à démolir les temples, sous les prétextes habituels : on y a surpris un relaps, ou les ordonnances qui régissent le culte n'ont pas été respectées. En deux mois, il ne reste plus un temple dans tout le Béarn. Foucault a même été machiavélique : sur les quelque trente temples béarnais, il affecte d'en laisser subsister cinq. Mais il choisit, en toute connaissance de cause, cinq temples où il est sûr que la loi n'est pas respectée. La sentence de démolition les frappera donc à coup sûr, sans qu'il se donne l'air d'y avoir été mêlé. Au bout du compte, le culte réformé devient impossible.

Surtout, il répand le bruit que les dragons arrivent et montre à l'envi les ordres de Louvois qui mettent à sa disposition les compagnies de « missionnaires bottés » qui répandent la terreur. Ainsi lorsqu'il envoie des Jésuites ou des Capucins prêcher la bonne parole, la seule rumeur de l'arrivée des dragons suffit à multiplier les abjurations. A Oloron, c'est le pasteur lui-même qui se convertit dans l'enceinte de la cathédrale. A Orthez, on annonce la conversion de 3 800 protestants sur les 4 000 que compte la ville : la présence des dragons paraît régler, à bon compte, la question religieuse. Et Foucault peut annoncer triomphalement : « De vingt-deux mille religionnaires qu'il y avait en Béarn, il s'en est converti vingt et un mille jusqu'à la fin du mois de juillet 1685. » Le commentaire qu'il donne de sa méthode suffit à juger l'esprit du temps : « Il y en a beaucoup qui, à l'approche des gens de guerre, ont abjuré sans les avoir vus. La distribution d'argent en a aussi beaucoup attiré à l'église. Le Béarnais a l'esprit léger, et l'on peut dire qu'avec la même facilité que la reine Jeanne les avait pervertis, ils sont revenus à la religion de leurs pères... »

Dans le Languedoc, les Cévennes, le Dauphiné, partout c'est la même terreur : prévenus de l'arrivée des dragons, en une panique générale, les protestants se convertissent en masse pour n'avoir pas à subir les persécutions, la destruction et la ruine de leurs biens, les sévices physiques.

On comprend dès lors le sentiment de la cour, où arrivent de toute la France les rapports plus triomphants les uns que les autres : le protestantisme est en train de disparaître du royaume. La décision de révocation peut apparaître alors comme la conclusion logique de cet irrésistible mouvement.

RÉVOCATION

A l'automne 1685, en quelques jours, la conviction s'est imposée dans l'esprit du roi qu'il faut frapper un grand coup. Bien sûr, son épouse, Françoise de Maintenon, l'y pousse, elle qui disait en 1681 : « Si Dieu conserve le Roi, il n'y aura plus un huguenot dans le royaume dans vingt ans. » En septembre de la même année, elle conseille à son frère de profiter de la dragonnade du Poitou pour acheter des terres : « Elles se donnent pour rien ; et la désolation des Huguenots en fera vendre encore. » Le père La Chaise n'est pas en reste, et l'air du temps est à la rigueur. Mais on prête facilement aux femmes et aux éminences grises lorsqu'il s'agit de la raison d'Etat. Comme si toujours les souverains étaient bons, et toujours mal conseillés... En réalité Louis XIV est le maître et les raisons internationales sont bien plus puissantes : le roi a sans doute rêvé d'être candidat à l'Empire, de remplacer les Habsbourg et d'unifier l'Europe de Charlemagne sous sa seule autorité. C'est pourquoi il a refusé de se joindre à l'alliance presque désespérée des princes d'Allemagne, catholiques et protestants, pour arrêter les Turcs devant Vienne, au Kahlenberg.

Une alliance secrète a même été conclue avec le Sultan. C'est la vieille politique française, celle de François Ier, une alliance de revers avec les Turcs pour affaiblir, et peut-être abattre l'Empire. Un siècle et demi plus tôt, en 1543, François Ier n'avait-il pas hébergé à Toulon, le temps d'un hiver, les trente mille barbaresques de retour du sac de Nice ?

Mais tout tourne mal pour le Sultan. En 1688, acculé, il en est réduit à demander la paix. Louis XIV attaquera brutalement l'Allemagne pour ouvrir un nouveau front à l'Ouest et sauver ainsi l'Empire ottoman d'un effondrement complet. Le pape Innocent XI constate avec amertume que c'est le jour même de la prise de Belgrade sur les Turcs que Louis XIV annonce son entrée en guerre. Toute l'Europe accuse le roi de France d'être l'allié des Mahométans. Et l'opinion française, qui n'aime ni le pape ni les Allemands, ne dément pas cette accusation :

> *J'aime mieux les Turcs en campagne*
> *Que de voir nos vins de Champagne*
> *Profanés par les Allemands*

écrit La Fontaine, tandis que Madame de Sévigné parle de « notre frère le Turc ». Et ce n'est pas un mince paradoxe que de voir, comme le note Elie Benoît, s'exercer à l'égard de l'Islam et de son culte une indulgence que l'on refuse avec violence à l'égard du protestantisme : « Ce même zèle qui ne voulait pas souffrir l'exercice de la religion réformée même secret s'était relâché en faveur de la religion mahométane dont il avait permis l'exercice public à Marseille. »

Mais en 1683, il demeure que l'Empereur Léopold Ier a réussi à repousser l'assaut des Turcs. Il devient la vedette de l'Europe catholique. Presque dans le même temps, en 1685, un événement considérable se produit en Angleterre : un roi catholique monte sur le trône des Stuarts. Jean Orcibal y voit le tournant décisif : « La conjoncture internationale, telle qu'elle résultait en particulier de l'avènement d'un roi catholique en Angleterre avait sans doute mis fin aux hésitations de Louis XIV. » L'ambiance est au triomphe catholique, et – qui sait ? – peut-être à une sourde rivalité entre souverains. La France sera-t-elle le dernier royaume d'Europe qui tolérera en son sein la diversité religieuse ?

Une spectaculaire décision anti-protestante peut sans doute

aider le roi dans ses rapports avec le pape. Depuis huit ans le conflit s'est beaucoup durci entre le souverain français et le Saint-Siège. L'affaire est à la fois économique et symbolique. Le roi de France, en 1673, justifiant sa décision par la nécessité de financer la guerre de Hollande, présentée comme une croisade antiprotestante, avait étendu la *régale* aux 59 évêchés du Midi de la France, qui en étaient exempts depuis quatre siècles. Ce vieux droit coutumier, fort controversé, permettait au roi de percevoir directement, en cas de vacance d'un évêché, ses revenus jusqu'à la nomination d'un nouveau titulaire... qu'il était maître de désigner. Innocent XI proteste avec la dernière énergie contre cette atteinte à l'indépendance morale et financière de l'Eglise. Mais les évêques français se rangent comme un seul homme derrière le souverain gallican. Il est vrai qu'ils sont tous nommés par lui, puisque, depuis le concordat de Bologne, en 1516, le pape a perdu tout droit de regard sur la nomination des titulaires des abbayes et même des évêques. Lié par la décision du roi de France, le Pape se borne à donner au candidat choisi par le roi l'investiture spirituelle. C'est ainsi que sont le plus souvent nommés de hauts personnages, auxquels le roi accorde ainsi des bénéfices qui ne lui coûtent rien, et qui sont intimement liés aux intérêts et à la politique du trône.

Le roi soutient le conflit. Dans un climat de plus en plus tendu, Rome s'éloigne. Un geste pourrait-il regagner une partie du terrain perdu dans ce conflit ? La révocation de l'édit de Nantes pourrait-elle être celui-là ?

A l'intérieur du Conseil, beaucoup le pensent. Colbert est mort. Le clan du vieux chancelier dévot Le Tellier, âgé de quatre-vingt-trois ans, a pris le pas sur le clan « tolérant ». Pour lui, qui sent approcher l'heure de sa mort, l'abolition de l'édit serait un accomplissement. Le roi décidera même de hâter la décision pour donner à son ministre cette ultime satisfaction. A l'annonce de la nouvelle, le vieil homme qui mourra quelques jours plus tard aurait même, selon Elie

Benoît, murmuré la prière d'actions de grâce du vieillard Siméon qui, ayant rencontré l'enfant-Messie, a vu enfin le jour qu'il attendait : « Maintenant, Seigneur, tu peux laisser ton serviteur s'en aller en paix. »

Un coup d'éclat

Louis XIV a-t-il perçu l'importance de la décision qu'il allait prendre ? On a beaucoup insisté sur le déficit d'information du monarque absolu. Aucune statistique n'est alors disponible. Des rapports complaisants qui ne cessent de lui rapporter comme des faits ce qui est, dans le meilleur des cas, de l'ordre du vœu pieux. On lui annonce des dizaines de milliers de conversions séduites par l'argent ou forcées par les dragonnades. A-t-il une idée du nombre réel des protestants vivant dans son royaume ? Sans doute pas. L'accumulation des communiqués de victoire des « convertisseurs » pouvait-elle l'abuser et lui donner le sentiment que les quelques protestants qui restaient étaient résiduels, une dernière adhérence qu'un geste décidé pouvait emporter sans douleur ? On l'a beaucoup dit, peut-être pour excuser le roi. En réalité, s'il pouvait ignorer le nombre des Religionnaires, il ne pouvait sous-estimer la portée de sa décision. Lui qui avait vécu toute sa vie dans la comparaison de son règne avec celui de son grand-père, Henri Le Grand, et qui avait eu, à chaque moment de son règne, à traiter, dans sa politique intérieure comme dans sa politique étrangère, des conséquences de l'édit de Nantes, ne pouvait que mesurer le poids de la signature qu'il allait apposer au bas de l'édit de Révocation.

C'est donc un coup d'éclat que recherche Louis XIV, en ce mois d'octobre 1685. Au Conseil, Le Tellier a proposé un texte auquel il a beaucoup travaillé. Louvois le soutient, lui qui a été l'inventeur des dragonnades. Le Dauphin seul montre quelque réticence, mais Colbert disparu, une grande voix manque pour soutenir la politique des tolérants. L'ordre du roi ne souffre pas de contestation. Une ultime réunion du Conseil, le 17 octobre, en fin de matinée, à Fontainebleau. Et Louis XIV, roi de France et de Navarre signe enfin l'édit « perpétuel et irrévocable » qui « supprime et révoque » l'édit du roi Henri IV, son « aïeul », donné à Nantes quatre-vingt-sept ans auparavant. Et le même grand sceau de cire verte, les mêmes lacs de soie rouge et verte, scellent, sous l'applaudissement unanime, un des plus grands retours en arrière qu'ait connus la France, et le plus dangereux des ferments dans l'histoire de la royauté. Louis XIV ne le sait pas, et naturellement l'esprit partisan le couvre d'ovations. Mais il vient de sceller sa propre histoire et l'histoire du trône. Il a rejoint la malédiction des Valois au moment de la Saint-Barthélemy. Le trône est devenu puissance d'injustice.

« Perpétuel et irrévocable » : la répétition des mots tranche la discussion historique sur la signification de ces termes dans la rédaction même de l'édit de Nantes. Bien entendu, les rédacteurs de 1598 savaient que « l'irrévocable » peut être révoqué, et le « perpétuel » interrompu, si telle est la décision du prince, que l'on croit choisi par la Providence. Mais c'était comme un signe, au travers du temps, que de tels édits n'étaient pas tout à fait de même nature que les autres, qu'ils en prenaient un degré de plus dans la solennité, comme un avertissement qu'il n'y faille toucher qu'après lourde méditation et en certitude. L'avertissement n'est pas entendu. Et l'exposé des motifs en est fort embarrassé.

Il faut une reconstruction historique pour justifier la continuité de la monarchie au travers du temps et sa perpétuelle infaillibilité. Sous la plume de 1685, l'édit de Nantes devient tactique. Si l'édit a été pris, c'est d'abord pour sauver la paix civile : « Le roi Henry-le-Grand, notre aïeul de glorieuse mémoire, voulant empêcher que la paix qu'il avait procurée à ses sujets, après les grandes pertes qu'ils avaient souffertes par la durée des guerres civiles et étrangères, ne fût troublée à l'occasion de la RPR, comme il était arrivé sous les règnes des rois ses prédécesseurs... » ; c'est ensuite et surtout pour rendre plus facile la réunification des églises ! « pour diminuer l'aversion qui était entre ceux de l'une et de l'autre religion, afin d'être plus en état de travailler, *comme il avait résolu de le faire,* pour réunir à l'Eglise ceux qui s'en étaient si facilement éloignés... » L'édit de Nantes dit explicitement le contraire : c'est à Dieu de réunir s'il le souhaite et c'est aux hommes de veiller à ce que la division ne cause ni trouble ni haine, tant est brûlante la passion religieuse. Mais il est curieux de voir comme au travers de l'histoire, c'est l'interprétation de l'Edit d'intolérance qui s'est imposée contre l'inspiration de l'Edit de tolérance !

Le préambule procède ensuite à une relecture de la longue période qui sépare les deux édits. La thèse générale est simple : si l'édit de Nantes n'a pas été abrogé plus tôt pour provoquer la réunion des chrétiens au sein de la seule véritable Eglise, c'est que des accidents extérieurs à la volonté des souverains l'ont empêché : la mort d'Henri IV d'abord, puis la guerre extérieure et la guerre civile ont retenu tous les soins des souverains et ne créaient pas le climat nécessaire : « les guerres avec les étrangers étant survenues peu d'années après, en sorte que, depuis 1635 jusqu'à la trêve conclue en l'année 1684 avec les princes de l'Europe, le royaume ayant été peu de temps sans agitation, il n'a pas été possible de faire autre chose pour l'avantage de la religion... »

La dernière période enfin a été plus faste : « Dieu ayant enfin permis que nos peuples jouissent d'un parfait repos, et que nous-mêmes n'étant pas occupés du soin de les protéger contre nos ennemis, ayons pu profiter de cette trêve que nous avons facilitée à l'effet de donner notre entière application à rechercher les moyens de parvenir au succès... » La politique volontariste de conversions a porté les fruits qu'on en attendait : « nos soins ont eu la fin que nous nous sommes proposée, puisque la meilleure et la plus grande partie de nos sujets de ladite RPR a embrassé la catholique... » Cette *meilleure et plus grande partie* ne s'apprécie pas, bien entendu, en termes numériques. Sous l'Ancien Régime le nombre compte moins que la qualité sociale. Or les conversions avaient atteint d'abord l'aristocratie, qui aspirait aux avantages et à la faveur du pouvoir, ensuite de larges pans de la bourgeoisie. Louis XIV avait d'ailleurs médité cette stratégie : « Quant aux grâces qui dépendaient de moi seul, écrit-il dès 1661 dans ses *Mémoires*, je résolus de ne leur en faire aucune, pour les obliger par là à considérer de temps en temps, d'eux-mêmes et sans violence, si c'était avec quelques bonnes raisons qu'ils se privaient volontairement des avantages qui pouvaient leur être communs avec mes autres sujets... » Cette politique de pressions sociales, de faveurs réservées aux catholiques, n'avait pas manqué de produire ses effets auprès de tous ceux, dans cette France monarchique, qui dépendaient de la cour. Et la longue liste des notables « convertis » avait, avec le temps, donné l'impression d'un glissement irréversible.

C'est ainsi que le rédacteur de l'édit de révocation présente le contexte et la logique de la décision : une décision prévue dès l'origine, retardée par les accidents de l'histoire, préparée par une politique de conversion qui a réussi, rendue presque naturelle par la conversion en masse, d'ores et déjà acquise, des protestants. La conclusion est donc évidente : « (Comme) l'exécution de l'édit de Nantes... demeure (donc) inutile, nous avons jugé que nous ne pouvions rien faire de mieux pour effacer entièrement la mémoire des troubles, de la confusion et des maux que le progrès de cette fausse religion a causés dans notre royaume... que de révoquer entièrement ledit édit de Nantes, et les Articles particuliers qui ont été accordés ensuite... et tout ce qui a été fait depuis en faveur de ladite religion. »

« *Supprimons et révoquons* »

Vient ensuite la révocation en elle-même, entourée de la pompe et de la majesté royales : « Nous, de notre certaine science, pleine puissance et autorité royale, avons par ce présent édit perpétuel et irrévocable, supprimé et révoqué, supprimons et révoquons l'édit du roi, notre aïeul, donné à Nantes au mois d'avril 1598, en toute son étendue... ; les déclarons nuls et comme non avenus. » Il y aurait, pour un connaisseur des âmes, beaucoup à méditer sur cette formule. Qu'il ait fallu mobiliser, en une formule inédite, la certitude du Roi qui sait, la force du Roi qui peut, l'autorité du Roi qui ordonne, pour supprimer et révoquer par deux fois, au passé composé et au présent, pour l'avenir et de manière perpétuelle, quelque chose qui était devenu *inutile*, montrera quelle profonde incertitude se trouvait en fait révélée par cette accumulation de certitudes.

L'édit de révocation se présente comme un édit de liquidation. Il ordonne la destruction immédiate des temples (article I) ; il supprime le culte public et interdit le culte privé, sous « peine de confiscation de corps et de biens » ; il traite ensuite des pasteurs qui, malgré la réticence calviniste à l'égard de tout cléricalisme, n'en demeurent pas moins les animateurs, à la tête de chacune des églises. L'article IV les invite, s'ils ne veulent pas se convertir, à émigrer. Dans le cas où ils accepteraient de changer de religion, l'Etat leur garantit le maintien de leurs pensions augmentées d'un tiers et réversibles à leurs veuves, ainsi que le maintien de leurs exemptions fiscales (article V). S'ils désirent devenir avocats, on les dispense des études correspondantes (article VI). Les écoles sont supprimées et interdites (article VII). Le baptême catholique devient obligatoire pour les nouveau-nés. Pour les protestants émigrés, un délai de quatre mois leur est offert pour revenir en France, y retrouver leurs biens et leurs droits ; pour les autres, ces biens sont confisqués. Enfin, l'article X prononce l'interdiction d'émigrer sous peine de galères pour les hommes, de saisie de corps et de biens pour les femmes.

L'article XI qui sera d'ailleurs fort discuté maintient une seule des libertés des édits de tolérance, la liberté de conscience, à condition de renoncer au culte et aux assemblées.

« *L'hérésie n'est plus...* »

Il faudra quelques années avant que la révocation ne soit ressentie, par quelques esprits indépendants, comme la faute capitale de Louis XIV. Dans un premier temps, c'est un applaudissement presque universel. Bossuet y prend un envol exalté : « Ne laissons pas de publier ce miracle ; faisons-en passer le récit aux siècles futurs... Nos pères n'avaient pas vu, comme nous, une hérésie invétérée tomber tout à coup ; les troupeaux égarés revenir en foule, et nos églises trop étroites pour les recevoir ; leurs faux pasteurs les abandonner sans même en attendre l'ordre... Touchés par tant de merveilles, épanchons nos cœurs sur la piété de Louis. Poussons jusqu'au ciel nos acclamations et disons à ce nouveau Constantin, à ce nouveau Théodose, à ce nouveau Marcien, à ce nouveau Charlemagne, ce que les six cent trente Pères dirent autrefois dans le concile de Chalcédoine : vous avez affermi la foi ; vous avez exterminé les hérétiques ; c'est le digne ouvrage de votre règne. Par vous l'hérésie n'est plus ; Dieu seul a pu faire cette merveille. Roi du Ciel, conservez le Roi de la terre ; c'est le vœu des Eglises, c'est le vœu des Evêques [1] ! » La cour

---

1. Bossuet, *Oraison funèbre de Messire Michel Le Tellier, chancelier de France*, prononcée dans l'église paroissiale de Saint-Gervais, où il est inhumé, le 25 janvier 1686, cité dans *Eloge et Condamnation de la Révocation de l'Edit de Nantes*, Textes d'histoire protestante rassemblés par Freddy Durrleman, Edition revue et augmentée par Catherine Bergeal et Antoine Durrleman, « La Cause » 1985.

tout entière rivalise de louanges. Mlle de Scudéry écrit à Bussy que « le Roi fait des merveilles contre les huguenots, et l'autorité dont il se sert pour les ramener à l'union de l'Eglise leur sera salutaire à la fin, et, au pis aller, à leurs enfants qui seront élevés dans la pureté de la foi. Cela lui attirera les bénédictions du ciel ». Et Madame de Sévigné, dans une lettre au même : « Vous aurez sans doute vu l'édit par lequel le Roi révoque celui de Nantes. Rien n'est si beau que ce qu'il contient et jamais aucun roi n'a fait et ne fera rien de si mémorable. » Et La Bruyère, qui changera d'avis quelques années plus tard : « Il faut que le roi sache se renfermer dans les détails de son royaume, qu'il en bannisse un culte faux, suspect et ennemi de la souveraineté... Richelieu a eu du temps pour entamer un ouvrage continué ensuite et achevé par l'un de nos plus grands et de nos meilleurs princes, l'extirpation de l'hérésie [1]. »

Pour accueillir les NC, les nouveaux convertis, il faut faire de grandes dépenses, agrandir les églises, imprimer des livres missionnaires censés les conduire à la vraie foi. Il faut surtout envoyer vers eux des prédicateurs convaincants, ceux qui prêchent en français, ceux qui sont capables de rivaliser avec leurs nouvelles ouailles en connaissance des Ecritures. Tout cela, l'Etat en assumera la charge, d'abord en utilisant les fonds saisis auprès des églises supprimées, ensuite en mettant fin, vieille habitude du Trésor public à toutes les époques, aux exemptions fiscales dûment promises.

Il fallait sans doute une grande ignorance de l'humanité pour croire à cette politique de terreur, de répression et d'abolition des droits. C'est pourtant toute la cour qui fut ainsi entraînée à ruiner l'ouvrage le plus original des institutions françaises. L'absolutisme, la mode et l'esprit courtisan,

---

1. La Bruyère, *Caractères* (Ch. X : Du Souverain et de la République). Les trois citations sont extraites du même volume de F. Durrleman.

chacun eut une part de responsabilité dans la décision et dans son approbation. Chacun donc participa à sa manière à la faute commise non seulement contre la tolérance, mais contre l'unité nationale et, au bout du compte, contre la monarchie.

LES ÉLUS
ET LA NOUVELLE BABYLONE

Le Refuge

L'abolition de l'édit de Nantes est un coup de tonnerre sur la communauté des protestants français. Pour la plupart d'entre eux, malgré les entorses continuelles et les agressions répétées de la politique de « rigueur », ce sont quatre-vingts ans de tranquillité qui s'achèvent. Les incidents, les injustices, ils les avaient vécus comme des abus de leurs proches, de leurs voisins, des cours de justice, des parlementaires catholiques, non pas comme l'expression de la volonté du souverain. Pour beaucoup d'entre eux, la seule réponse, ce sera l'exil.

Malgré l'interdiction d'émigration, malgré les menaces, environ deux cent mille protestants vont quitter le royaume après l'édit de Révocation, soit environ un cinquième de l'ensemble des protestants français (entre 890 000 et 1 250 000 sur une population totale de 18 à 20 millions).

Le gros des départs a eu lieu entre 1686 et 1689. Les émigrants allèrent vers les Pays-Bas, qui accueillirent 65 000 huguenots, les îles britanniques (60 000), l'Allemagne (30 000), et la Suisse (22 000).

L'exil des protestants français vers ces destinations privilégiées n'était pas une nouveauté. Déjà, au XVIᵉ siècle, des protestants avaient dû quitter la France et des Eglises françaises s'étaient constituées dans les pays d'accueil. Le mouvement avait repris, bien avant la révocation, dès les premières chicanes après l'avènement personnel de Louis XIV, malgré les interdictions renouvelées, pour s'amplifier au début des années 1680, avec les premières dragonnades.

Le refus du droit d'émigrer par l'édit de révocation n'était pas une nouveauté juridique. Déjà, en 1669, le pouvoir refusait le départ des « prétendus réformés » sauf « permission » expresse, et, en 1682, faisait « défense à tous les gens de mer et de métier de la R.P.R. » de quitter le royaume « à peine de galères ». L'édit de Révocation ne faisait donc que reprendre ces dispositions en formulant de « très expresses et itératives défenses (...) sous peine pour les hommes des galères, et de confiscation de corps et de biens pour les femmes ».

Seuls, en fait, les pasteurs, il faut le rappeler, avaient la possibilité de partir – sous quinze jours... – : il s'agissait, pour le pouvoir royal, d'affaiblir définitivement la religion protestante en lui enlevant ses cadres : sans pasteurs, pensait-on, le protestantisme ne pouvait renaître...

La France du Midi fut très touchée par cet exode, car la grande majorité des protestants – les 7/8e – se concentraient au sud de la Loire. Mais l'impact de l'exil sur les communautés fut plus dramatique encore au nord, où, bien souvent, le protestantisme était déjà réduit à un grand état de fragilité.

Les difficultés de la fuite

Le roi de France ne se contentait pas d'interdire le départ des huguenots de son royaume. Bien au-delà d'une simple mesure de principe, les embûches furent bien réelles, souvent tragiques, pour les religionnaires candidats au départ. Les empêchements n'étaient pas nouveauté. Par exemple, en avril 1685, quelques mois avant la révocation, on arrête « plusieurs personnes de la religion », en septembre, à La Rochelle, « dix à vingt des principaux Réformés » qui étaient déguisés de diverses manières.

C'est souvent par écœurement d'avoir à feindre l'appartenance à la religion catholique que l'on se résout à partir : « Ayant, par la persécution, été contraints d'aller à la messe, mais ne pouvant supporter l'idolâtrie ils ont tout quitté, maisons, parents et tous biens.» C'est également le cas d'un jeune Réformé qui n'hésite pas à défier le curé du lieu : « Ce fut dans cette rude extrémité que je pris le parti d'abandonner mes parents et ma cruelle patrie pour aller chercher un asile, où j'eusse la liberté de servir Dieu comme il le demande et pour me mettre à couvert de leur rage. Comme j'avais fait quelque séjour à Casteljaloux, et que tout le monde avait changé et allait à la messe, le curé, ne voyant pas que j'y assistasse comme les autres, vint chez ma mère pour me dire qu'il en était surpris. A quoi je répondis qu'il ne le devait pas être, puisque je n'avais point changé. " Et qui plus est, dis-je, monsieur le Curé, me voilà tout botté pour aller dans un pays où je goûterai plus de liberté qu'on ne fait ici. " »

Il faut, d'abord, réaliser ses biens, ce qui est difficile sans attirer l'attention, à moins de laisser à un coreligionnaire restant sur place ses biens par une vente fictive. Après la Révocation, le pouvoir établit une Régie des biens des religionnaires. Pour échapper à cette quasi-confiscation, un membre de la famille demeurait et se convertissait pour garder les biens.

De fait, la plupart s'en vont démunis, en petits groupes. Avant même d'atteindre les limites du royaume, on risque d'être arrêté et emprisonné, comme l'expérimenta le jeune Lacoste, originaire de Casteljaloux [1], qui ne se sortit de cette ornière que par une habileté rhétorique bien jésuite en fait, suggérée par un curé compréhensif... :

---

1. Cité par B. Cottret dans *Glorieuse Révolution, Révolution honteuse, Le Refuge huguenot*, p. 93.

« Un soir de mardi gras, à peine eûmes-nous reposé un moment que nous fûmes environnés par 20 ou 30 paysans, conduits par je ne sais quel homme, qui entra dans notre chambre et nous demanda où nous allions, et si nous avions des passeports. »

« Les cachots les plus obscurs furent notre partage ; notre jeune demoiselle ayant quitté ses habits de postillon sous lesquels elle était déguisée, on lui en donna qui lui convenaient, et elle fut conduite dans un endroit qui n'était pas plus charmant que le nôtre. Nous supportâmes patiemment cette épreuve pendant sept à huit semaines ; enfin, après avoir résisté à toutes leurs attaques qui étaient redoublées tous les jours, l'abbé de Lille vint à la prison, qui nous dit qu'il était surpris que nous ne consentissions pas aux offres honnêtes qu'on nous faisait, qui étaient de renoncer aux erreurs de Calvin ; s'il n'y en avait point, nous dit que nous ne nous engagions à rien.

« Nous étions 27, et parmi ce nombre, il y en avait un qui avait l'air d'être un ministre qui nous dit qu'effectivement, nous ne nous engagions à rien par cette démarche, mais qu'il fallait pourtant chercher à la réparer. Comme c'était notre conducteur, nous consentîmes de dire de bouche que nous renoncions aux erreurs de Calvin, avec cette clause, " s'il y en avait ". Après quoi, on nous annonça notre délivrance. »

Le plus difficile est de passer les frontières, malgré l'aide de passeurs moyennant rémunération. Parfois ces passeurs sont stipendiés par un prince étranger souhaitant attirer chez lui les huguenots français, et ils munissent les fuyards de passeports et d'un peu d'argent. Parfois aussi, hélas, il s'agit de brigands. Un groupe de fugitifs voulant traverser la Manche faillit ainsi être délibérément noyé, à fond de cale, par des passeurs sans scrupules : ce fut, paradoxalement, les agents du roi qui, en voulant contrôler le bateau, en firent fuir l'équipage à temps...

Si on était pris, on risquait les galères, à tout le moins la prison, même si l'on était un pasteur, théoriquement autorisé à quitter le royaume. L'ancien pasteur d'Uzès est « arrêté en Dauphiné, emprisonné à Grenoble, élargi après quarante-trois jours passés accroupi, la plupart du temps dans un cachot ». Les femmes, quant à elles, risquaient d'être « rasées et recluses le reste de leurs jours ». De 1685 à 1687, 773 fugitifs furent présentés aux juges de Grenoble. Plusieurs centaines d'hommes, sur toute la France, plusieurs milliers peut-être, connurent les galères, tandis que d'autres, épuisés par une longue détention, finissaient souvent par abjurer. Souvent, les amis, les fiancés, les familles sont séparés. Dans telle famille, le père se retrouve en Suisse, la mère en Hollande tandis que leurs quatre enfants sont demeurés en Dauphiné. Tel étudiant en théologie est « sorti de France depuis février 1686, a roulé depuis ce temps dans l'espérance de faire sortir sa fiancée ».

Les accidents sont fréquents. Un huguenot, « tombé d'un chariot et un autre chariot lui ayant passé sur le corps, a dû rester cinq mois à Zurich ». Souvent, la mort rappelle à Dieu les plus faibles, souvent des femmes enceintes ou de petits enfants.

L'exil était donc une terrible épreuve, que ne pouvaient envisager que les plus décidés et les plus courageux, ceux qui ne craignaient ni l'aventure du fond de cale, ni le risque du déguisement, ni les marchandages avec les brigands, ni les longues courses de nuit pour tromper les gardes. Comme les Hébreux de la Bible, c'était l'esclavage en Egypte que l'on fuyait. Mais pour quelle Terre Promise ?

L'accueil en Terre promise

Par rapport aux persécutions subies en France et aux difficultés qu'il y avait à s'en enfuir, le pays d'accueil devait paraître un véritable paradis à beaucoup de huguenots, ou, à tout le moins, un nouveau pays de Canaan – comme le suggère l'exclamation prêtée à l'un d'entre eux parti en Angleterre : « Où pouvais-je fuir sinon en ce havre de paix et de liberté : pays élu par Dieu parmi tous les autres, afin de lui prodiguer ses bienfaits au centuple. L'Angleterre est bénie par son climat, ses produits, sa liberté, sa religion et ses lois ; bénie par ses habitants, sa constitution et son roi [1]. »

La première action du huguenot, une fois arrivé, était souvent d'aller au Temple rendre grâces à Dieu. Lorsqu'il s'agissait de « nouveaux convertis » qui, par nécessité, avaient temporairement affiché un catholicisme de façade, on s'empressait d'abjurer et d'implorer publiquement le pardon divin. On était ensuite hébergé, nourri et soigné par des hôtes aussi généreux qu'accueillants. Au secours des particuliers s'ajoutait généralement une aide publique, ainsi en Hollande « la grande arche des fugitifs » selon Bayle, comme l'évoque Elie Benoît : « Les Provinces-Unies s'élargirent en libéralités qu'on ne saurait décrire par des termes assez forts. L'Etat fit des fonds pour un nombre incroyable de pensions qui furent distribuées aux officiers, aux gentilshommes, aux ministres (...). Il donna de grosses sommes pour les appliquer à la subsistance des familles pauvres. Les villes ordonnèrent des collectes qui produisirent des sommes immenses et chacun s'y conduisant selon la prudence particulière de son gouvernement, toutes ensemble concoururent au soulagement des malheureux [2]. » Un pasteur réfugié à Londres se réjouit de ce que « La Providence fait tous les jours une infinité de merveilles sur nous et sur nos frères en ces pays depuis plus de trois ans. Il n'y a personne qui n'ait du pain ». De grandes collectes en faveur des réfugiés furent même plusieurs fois organisées, en

---

1. Cité par B. Cottret, « Glorieuse révolution, révocation honteuse », in *le Refuge huguenot*, *op. cit.*, p. 94.
2. Elie Benoît, *Histoire de l'Edit de Nantes*, Delft, 1695, *op. cit.*

Angleterre comme en Hollande. En Angleterre, à partir de 1695, une subvention royale annuelle de 15 000 livres finançait un comité chargé de venir en aide à plus de 5 000 réfugiés.

L'accueil était si favorable que l'on vit même arriver de faux huguenots attirés par tant de largesses, qui montraient de fausses attestations, normalement rédigées par le pasteur de la paroisse d'origine et qu'il fallait présenter dans les villes étapes pour recevoir aide et secours.

La fuite des talents

« Lorsque je vois un grand prince qui a régné de nos jours, malgré son bon sens naturel, séduit par un conseil aveugle, envoyer tout à coup à ses ennemis, des sujets, des soldats, des négociants, des ouvriers, son commerce, je plains plus la Religion Catholique et, si je l'ose dire, je le plains plus lui-même que les Protestants », se lamente Montesquieu [1].

Mais c'est à Vauban que revient devant l'histoire l'honneur d'avoir le premier, dans un mémoire confidentiel au roi, dénoncé les conséquences funestes de la révocation et demandé dès 1689 la restauration de l'édit de Nantes, en arguant des conséquences économiques désastreuses causées par l'édit de Révocation :

« Les dommages qu'il a causés [ont] :

1° entraîné la désertion de 80 à 100 000 personnes de toutes conditions...

2° appauvri nos arts et manufactures particulières, la plupart inconnus aux étrangers...

3° grossi les flottes ennemies de 8 à 9 000 matelots...

---

1. « Mes Pensées », *Œuvres complètes*, Pléiade, p. 1023.

4° grossi leurs armées de 5 à 600 officiers et de 10 à 12 000 soldats...

Les rois sont bien maîtres des vies, mais les biens intérieurs sont hors de leur puissance.

Il est évident que plus on les pressera sur la Religion plus ils s'obstineront ; que continuant de leur tenir rigueur il en sortira tous les jours du Royaume qui seront autant de sujets perdus et d'ennemis ajoutés, que d'envoyer aux galères... ne servira qu'à grossir leur martyrologe. » Et de conclure : « Après avoir recommandé la chose à Dieu, auquel seul appartient la conversion des cœurs, que sa Majesté rétablisse l'Edit de Nantes purement et simplement [1]. »

C'est là un grand débat : quel fut l'impact réel sur l'économie du royaume du départ des huguenots ? Doit-on lui attribuer la crise économique de la fin du siècle de Louis XIV voire, plus largement, une partie du « retard » français face au dynamisme économique des Pays-Bas, de l'Angleterre puis de la Prusse ? Les avis des historiens divergent et la difficulté d'avoir des statistiques fiables et suffisantes sur les activités économiques de ce temps rend peut-être leur dispute assez vaine. Sans doute faut-il s'en remettre au jugement des contemporains, pas seulement à Montesquieu, mais d'abord aux premiers intéressés, comme le magistrat de la ville de Magdebourg, qui se réjouit, en 1709, du bienfait économique de la venue des réfugiés et démontre que la cité a pu retrouver bien plus que ce qu'elle a dépensé pour eux : « Est-il utile à un pays ou dommageable à ses habitants que son prince attire les étrangers en leur accordant privilèges et libertés ? Que ce soit profitable à un pays n'est pas seulement démontré par l'exemple mais aussi par l'expérience. » « L'incomparable héros, son Altesse électorale et Seigneur, Frédéric Guillaume, de glorieuse mémoire, a pris sous sa clémente protection des Français ayant abandonné leur patrie et persécutés en raison

---

1. Cité in *Les Huguenots*, AN 1985, p. 144.

de leur religion. Ce faisant, il a attiré dans la contrée toutes sortes de manufactures utiles [1]. »

Le magistrat de Magdebourg se livre à de savants calculs : la ville aurait, de 1691 à 1708, dépensé environ 115 000 thalers pour aider les immigrés et ceux-ci, par leur activité productive et commerciale, débouchant sur des exportations comme par l'accroissement de la demande intérieure, auraient rapporté environ 914 000 thalers... De fait, à Magdebourg, la majorité des artisans se trouvait désormais être des huguenots. Dans la colonie française, plus de 70 % de ces artisans fabriquaient des bas (dont les fameux bas « à la française »). Ils avaient introduit les métiers à tisser mécaniques et la production, largement exportée, atteignait 18 000 paires de bas par an. Si, sur une longue durée, l'effet de l'immigration française sur l'économie de Magdebourg paraît bien difficile à apprécier, il semble bien, en revanche, que, dans les premières décennies, elle ait insufflé un réel dynamisme.

Aux Pays-Bas, de même, il est malaisé d'évaluer avec précision l'impact économique de long terme de la présence huguenote, alors que, sur le court terme, elle a indiscutablement favorisé une certaine reprise économique, due, pour partie, à l'afflux de capitaux suscité par la venue de plusieurs riches marchands. Cet afflux aurait commencé (par précaution ?) avant même la Révocation, puisque, en 1683, à en croire l'ambassadeur de France en personne, « plus d'un million » de livres auraient été déposées à la Banque d'Amsterdam. En 1687, cette dernière dut réduire son taux d'escompte de 3 % à 2 % en raison de la surabondance des capitaux.

Sur le plan industriel, ce fut d'abord l'industrie textile qui bénéficia de l'arrivée des huguenots, avec la création de nombreux ateliers de drap, de soie ou de laine et, parfois, plus de cent métiers dans une seule manufacture.

La papeterie et la librairie tirèrent également parti du dyna-

---

1. Cité par *Stefi Jersch-Wenzel*, « De l'importance des Huguenots dans l'économie », *in Le Refuge huguenot, op. cit.*, pp. 177-178.

misme intellectuel des nouveaux venus, la Hollande devenant, avec ses libelles, pamphlets et autres gazettes, la plaque tournante des idées de l'Europe. Mais c'est dans l'industrie du luxe que la présence huguenote se manifesta le plus, qu'il s'agisse de la fabrication de glaces et de miroirs, de bijoux, de montres, de feutres, de vêtements, d'éventails... vendus dans de nombreuses boutiques françaises qui ajoutaient à la réputation d'Amsterdam.

En Suisse également, les artisans français acquirent rapidement une réputation d'excellente qualité, particulièrement dans le textile, les soieries, les tissages, les bas, etc. C'est à ces immigrants que l'on doit le développement de l'horlogerie ou de la chocolaterie. L'exemple de l'orfèvrerie anglaise est également significatif : « Les orfèvres réfugiés en Angleterre étaient originaires de Lille, Le Mans, Metz et Rouen. Ils apportèrent avec eux la maîtrise des techniques de fonte de l'argent qui remplaça le travail martelé qui avait prévalu jusqu'alors. Ils introduisirent de nouvelles formes : la gourde pèlerin, l'écuelle (coupe peu profonde avec deux anses), la soupière, la saucière ainsi que la salière en forme de coupe. La pureté des proportions, la nouveauté des formes (liées aux habitudes alimentaires différentes de chaque côté de la Manche) ainsi que la décoration leur assurèrent rapidement le succès sur le marché anglais [1]. »

Faut-il attribuer cet impact globalement positif au génie français ou au génie des protestants français ? Certes, dans bien des cas, les Huguenots ont apporté un savoir-faire de qualité car, de fait, la civilisation matérielle de la France était probablement à l'époque la plus élaborée. Mais il faut surtout y voir l'effet du dynamisme des immigrants, aguerris et comme sélectionnés par l'épreuve des persécutions et de la fuite, soucieux de manifester leur réussite, leur revanche ainsi que le suggère un quatrain suisse de l'époque :

---

1. *Les Huguenots,* AN, 1985, p. 195.

Je ne gagne plus rien, a dit l'artisan suisse.
Paresseux! Eh! qu'a donc le Français plus que toi ?
Travaille comme il faut en observant sa loi,
Si tu veux que ton Dieu comme lui te bénisse [1].

Il faudrait enfin citer l'apport des huguenots aux armées des princes protestants, qui leur furent souvent du plus grand secours face à l'armée du roi de France.

Certains connaissaient parfois des réussites exception-nelles, comme Jean-Louis Ligonier, né à Castres, réfugié en Hollande puis en Angleterre. Il s'engage dans l'armée de Marlborough et se distingue dans toutes les batailles contre les Français, pour finir, en 1763, à la Chambre des Lords... Le rôle des Français employés par l'armée hollandaise permit au Stathouder de Hollande, Guillaume d'Orange, de gagner défi-nitivement le trône d'Angleterre. Car nombre d'officiers huguenots avaient cherché asile en Hollande. Des compagnies presque entièrement françaises, notamment à Breda, Maas-tricht, Nimègue, La Haye, s'étaient constituées sous les ordres de capitaines prestigieux. Afin de mieux les assimiler (cer-tains gardaient malgré tout une certaine fidélité à leur souve-rain légitime, Louis XIV), Guillaume III leur avait imposé un serment par lequel ils s'engageaient à servir la République contre tous ses ennemis. De nombreux marins venant des côtes normandes, bretonnes ou de Guyenne, réfugiés en Hol-lande, se mirent à son service. La puissance navale française en souffrit. C'est avec cette armée et cette marine que Guil-laume III put « conquérir » le Royaume-Uni grâce, notam-ment, à la victoire de la Boyne.

La bataille opposa, sur les bords de la Boyne, l'armée fran-çaise catholique de Louis XIV venue soutenir les prétentions de Jacques II et l'armée protestante de Guillaume III où ser-

1. Cité par R. Schevrer, *in Le Refuge, op. cit.,* p. 59, « Passage, accueil et intégration des huguenots en Suisse ».

vaient de nombreux réfugiés huguenots français, tels La Caillemotte-Ruvigny, frère cadet du Marquis de Ruvigny, les fils Schomberg et Rapin-Thoyras, neveu de Paul Pellisson. La rivière de la Boyne séparait les deux armées. A la vue de l'ennemi, les huguenots avaient attaqué et mis en déroute les escadrons irlandais et français qui défendaient le passage. Schomberg qui commandait l'armée orangiste décida d'engager le combat : les réfugiés chargèrent avec impétuosité les régiments français et parvinrent à les rompre. La victoire décisive confirma la chute des Stuarts.

Tout ne fut cependant pas heureux pour les immigrés français. Très vite, il avait fallu accepter que, loin d'être un exil temporaire, le refuge constituerait probablement une installation définitive. Fallait-il alors s'assimiler ou préserver son identité et sa langue ? Dans certains cas, notamment en Allemagne, pour les colonies rurales exclusivement composées de Français, l'intégration fut difficile. Il y eut des heurts et des tensions entre les immigrés et la communauté d'accueil, notamment en matière de mœurs, comme le suggèrent les exhortations d'un canton suisse contre la liberté de mœurs des nouveaux venus...

La monarchie française devient l'ennemi

La Révocation et l'influence des huguenots réfugiés dans leurs pays respectifs d'accueil contribuèrent très certainement à l'émergence ou au renforcement d'un sentiment d'hostilité à la monarchie française. La Révocation tout d'abord paraissait manifester la même volonté hégémonique, dominatrice et impérieuse que la politique étrangère de Louis XIV : la politique religieuse à l'intérieur du royaume faisait écho à l'ambition hégémonique à l'extérieur, par un Roi-Soleil qui ne voilait pas sa prétention à une forme de royauté universelle.

Les violences à l'égard des protestants, avant comme après la Révocation, ont profondément choqué les opinions publiques des nations protestantes ; qu'il s'agisse de l'âge du « consentement » religieux fixé à sept ans, des dragonnades ou d'autres exactions, les pamphlets et les caricatures, les dénonciations de la barbarie s'étaient multipliés. Publiée en Hollande en 1693, une gravure polémique présente ainsi Louis XIV en « crieur Français » unijambiste et boiteux – après la cuisante défaite de La Hougue – et déclamant avec ridicule tous ses titres : « L'admirable, l'orgueilleux, le prince, le fort, le conquérant, le magnifique, le terrible, le fier, le tonnant, le sans pareil (...) Louis le pitoyable fort... » Dans le *Triomphe de la vérité*, un pamphlétaire décrivait Louis XIV en

Fléau de Dieu, Tyran des Ames,
Cruel Bourreau des gens de bien,
Prince Puant, Ame de chien.
Source de voluptés infâmes,
Race de Nabucodonozor.

Malgré les interdictions officielles des autorités néerlandaises, qui ne souhaitaient pas froisser Louis XIV, les libelles se multipliaient, au point que l'ambassadeur de France à La Haye ne put le cacher au roi.

Les réfugiés huguenots jouèrent un rôle majeur dans la diffusion d'une image négative et haineuse de la France et de sa monarchie. Quels pouvaient être en effet leur état d'esprit, leur sentiment face à une nation qui les avait persécutés et rejetés, qui les avait fait souffrir dans leur chair, dans leur cœur et dans leur âme ? Le roi seul, et son gouvernement, avaient entraîné la France entière, presque unanime, à approuver la Révocation, alors que les protestants s'étaient longtemps affirmés les plus loyaux des Français.

Le cas anglais est encore plus spectaculaire, ainsi que l'analyse un essayiste [1] qui, près d'un siècle après la Révocation, s'efforce de retrouver les « causes de la haine des Anglais » : « La haine qui s'est augmentée à Londres et dans toute l'Angleterre contre Paris et la France a pris une forte racine lors de Guillaume III, ennemi juré de Louis XIV... Une époque qui nuisit plus que toutes les autres fut la Révocation de l'Edit de Nantes. Tous les protestants français réfugiés en Angleterre y devinrent des ennemis les plus acharnés du roi de France, et de ceux qui avaient profité cruellement de leurs dépouilles. Ils se répandirent en plaintes et détractions sur le gouvernement, en dévoilèrent les atrocités ; ils révoltèrent les Anglais au seul nom de Français ; leur haine passa de père en fils, et s'étendit sur toute l'Angleterre. Ils publièrent que la France n'était plus qu'un ramas d'esclaves corrompus, émigration de l'Italie et de l'Espagne, par des alliances ; que la moitié des vraies races françaises avait été égorgée à la Saint-Barthélemy et que le reste du plus pur sang s'était conservé sous la parole de Henri IV, dont ils avaient eux-mêmes fait toute la fortune ; que vivant tranquillement, malgré tous leurs droits on les avait obligés de fuir, ou de renoncer à leur foi ; et qu'il ne restait plus de vrais Français qu'en Angleterre [2]. »

En révoquant l'édit de Nantes, c'est la monarchie française que Louis XIV a fragilisée. Mais le Refuge a, en même temps, favorisé le rayonnement de la langue et de la culture françaises.

C'est d'abord l'extraordinaire développement d'une littérature de justification de grande qualité. Elle domine l'actualité intellectuelle des pays d'accueil, comme l'illustre la retentissante controverse entre Jurieu et Bayle, le premier exhortant à une rupture radicale avec la monarchie, l'autre invitant à une attitude plus conciliante. Les Français, la situation française, la langue française qui commençait déjà dans la seconde moi-

---

1. Louis-Sébastien Mercier, édité par B. Cottret, « Didier-érudition », 1981.
2. Cité par B. Cottret, *op. cit.*, p. 94.

tié du XVIIᵉ siècle à devenir une langue savante et mondaine universelle, animent donc le débat d'idées. C'est, parallèlement, le développement extraordinaire de maisons d'édition françaises à l'étranger, destinées à diffuser cette littérature de résistance. Le cas hollandais est spectaculaire.

C'est enfin l'influence directe de ces Français expatriés, par leurs manières, par leur langage, par le métier de précepteur où certains d'entre eux, les plus cultivés, excellèrent, contribuant ainsi à former les futures élites de l'Europe protestante. Le rayonnement intellectuel de la France des Lumières doit donc beaucoup à cet essaimage forcé des huguenots.

Ceux qui restent

Pour les protestants demeurés en France, il faut d'abord survivre, ménager le temps, surmonter les persécutions. Le premier réflexe de survie oblige à feindre l'adhésion au catholicisme. Cette résistance passive des âmes n'est d'ailleurs pas forcément illégale puisque l'édit de Révocation lui-même reconnaît en théorie une certaine liberté de conscience dès lors que la foi réformée ne présente aucun signe extérieur de manifestation.

En apparence, donc, ces protestants ont abjuré et méritent l'appellation de « nouveaux convertis ». Ils participent aux rites de la vie publique, le baptême des enfants, le mariage, la messe, le catéchisme même pour leurs rejetons. Il s'agit ainsi non seulement d'éviter les foudres officielles mais aussi d'avoir une existence officielle, en un temps où l'état civil est celui de l'Eglise catholique. On se fait également enterrer dans le cimetière catholique. Mais ces actes manifestes d'adhésion sont souvent ambigus : on s'abstient d'invoquer la Vierge, on mentionne, sur son testament, que l'on veut « la sépulture de son corps en la forme observée par ceux de la religion chrétienne », voire « en la forme observée par les véritables Chrétiens », expression terriblement ambivalente ; on omet de décorer la façade de la maison lors de la Fête-Dieu, on n'a pas entendu le carillon qui appelle à la messe...

Parfois, la résistance conduit à l'irrévérence : des nouveaux convertis « entrent et sortent dans les Eglises avec des postures indécentes le chapeau à la tête sans prendre de l'eau bénite et faire le signe de la Croix ou, s'ils le font, c'est avec un dessein criminel (...) au lieu de se mettre à genoux de faire leurs prières et d'entendre dévotement la Sainte Messe, ils restent debout attroupés ou se vont asseoir pour parler et converser entre eux et avec les personnes qu'ils vont joindre, et se portent à cet excès d'irrévérence de ne pas fléchir les genoux lors de l'Elévation du Très Saint-Sacrement, y ayant plusieurs hommes qui, dans ce moment, se tiennent dans des postures scandaleuses mettant leur chapeau devant leur visage, et des femmes qui tournent la tête d'un côté et d'autre (...) [1] ».

Surtout, au moment ultime, on s'efforce par tous les moyens d'éviter l'extrême-onction sans pour autant risquer l'ire des autorités et une condamnation très lourde (l'absence de sépulture, les galères ou la prison si l'on survivait, la confiscation des biens...).

Alors, on garde la maladie secrète ou l'on cache le malade. Parfois même, on ensevelit clandestinement ses morts dans les champs. Ce double jeu n'est pas seulement plus prudent, il est aussi stratégique car il permet souvent aux nouveaux convertis de reprendre un rôle important dans la communauté villageoise, de redevenir médecin, notaire, maître d'école, sage femme, voire officier dans l'administration royale, puisque, désormais catholiques, ils ne peuvent être exclus de ces charges. En retour, l'influence liée à ces fonctions permet de mieux contourner l'application rigoureuse de la Révoca-

---

1. Cité des Archives départementales de l'Hérault, C 4499.

tion, voire aux nouveaux convertis de vivre à nouveau en milieu clos, avec leur propre sage-femme, leur propre médecin, leur propre maître d'école... Mais, parfois, le double jeu devient insupportable. Au pire, il arrive que des nouveaux convertis vomissent l'hostie lors de la cène, sacrilège qui les conduit à une mort certaine... L'écœurement s'empare des âmes, le doute angoissé également sur le salut de ceux qui renient ainsi leur Seigneur, semblables à Pierre au jardin des Oliviers. Et, de fait, le refus de ce double jeu fut, bien souvent, une motivation de l'exil.

La résistance militaire

L'idée même d'une résistance armée au pouvoir royal était pratiquement impensable à l'époque même de la Révocation chez les protestants : le loyalisme et le culte monarchique étaient chez eux extrêmement vifs, à l'image de la société tout entière, parce que le roi représentait, depuis l'édit de Nantes, le trait d'union d'une nation religieusement divisée et incarnait, dans cette perspective, une garantie ultime. L'identification au roi était d'autant plus marquée qu'elle détournait le soupçon de ceux qui n'acceptaient toujours pas la liberté de conscience. En Angleterre, les protestants n'avaient-ils pas commis un régicide avec l'exécution de Charles Ier en 1649 ?

D'où un loyalisme dithyrambique dans le discours des théologiens protestants, puisque l'année même de la Révocation, on peut lire sous la plume d'un pasteur, malgré les persécutions, que « les rois de ce monde tiennent en quelque manière la place de Dieu et sont son vrai portrait vivant sur la terre. Ce sont les maximes fondamentales de notre créance que nous avons appris pendant toute notre enfance, que nous tâchons de pratiquer pendant toute notre vie et que nous inculquons comme un devoir indispensable à nos troupeaux [1]. » Dans ces conditions, comment oser se révolter contre son souverain ? Les épîtres de Paul elles-mêmes ne prônent-elles pas l'obéissance aux rois, choisis par Dieu ?

De fait, c'est assez tardivement, en 1702, dix-sept ans après la Révocation, qu'eurent lieu les premières véritables révoltes avec le soulèvement des Camisards. Tout commence avec l'ordre intimé par le Saint-Esprit à un jeune croyant d'aller libérer plusieurs de ses coreligionnaires retenus prisonniers par l'abbé du Chaila, persécuteur acharné des protestants. Il a vu en songe « dans un jardin de grands bœufs noirs et fort gras qui mangeaient les choux » et il a reçu l'ordre de l'Esprit d'en chasser ces animaux : il comprit que le jardin était l'Eglise et les bœufs, « les prêtres qui la dévoraient [2] ».

L'opération fait quatre victimes dont le fameux abbé. Le mouvement se développe alors, sous l'égide de jeunes chefs charismatiques, tels Jean Cavalier, boulanger, ou le « Chevalier Roland » – en fait un châtreur de moutons –, âgés d'une vingtaine d'années, dont la mémoire est encore présente aujourd'hui dans les familles cévenoles, transmise de génération en génération lors des veillées.

S'instituant les « enfants de Dieu » – mais désignés comme « fanatiques » par la propagande officielle –, ils constituent fondamentalement un mouvement religieux : leur seul objectif est la restauration de l'édit de Nantes et la fin des persécutions.

Ce mouvement, composé et animé par des gens du peuple – il n'y avait aucun noble ni bourgeois parmi les têtes –, avait su très tôt s'organiser avec, par exemple, des réserves de vivres, de munitions et de vêtements, ainsi qu'un hôpital, établis dans des cavernes secrètes. Les différentes bandes armées se partageaient le champ des opérations, les uns autour du mont Aigoual, les autres autour du mont Lozère. Ils conduisaient

---

1. Cité par Philippe Joutard, 1685, in *Le Refuge huguenot*, Marie Magdelaine, R. von Thadden, p. 16.
2. *Mémoires d'Abraham Mazel*, Ch. Bost, 1931, pp. 4-5.

une véritable guérilla, par coups de main de quelques dizaines d'hommes, insaisissables, profitant de la complexité et de leur connaissance intime du relief. Ces bandes n'en étaient pas moins soumises à une stricte discipline : le pillage personnel (le pillage collectif était nécessaire pour subvenir aux besoins du ravitaillement), les violences sur les femmes étaient aussi durement punis que la trahison.

Ces troupes – 1 500 à 2 000 hommes – animées du feu de Dieu, chantant des psaumes au combat, tinrent en échec les armées du plus puissant des rois de la terre et pendant plusieurs années.

Même la terrible politique de « rasement » des Cévennes – politique de « terre brûlée » où l'on dévaste, détruit et massacre systématiquement les villages suspects – ne mit pas un terme à cette résistance.

C'est par la ruse et la trahison que les chefs royaux vinrent à bout des Camisards, en abusant Cavalier par de fallacieuses promesses contre une lettre de soumission et en surprenant le « Chevalier Roland » alors qu'il se reposait auprès de sa femme...

Il y eut encore d'autres violences, d'autres révoltés, mais qui n'atteignirent jamais la même ampleur. Peut-être parce que les autorités, conscientes de l'exaspération des populations, avaient un peu relâché la répression.

Souffrances

Héroïsme dévastateur des Camisards, résistance secrète des âmes derrière une foi catholique de façade, ou audace inspirée des assemblées du Désert, le risque ultime était celui de la mort, sous les traits ou les balles des soldats ou par pendaison : « Pour crime de lèse majesté, révolte, soulèvement, attroupement avec port d'armes, assemblées illicites, incendies des églises, désobéissance aux ordres du roi et pour avoir tiré sur les troupes, Pierre Clari sera rompu vif mis ensuite sur une roue la face tournée vers le ciel pour y finir ses jours. Mazel et Coste qui ont été tués en se défendant : leurs têtes seront attachées sur un poteau à Vernoux et Uzès après quoi elles seront brûlées, et leurs biens confisqués [1]. »

Mais la mort n'était rien. Elle pouvait même être délivrance des tentations et des souffrances de la vie terrestre. La mort était don de Dieu, autant que la vie. Et la mort était peut-être préférable aux souffrances terribles de ceux qui étaient condamnés à la prison ou aux galères, peine commune des contrevenants en matière de religion. Les galères pour les hommes, la prison pour les femmes, à vie dans les deux cas.

A bord des galères, ces navires à bord bas, mus par la force des rames autant que par le vent, les rameurs étaient au début des esclaves, souvent d'origine turque, ainsi que des prisonniers de droit commun. C'est à partir des persécutions de Louis XIV qu'elles deviennent le châtiment des âmes trop libres.

La vie des galériens se laisse à peine représenter. Les pieds enchaînés et les mains liées à une rame, ils étaient sous la surveillance d'un garde-chiourme – le plus souvent turc – et devaient travailler sans relâche, frappés de coups, dans la sueur et le sang, sous le soleil ou la pluie, dans la moiteur des embruns.

Il leur fallait également supporter la compagnie souvent dégradante de brigands et de criminels, comme l'évoque dans ses mémoires un protestant passé par les galères, affirmant qu'« on ne peut rien inventer d'horrible en méchanceté que ces misérables ne possèdent au suprême degré ».

C'était encore l'obligation, à la fois humiliante et synonyme pour eux d'idolâtrie, d'ôter son bonnet lors des messes célébrées à bord, sous peine de terribles bastonnades : torse

---

1. Cité dans *Les Huguenots*, AN, 1985, p. 154.

nu, le galérien puni pouvait alors recevoir de 15 à 100 coups de corde mouillée d'eau de mer...

La condition des prisonniers n'était guère plus favorable. Les souffrances des prisonnières de la Tour de Constance, à Aigues-Mortes, sont restées célèbres. Les captives – jusqu'à une trentaine – étaient parquées dans une pièce ronde de dix mètres de diamètre, aux murs larges de six mètres. Le soleil n'y pénétrait pas et elles respiraient l'air humide et souvent malsain des marécages avoisinants. Nombreuses furent celles qui périrent en cette captivité.

Dans les galères comme dans les prisons, la foi, pourtant, ainsi que la solidarité, étaient d'un grand secours. Les prières dites ensemble, lorsqu'on les laissait se regrouper, les livres de piété dont on tolérait parfois la possession, les exhortations mutuelles à la persévérance – en gravant inlassablement sur les murs le mot « résister » – la correspondance *enfin*, avec des coreligionnaires de l'extérieur, ainsi celle de la célèbre Marie Durand (entrée dans la Tour de Constance à quinze ans pour en sortir à cinquante-trois ans... avec sa nièce), implorant Dieu « qu'il fortifie sa foi et son espérance ».

Souvent le courage de ces martyrs de la Foi forçait l'estime des geôliers et, parfois, entraînait leur conversion au protestantisme, comme pour l'aumônier de la galère La Superbe : « Leurs plaies furent autant de bouches qui m'annonçaient la religion réformée et leur sang fut pour moi une semence de régénération [1]. »

Mais la souffrance, si terrible qu'elle fût, était aussi don de Dieu, communion suprême avec les souffrances du Christ sur la croix et occasion d'une grâce infinie, comme en témoignent presque tous, tel Louis de Marolle, enfermé dans un cachot, qui a écrit à sa femme, peu avant sa mort, que « Dieu m'a toujours rempli le cœur de joie. Je possède mon âme en patience, il fait couler vite les jours de mon affliction. Je ne les ai pas

---

1. Cité par S. Mours, D. Robert, *Le Protestantisme en France du xviiiᵉ siècle à nos jours*, p. 155.

plus tôt commencés que j'en trouve la fin. Avec le pain de misère et l'eau dont il me nourrit, il me fait faire des repas très délicieux [1] ». Et jusque sur l'échafaud, tel cet « inspiré » conduit au gibet qui s'exclame : « Grand Dieu, qui m'a fait naître pour te servir et qui veut maintenant que je scelle de mon propre sang ton Evangile, donne-moi comme tu fis à mon Sauveur, ce courage intrépide qu'il fit paraître lors de sa mort sur la Croix, afin que j'édifie par la mienne mes pauvres frères qui gémissent sous la tyrannie de l'Antéchrist, privés de la liberté d'entendre ta parole. Sois si bien leur porteur et leur conducteur, leur corrélation et leur force, leur soutien et leur appui (...) et fais que nous soyons tous réunis dans le ciel. »

L'Eglise invisible du Désert

L'Eglise réformée officielle n'existait plus. Fallait-il pour autant que l'Eglise du Christ s'éteignît ? Très tôt, des protestants, souvent des Nouveaux Convertis, prirent l'habitude de se réunir à quelques-uns, dans la maison d'un coreligionnaire, pour prier, lire la Bible et chanter des psaumes. Le mouvement est spontané et bien naturel : « Nous nous attachions – écrit le Dieppois Jean Périgol dont la maison avait été détruite – à lire la parole de Dieu fort souvent et à chanter ses louanges ; surtout nous lisions les passages de l'Evangile où il y a des exhortations à la persévérance... C'est ce qui fortifiait beaucoup notre courage et notre foi et nous donnait une sainte joie dans l'âme [2]. »

Bientôt, malgré les persécutions, des assemblées plus importantes se déroulent, souvent le dimanche, en des lieux éloignés du village ou de la ville, réunissant parfois plusieurs

---

1. *Histoire des souffrances du bienheureux martyr Louis de Marolle*, rééd. 1883, p. 123.
2. Cité par E.G. Léonard, *Histoire du protestantisme*, pp. 59-62.

centaines de personnes. En l'absence de pasteurs – qui ont pris pour la plupart le chemin de l'exil –, des « prédicants » ou « exhorteurs » s'improvisent et entraînent l'assemblée des fidèles, invitent à la prière, s'exercent à des sermons. En Normandie, un adolescent s'affirme en quelques mois comme un véritable pasteur de ces communautés orphelines et condamnées à une piété clandestine. Tel autre prédicant, dans le Vivarais, « vêtu d'un drap gris blanc comme un paysan, portant un rabat ou collet en guise de cravate », animait un véritable culte avec, après les psaumes et les prières, un sermon « en forme de prêche, à la manière des ministres », devant une assistance toujours plus nombreuse, malgré les risques. Car l'appel de Dieu est plus fort que la loi des hommes, comme l'explique un fidèle arrêté à ses interrogateurs : «... A dit avoir assisté huit ou dix fois auxdites assemblées et qu'il y a près d'un an qu'il y a été, qu'il sait bien que cela était défendu par le Roi mais que sa conscience l'obligeait d'y aller et qu'il vaut mieux obéir à Dieu qu'aux hommes et qu'il n'avoit pas vu que la loi du prince s'étendît sur des consciences [1]. »

Dans une clairière, au milieu des arbres et des rochers, ces assemblées réunissaient des enfants, des nouveau-nés, des femmes, des vieillards, des hommes adultes en un grand cercle autour d'une chaire portable sur laquelle siégeait le prédicant et même, plus tard, avec la reconstitution d'une Eglise clandestine, le pasteur.

La joie de se retrouver ensemble le disputait au recueillement, en des moments inquiets et lumineux. Un peu à l'écart, sur des hauteurs, quelques jeunes gens faisaient office de guetteurs. La préparation de ces assemblées s'effectuait elle-même dans la plus grande discrétion. Ainsi, lorsqu'un pasteur devait animer le culte, on lui donnait un capuchon à larges pans, fabriqué dans un tissu sec et grossier pour ne pas accrocher les branches et conservé par une famille. Il servait à

---

1. AD, Charente-Maritime, C. 137, pièce 120.

empêcher son signalement lorsqu'on l'amenait sur le lieu de l'assemblée. On enfermait sa toque en étoffe noire dans une gaine de fer-blanc en tronc de cône, simulant la forme d'une boîte à lait de façon à tromper la surveillance des catholiques. Les coupes destinées à la Cène, célébrée clandestinement au cours de la réunion, étaient parfois démontables pour une dissimulation plus facile.

Cette exigence du secret valait aussi pour les articles de piété privée, avec des « bibles de chignon », psautiers de très petit format que l'on pouvait aisément glisser dans les plis de vêtements, les coiffes ou les chignons ; des tabourets à panneau inférieur mobile pour y glisser une bible, voire ces « miroirs de pasteur » dont le cadre permettait de celer un psautier ou une bible...

Parfois, les assemblées avaient même lieu dans des grottes : « Il se faisait souvent des assemblées aux environs du village ; ma tante et mon oncle Molinier n'en manquaient que rarement. J'avais prié instamment ma tante de m'amener avec elle à une assemblée, ce qu'elle fit. Je désirais avec ardeur voir un ministre. C'était à quelques milles de Cournon, dans un bois, que l'assemblée se fit. Nous partîmes entre neuf et dix heures du soir, en hiver, et marchâmes à travers des bruyères, et de temps en temps, nous trouvâmes des sentinelles qui nous montraient le chemin. Enfin, nous arrivâmes au pied d'une montagne, qui nous offrit une ouverture comme celle d'un four. L'on nous fit entrer dans une grotte où, à ma grande surprise, je vis deux grandes chambres qui allaient d'une à l'autre et toutes remplies de monde. Dans la première se rendit le ministre habillé en officier, ce qui me surprit. Il prit pour texte : " Sortez de Babylone, mon peuple, de peur que vous ne participiez à ses plaies. " Après le sermon, ceux qui voulaient communier entrèrent dans l'autre chambre, où la table était dressée [1]. »

Une autre grande manifestation de cette vitalité spirituelle

---

1. Cité dans *Les Huguenots*, AN, 1985, p. 146.

fut la multiplication des petits prophètes. Plus l'Eglise véritable était persécutée, et plus il semblait à tous que, par la grâce divine, l'Esprit se faisait surabondant.

Ce vaste mouvement se révéla dès les premières années suivant la Révocation. On racontait que l'esprit de Dieu s'était manifesté d'abord en Dauphiné chez une jeune fille, âgée de seize ans à peine. Au début de 1688, elle commença à parler la nuit, en patois puis en français, exhortant ses coreligionnaires à rester fidèles à la vraie foi, « car qui persévérera jusqu'à la fin recevra la vie éternelle : il faut souffrir pour la Parole [1] ». L'esprit de Dieu touchait les plus humbles et les plus jeunes. Possédés par l'esprit, ils abandonnaient tout pour témoigner, ainsi que leur commandait la parole de l'Evangile.

C'était, bien sûr, folie pour le Monde, mais la parole de Dieu n'a-t-elle pas été cachée aux sages et aux intelligents ? Leur prédication, sous l'empire de l'Esprit, était spectaculaire : « Il (l'inspiré) commençait toujours l'action en tombant évanoui... Après quoi il parlait et disait en substance : "Mes frères approchez-vous de moi, amendez-vous, faites pénitence. Si vous ne vous repentez, vous serez tous perdus. Criez à Dieu, miséricorde. Le jugement de Dieu viendra dans trois mois [2]... " »

Le retour de l'institution

Bientôt, passées les premières années de tribulations, les prédicants et les inspirés cédèrent peu à peu la place à de vrais pasteurs, qui s'efforcèrent, dans une semi-clandestinité, de faire revivre les structures de l'Eglise réformée du XVIIᵉ siècle.

L'un des premiers « restaurateurs » de l'Eglise protestante

---

1. Cité par S. Mours, D. Robert, *op. cit.*, pp. 62-63.
2. *Id.*, p. 63.

fut Antoine Court. Déjà, enfant, il manifestait son zèle religieux, à tel point que ses camarades le narguaient en l'appelant « fils de Calvin »... Encore adolescent, édifié par les prédicants du Désert, il ressent à son tour l'appel de Dieu et convainc sa mère de le laisser partir prêcher la parole de Dieu en lui rappelant la parole de Jésus-Christ : « Quiconque aime son père ou sa mère plus que moi, n'est pas digne de moi. » Le jeune Antoine parcourt les assemblées mais, très vite, il réalise l'ignorance des fidèles, qui connaissent à peine les premiers éléments du christianisme.

De même, des prophéties non réalisées le font douter de l'inspiration véritable des « prophètes », le plus souvent des femmes qu'il juge exaltées.

Il se convainc alors qu'il faut rétablir une véritable Eglise, permettant d'encadrer la piété des fidèles et d'éviter les excès. C'est ce qu'il va entreprendre avec quelques-uns de ses amis. Se faisant consacrer ministres, par l'entremise de l'Eglise du Refuge, ils peuvent à leur tour former d'autres pasteurs. Peu à peu, ils instaurent des règles pour les assemblées, leur régularité et leur déroulement, avec « les hommes d'un côté, et les femmes de l'autre, le lecteur lit l'Ecriture sainte et cette lecture est entremêlée du chant d'un psaume. Le pasteur qui préside l'assemblée, après avoir lu la confession des péchés et fait une prière à Dieu pour lui demander l'intelligence de sa parole et que la grâce victorieuse et triomphante de son divin Esprit ouvre, touche et pénètre le cœur de ses auditeurs, il leur adresse... un discours qui a pour fondement un texte de l'Ecriture sainte et ne les exhorte pas moins à l'obéissance aux puissances souveraines, dans les choses qui ne sont point contraires à la religion, qu'il ne leur recommande de persévérer dans la foi et d'être fidèles à Dieu. Ce discours achevé, l'assemblée chante un psaume... ; après quoi le même pasteur interroge indifféremment sur le catéchisme, les grands, les petits, les hommes et les femmes. Cela fait, il donne la bénédiction et renvoie le peuple ; les diacres (font la collecte) pour les pauvres [1] ».

Les nouveaux ministres rendent obligatoires le baptême des enfants et la bénédiction des unions devant les assemblées. Ils coordonnent les assemblées entre elles, organisent des synodes, qui adoptent des règlements et une même confession de foi. Ce fut également la fin des prédications spontanées et des révélations prétendument inspirées. Désormais, « on ne recevra aucune personne pour prêcher qu'elle ne soit examinée en vie et mœurs et doctrine par les pasteurs et anciens et les consistoires déjà établis » et « les femmes qui exposeraient des prédications aux assemblées seront interdites, vu que ce n'est pas aux femmes de porter la main à l'encensoir, d'autant que l'apôtre Paul le défend [2] ». C'est ainsi, en quelques années, la restauration d'une véritable Eglise, même si elle demeure semi-clandestine sur l'ensemble du royaume. Mais, la contrepartie de cette « normalisation » de la piété fut le départ d'un certain nombre de fidèles et de prédicants attachés à une inspiration directe de Dieu et qui, souvent, se constituèrent en sectes, comme les « Enfants de Dieu » ou les « Multipliants », annonçant le « Réveil » protestant du XIXᵉ siècle.

De la lassitude à la tolérance

Les violences cessent avec la fin du règne de Louis XIV et une tolérance de fait s'instaure progressivement. Déjà, au cœur des persécutions, certaines régions avaient été relativement épargnées, l'Alsace, bien sûr, protégée par son statut particulier de province récemment réunie au royaume, mais

---

1. A. Court, cité par S. Mours, D. Robert, *op. cit.*, p. 115.
2. *Id.*, p. 117.

aussi la ville de Bordeaux, où l'on avait manifestement craint de faire fuir le négoce en même temps que les réformés.

Malgré l'émigration, la population protestante restait nombreuse et compacte dans certaines régions. On estime qu'en dépit de la révocation huit réformés sur dix sont restés dans le royaume. Bien loin d'étouffer la foi, la persécution l'exalta parfois jusqu'au paroxysme, comme l'illustre à partir de 1702 le prophétisme cévenol : en pleine guerre de Succession d'Espagne, Louis XIV fut obligé d'envoyer des troupes et son meilleur chef militaire, le Maréchal de Villars, contre les Camisards révoltés, qui, retranchés dans leur inexpugnable bastion, se défendaient avec acharnement.

Difficilement réduite, cette révolte assura aux protestants une relative tranquillité au XVIIIᵉ siècle. Alors que la mort de Louis XIV donne le signal d'une détente dans tous les domaines, des mœurs à la diplomatie, le Régent maintient la législation de Louis XIV en matière religieuse ; le duc de Bourbon va même jusqu'à reprendre, en 1724, dans une seule déclaration, l'ensemble de la législation contre les « *Nouveaux Convertis* ». Mais la révolte a porté ses fruits : il n'est pas question de relancer la persécution sur le terrain.

Dès lors, gouvernement, intendants et parlements n'appliquent plus la législation que par intermittence : quelques exécutions de pasteurs, ici et là, ponctuent le siècle (les prédicants du Désert étaient en principe toujours passibles de mort, et leurs fidèles, des galères) – mais seulement pour l'exemple. Redoutant de souffler sur des braises encore chaudes, les autorités évitent de pousser les populations à bout. La seule alerte sérieuse eut lieu en 1752, à la veille de la guerre de Sept Ans et les dernières exécutions, au nombre de quatre, remontent à l'année 1762 – qui fut celle de la tragique affaire Calas, ce protestant accusé d'avoir mis à mort son fils passé au catholicisme. Les vingt dernières années de l'Ancien Régime furent plutôt paisibles. En 1784, un nouveau temple est même bâti à La Rochelle.

L'amélioration du sort des protestants n'est pas seulement due à la modération tactique émanant d'en haut : l'évolution des esprits au cours du siècle y contribue également. La notion de tolérance a changé de sens. De négatif, son sens devient positif. D'abord conçue comme un expédient provisoire qui consiste à supporter ce qu'on ne peut empêcher, elle en vient à désigner une attitude respectueuse de la conscience d'autrui.

Avec celle de Locke (dont *Lettres sur la tolérance* est parue d'abord anonymement en latin, à Gouda, en 1689), l'œuvre de Bayle a beaucoup contribué à ce revirement progressif. Les écrits de ce philosophe français réfugié en Hollande circulent en France sous le manteau. Le fait d'avoir été brûlés en place publique à Paris leur valent un supplément de notoriété. Coup sur coup, paraissent en 1686 *Ce que c'est que la France toute catholique*, et surtout le *Commentaire philosophique sur ces paroles de Jésus-Christ :* « Contrains-les d'entrer. » Pour justifier leurs méfaits, les convertisseurs de tous bords avaient en effet, à l'exemple de saint Augustin en lutte contre le schisme donatiste (IVᵉ siècle), recouru à l'un des versets de la parabole du Festin de Noces (Luc, 14, 23) qui semblait justifier l'emploi de la force pour ramener les égarés au bercail de la foi dominante.

A contrario, Bayle défend les droits de la conscience errante, de *toute* conscience, fût-ce celle d'un athée, pourvu qu'elle soit de bonne foi : « De telle sorte que, si la combinaison des circonstances nous empêche de trouver la vérité absolue et nous fait trouver le goût de la vérité dans un objet qui est faux, cette vérité putative et respective [puisse] nous tenir lieu de la vérité réelle. » Une telle position l'isole bien entendu de la communauté réformée, acquise elle aussi au combat doctrinal à l'égard des catholiques : en 1691, un synode wallon (*i.e.* des Eglises réformées de langue française aux Provinces-Unies) condamnait l'idéal de tolérance civile.

Mais la réputation de Bayle auprès de la postérité est d'abord assise sur son *Dictionnaire historique et critique...*

qui, sorti des presses des Provinces-Unies en 1696, connut d'innombrables rééditions tout au long du xviiie siècle : « La verve de son auteur, sa dialectique étincelante, l'audace narquoise de ses digressions transforment un ouvrage d'érudition en un arsenal de questions subversives [...] Bayle y peint les sottises et les crimes dont la crédulité et le fanatisme ont rempli l'histoire de l'humanité. » (Elisabeth Labrousse.)

Sur l'autre rive, celle du scepticisme, les progrès du relativisme religieux ont également contribué à l'adoucissement des esprits.

Les *Lettres philosophiques*, que Voltaire publie à son retour de Londres en 1734 sont une étape majeure dans cette direction. La multiplication des sectes dissidentes et l'exemple des Quakers lui dictent ce constat provocateur : « Un Anglais va au ciel par le chemin qui lui plaît. » Les éloges appuyés de la liberté religieuse, la critique des sacrements et des dogmes étaient autant de charges dirigées contre la religion catholique, dont la puissance et l'intransigeance sont le fruit du monopole qu'elle exerce sur les consciences : « S'il n'y avait en Angleterre qu'une religion, son despotisme serait à craindre : s'il y en avait deux, elles se couperaient la gorge ; mais il y en a trente, et elles vivent en paix et heureuses » (Lettre VI).

L'œuvre-pilote, le bréviaire du relativisme sont bien sûr les *Lettres persanes* (1721), où Montesquieu, par la plume d'Usbek, constate : « On commence à se défaire parmi les chrétiens de cet esprit d'intolérance qui les animait. » (60e Lettre). Il note en effet qu'« on s'est mal trouvé » en France de la persécution des protestants. Sagace, il ajoute : « On s'est aperçu que le zèle pour les progrès de la religion est différent de l'attachement qu'on doit avoir pour elle, et que, pour l'aimer et l'observer, il n'est pas nécessaire de haïr et de persécuter ceux qui ne l'observent pas. »

N'oublions pas le rôle qu'a pu jouer le théâtre dans l'évolution de l'opinion. *Zaïre*, la tragédie la plus jouée du

XVIIIe siècle, est le pendant français de *Nathan le Sage*, de Lessing. Elle se passe en Orient, au temps des croisades, et met en scène la fille de Lusignan, roi de Jérusalem, enlevée au berceau par les musulmans et élevée dans leur religion. Elle s'écrie en retrouvant sa famille :

> *L'éducation fait tout [...]*
> *J'eusse été près du Gange esclave des faux dieux,*
> *Chrétienne dans Paris, musulmane en ces lieux.*

Ainsi, l'adhésion à une croyance dépend moins de sa vérité intrinsèque que de la contingence historique et géographique.

La réflexion historique s'approfondit en élargissant son horizon. Il est facile d'opposer l'*Essai sur les mœurs*, qui s'efforce de rendre justice aux peuples extra-européens (Perses, Hindous...) en leur accordant toute leur place dans l'histoire des civilisations, au *Discours sur l'histoire universelle* de Bossuet, qui expédie l'Islam en vingt-quatre lignes.

La vie de l'esprit est aussi sujette aux modes, qui la modifient parfois de façon durable. Un courant sinophile se développe alors en Europe, dont témoignent les nombreux entretiens sur Confucius du *Dictionnaire philosophique* de Voltaire. Il tire son origine de la propagande des jésuites pour leurs missions chinoises : leurs « relations » contribuèrent à accréditer l'idée d'une religion naturelle qui est au XVIIIe siècle l'une des bases de la tolérance.

L'édit de tolérance de 1787 : un édit révolutionnaire ?

On s'explique qu'un siècle après sa promulgation, l'édit de révocation soit unanimement réprouvé. Relayant le vœu de l'opinion publique, Malesherbes, le protecteur de Rousseau, conclut dans un mémoire adressé au roi à la nécessité d'accorder un état civil aux non-catholiques. Même le Parlement de Paris, qui s'était illustré dans le combat antiprotestant, enregistre de bonne grâce l'édit de tolérance en 1787. Par la timidité de sa formulation, l'édit de tolérance n'ouvre cependant pas vraiment une ère nouvelle. Il est le fruit d'exigences opposées : la volonté d'épouser l'esprit du siècle, tout en restant fidèle à la mémoire de Louis XIV. Cette contradiction apparaît dans le silence qu'il observe à l'égard de ceux auxquels il s'adresse : ils ne sont même pas clairement désignés.

Cette imprécision a permis de soutenir que l'édit de 1787 s'appliquait également aux juifs, car il ne parle pas de réformés ou de protestants, mais de « *non-catholiques* ». Or cette périphrase est consacrée par l'usage. L'adjectif « *protestant* » est généralement évité ; il désigne en toute rigueur les membres de la Confession d'Augsbourg, qu'on appelle de préférence « *luthériens* » et qui ne sont présents qu'en Alsace et dans le pays de Montbéliard. Les héritiers de l'Eglise réformée de France répugnent de leur côté à se dire « *calvinistes* » ; ce terme est d'ailleurs manié par les catholiques comme une insulte. L'expression « *prétendus réformés* », qui n'est plus utilisée que par l'arrière-garde catholique, avait au xviiᵉ siècle presque chassé de l'usage le terme de « *réformés* ». On préfère en définitive l'expression « *non-catholique* », plus vague, mais moins chargée d'histoire.

Il n'en reste pas moins que l'édit de 1787 est si peu « tolérant » (au sens moderne) qu'il refuse de nommer sans ambiguïté ceux auxquels il s'adresse.

L'édit n'emploie que des tournures négatives : « nos Sujets non-Catholiques », « ceux qui ne sont pas de la Religion Catholique », « une Religion différente de la Religion Catholique » – jusque dans le titre de l'édit « concernant ceux qui ne font pas profession de la Religion Catholique ». Sans doute afin d'éviter que les juifs ne puissent s'autoriser du texte de l'édit (quoique l'article XXV semble leur entrouvrir la porte), l'expression « *les Protestants* » apparaît cependant une fois dans le Préambule et l'article IV admet l'existence de « *ministres* ».

Ainsi, non seulement les protestants de France sont condamnés à une existence quasi clandestine, mais ils sont, à la veille de la Révolution, presque proscrits de la langue : ils ne sont nommés que par prétérition.

Refusant de déjuger le roi son aïeul, Louis XVI, dans le préambule, inscrit clairement l'édit dans la continuité de l'œuvre de Louis XIV. Il affirme, à sa suite, ne vouloir tolérer dans son royaume d'autre religion que la catholique. Mais un tel objectif ne peut être atteint en un jour. Proscrivant les voies de violence, il se démarque de lui en acceptant de reconnaître l'existence de non-catholiques pendant une période transitoire. Aussi « en attendant que la divine Providence bénisse nos efforts » apparaît-il souhaitable de les doter d'un état civil... Le même préambule précise d'emblée que « la religion catholique [...] jouira seule des droits et des honneurs du culte public, tandis que nos autres Sujets non-catholiques, [seront] privés de toute influence sur l'ordre établi dans nos Etats et déclarés d'avance et à jamais incapables de faire corps dans notre royaume » [à la différence de l'édit de Nantes, l'édit ne reconnaît pas une communauté, mais une collection d'individus, qui ne peuvent en tant que tels bénéficier des franchises reconnues à toute collectivité sous l'Ancien Régime]. Les réformés, « soumis à la police ordinaire pour l'observation des fêtes, ne tiendront de la loi que ce que le droit naturel ne nous permet pas de leur refuser [...] ».

Expression significative d'une conception encore ancienne de la tolérance, l'édit de 1787 reconnaît l'existence légale des protestants, mais non de leur culte. On est loin d'un retour à l'édit de Nantes. La tolérance exercée envers les protestants est maintenue dans les bornes étroites de l'état civil.

Ainsi, loin de préfigurer les temps nouveaux, l'édit couronne en quelque sorte l'évolution de l'attitude de la monarchie à l'égard des protestants au cours du XVIIIe siècle, où la persécution a laissé place à la tolérance (au sens ancien) et à la passivité. On a pu parler d'un « *absolutisme permissif* » de la monarchie : les lois répressives existent, mais ne sont plus appliquées. Marie Durand est enfin relâchée en 1768 ; jusqu'à 1789, on ne trouve plus trace de prisonniers pour la foi ni d'exécutions. En particulier, « plus rien ne reste de ces galères, atroces et superbes, dorées et sanglantes, plus barbares que les barbaresques, que le nerf de bœuf arrosait de la rosée du sang des saints... » nous dit Michelet, qui ajoute : « Au bord de l'abîme, la royauté s'avisa d'être humaine. Un édit parut où l'on avouait que les protestants étaient des hommes ; on leur permettait de naître, de se marier, de mourir. Du reste, nullement citoyens, exclus des fonctions civiles, ne pouvant ni administrer, ni juger, ni enseigner ; admis, pour tout privilège, à payer l'impôt, à payer leur persécuteur, le clergé catholique, à entretenir de leur argent l'autel qui les maudissait. » Renouant avec l'usage établi par l'édit de Nantes, l'édit de tolérance astreint les protestants à contribuer à l'entretien des édifices du culte catholique et à payer la dîme. Ce qui n'empêcha pas l'Assemblée du clergé de 1788 d'émettre des remontrances, en forme de restrictions, au sujet de l'édit de tolérance.

Les protestants et la Révolution

La Révolution est-elle fille du protestantisme ? C'est un fait, le développement des idées antiabsolutistes en France doit beaucoup aux huguenots. Pierre Jurieu, ancien professeur de théologie à l'Académie protestante de Sedan, installé à Amsterdam après la fermeture de celle-ci en 1681, fut, avant la Révocation, un partisan résolu de l'absolutisme de droit divin, comme tous les huguenots de sa génération. Puis ses conceptions politiques subirent une mutation profonde : reprenant certaines théories du xvie siècle, il se fit le héraut du droit des peuples à résister au tyran (dans un sens d'ailleurs plus théologique que démocratique). Dans son prêche de 1688, *Avis salutaire sur la puissance des rois et la puissance des peuples*, il conclut déjà à la supériorité de la seconde sur la première. Surtout, d'août 1689 à septembre 1690, paraissent en fascicules *Les Soupirs de la France esclave qui aspire à la liberté*. Ce texte est si violent à l'égard de la monarchie qu'il a pu être réédité en 1788 et passer alors pour un pamphlet révolutionnaire critiquant le despotisme de Versailles.

Plus factuellement, c'est le renvoi du protestant Necker qui est directement à l'origine de la journée du 14 juillet 1789. Lors de la préparation des élections aux Etats généraux, il accorde aux curés le droit de vote individuel, ce qui leur assure une large majorité dans la députation de leur ordre. On a pu voir là l'origine lointaine d'un événement capital : l'alliance du Tiers et du clergé, lorsque, deux jours après que les représentants du Tiers se furent proclamés Assemblée nationale (17 juin), les curés quittent leur ordre pour se réunir au Tiers, la veille du serment du Jeu de Paume (20 juin).

A partir du mois d'août 1789, malgré l'opposition de prélats conduits par l'archevêque de Paris, *Charles IX*, de Marie-Joseph Chénier est donné au Théâtre français. On y voit au quatrième acte le cardinal de Lorraine (qui, en réalité, se trouvait à Rome) bénir le glaive des assassins de la Saint-Barthélemy... Peut-être le succès de la pièce explique-t-il les nombreuses allusions politiques à ce massacre, dans lesquelles Mirabeau passa maître au cours de ses interventions à la Constituante. La saint Bathélemy servit même peu après d'excuse au sang versé par la Révolution. Marat, dans l'*Ami du peuple*, écrivit que les « quelques gouttes de sang que la populace a fait couler » ne sont rien « auprès des torrents que la frénésie mystique de Charles IX a fait répandre ».

Les protestants prirent une part active aux travaux de la Constituante. Le pasteur Rabaut Saint-Etienne joua un grand rôle dans la préparation (en commission) et la discussion (en assemblée) de la Déclaration des droits de l'homme. L'homme n'est pas un inconnu. Michelet, lui-même protestant, rappelle, non sans quelque exagération, la mémoire de son père, un notable dévoué, qui, porte-parole de sa communauté religieuse, s'efforça d'apaiser les tensions avec les autorités : « Il était le fils du vieux docteur, du persévérant apôtre, du glorieux martyr des Cévennes, qui, cinquante années durant, ne connut d'autre toit que la feuillée et le ciel, poursuivi comme un bandit, passant les hivers sur la neige à côté des loups, sans arme que sa plume, dont il écrivait ses sermons au milieu des bois. »

Pourfendant l'intolérance, récusant même le terme de tolérance, (l'édit de 1787 exprimait toute la charge de condescendance qui restait attachée à ce terme), Rabaut Saint-Etienne s'écrie alors devant l'Assemblée : « Messieurs, ce n'est pas même la tolérance que je réclame ; c'est la liberté. La tolérance ! Le support ! Le pardon ! La clémence ! Idées souverainement injustes envers les dissidents, tant qu'il sera vrai que la différence de religion, que la différence d'opinion n'est pas un crime. »

Le retour des guerres de Religion ?

Président de l'Assemblée constituante, Rabaut Saint-Etienne concentra sur lui toutes les haines des catholiques du Midi qui lui imputèrent la responsabilité entière de la Révolution. Le petit peuple avait mal supporté le passage brutal des non-catholiques de la clandestinité à la visibilité. A certains moments, la période révolutionnaire parut prendre des allures de guerre de Religion, notamment lors de la discussion de la Constitution civile du clergé, votée le 12 juillet 1790.

Des émeutes eurent lieu à Nîmes et Montauban. Le fait parisien directement déclencheur des affrontements connus sous le nom de « *bagarre de Montauban* » est le rejet par l'Assemblée de la motion de Dom Gerle, chartreux et... jacobin, décrétant le catholicisme religion d'Etat (12 avril 1790). Lors de la « *bagarre de Montauban* », le 10 mai 1790, les protestants patriotes sont agressés, quelques-uns massacrés (tous étaient négociants). Retrouvant un réflexe séculaire, la bourgeoisie réformée se met alors à émigrer. Les événements de Nîmes éclatèrent un mois plus tard, le 13 juin 1790 (mais une milice protestante, descendue des Cévennes, eut tôt fait de rétablir la situation ; on compta 300 morts en trois jours). Dans les deux cas, ces émeutes d'une extrême violence virent s'affronter des plèbes catholiques et des gardes nationales bourgeoises et protestantes : les vieux antagonismes sociaux et religieux sont renforcés par les nouveaux, de nature politique, qui se superposent à eux.

Ainsi, dans le Midi, la fraternité des premiers mois de la Révolution s'étant estompée, les anciens clivages reprennent le dessus. Les catholiques commencent à vivre les événements révolutionnaires comme un renversement de situation, qui les met progressivement à la place inconfortable qui était il y a peu celle des protestants. Cette impression s'accentuera les années suivantes, quand les prêtres réfractaires, disant la messe dans des maisons privées, des granges, des coins perdus dans la campagne, réinventeront le Désert. Michelet a bien perçu ce tournant : « Une question grave, profonde, celle des biens du clergé, avait changé tout. »

Rappelons que les biens ecclésiastiques avaient été sécularisés (« *mis à la disposition de la Nation* », pour reprendre la terminologie révolutionnaire) dès le 3 novembre 1789, et que les biens protestants avaient été épargnés (ils n'existaient il est vrai qu'en Alsace). Dans la foulée, les vœux religieux avaient d'abord été suspendus, puis abolis : « La loi ne reconnaît plus de vœux monastiques solennels de personnes de l'un ou l'autre sexe. » Les ordres religieux et les congrégations furent supprimés. Dans ce débat, où Barère s'illustra face à Mgr de la Fare et aux défenseurs de la profession religieuse, il ne fut fait d'exception que pour les congrégations hospitalières et enseignantes. La sensibilité du xviiie siècle, étrangère à toute spiritualité contemplative, tolérait davantage les ordres charitables, qui paraissaient « utiles ». L'ouverture des monastères obligea donc moines et religieuses à vider les lieux. En avril 1790, les municipalités furent chargées de procéder à l'inventaire des maisons religieuses.

Une surreprésentation protestante ?

Assemblée symbolisant à elle seule la période révolutionnaire, la Convention ne compta pas moins de huit présidents protestants, dont Rabaut Saint-Etienne, Jean Bon Saint-André, Boissy d'Anglas et Ruhl. Ce dernier accomplit le geste révolutionnaire le plus riche en signification symbolique : représentant en mission dans la Marne, il prit l'initiative de briser publiquement à Reims la sainte ampoule qui contenait l'huile du sacre ; robespiériste opiniâtre, il ne survécut pas à la chute de son idole. A l'inverse, Boissy d'Anglas, successivement Constituant, Conventionnel, membre des Cinq Cents, du Sénat, comte d'Empire et pair de France, mais aussi membre du consistoire parisien, est un modèle de survie et d'adaptation politiques. Il avait comparé Robespierre parlant de l'Etre Suprême à « Orphée enseignant aux hommes la civilisation et la morale ». Son *Rapport sur la liberté des cultes* (an III) fit en revanche la critique de six années de législation catastrophique en matière religieuse et conclut à la liberté des cultes.

Les protestants accédèrent aussi à des fonctions de responsabilité au sein des Comités (huit au Comité de Salut Public et huit à celui de la Sûreté générale). Le plus célèbre est Cambon. Député de l'Hérault, négociant, membre du Comité de Salut Public dès sa création le 6 avril 1793, il sut se forger une réputation d'homme indispensable par son énergie, ses capacités de travail et ses compétences en finances publiques. Jean Bon Saint-André, également membre du Comité de Salut Public, se fit Montagnard par patriotisme mais ne participa guère à la lutte des factions en l'an II. Il fut assassiné en 1798, avec les autres représentants français, alors qu'il se rendait au congrès de Rastatt.

La participation des protestants à la Révolution française, montée en épingle, fournit aux contre-révolutionnaires, une explication en forme de complot de la Révolution française. Ils composent la légende noire des protestants pendant la Révolution, dont, à la fin du siècle suivant, un polémiste comme Ernest Renauld (*Le Péril protestant*) saura se souvenir.

Ainsi, les protestants sont passés, en quelques années, d'une inexistence légale et d'une quasi-invisibilité à une notoriété majeure, objet de polémique. Dès 1800, un Allemand, J.G. Heinzmann, au retour d'un voyage à Paris, écrit : « Les contre-révolutionnaires disent bien : les protestants sont la cause de notre révolution. Ils ont abaissé le clergé, fait circuler des idées libres : ce ne sont pas des Français, mais des étrangers qui en sont les auteurs ! » – cette assertion se trouvant confirmée *a contrario* par l'attitude des Français républicains, qui « estiment les protestants et leur attribuent la première victoire de la lumière sur les ténèbres ».

Le thème du complot protestant naît quasiment en même temps que la Révolution. Dans un pamphlet rédigé au lendemain des émeutes de Nîmes, les réformés sont des « vipères ingrates que l'engourdissement de leurs forces mettait hors d'état de vous nuire ; réchauffées par vos bienfaits, elles ne revivent que pour vous donner la mort ». En 1797, voit le jour à Neufchâtel un monumental traité intitulé « Les véritables auteurs de la Révolution de France de 1789 », qui atteste la détérioration de l'image des protestants dans certains secteurs de l'opinion. L'auteur y oppose la Saint-Barthélemy, qui ne dura que sept jours et n'était pas préméditée, aux massacres sans fin commencés en 1792 et à la Terreur planifiée.

Comme toute thèse polémique, sa faiblesse est mesurable dans la réalité des chiffres. Le nombre des protestants dans les assemblées révolutionnaires est aisément vérifiable. Si elle va croissant au cours des dix années de la Révolution, cette proportion reste très faible. Parmi les quelque 1 200 représentants des trois ordres en 1789, on compte 24 députés protestants. La moitié n'a jamais fait parler d'eux. Ensuite, leur nombre et leur rôle prirent, proportionnellement, un peu d'ampleur : ils sont 20 sur 745 députés à l'Assemblée législative, et 36 sur 749 à la Convention (20 d'entre eux votèrent la mort du roi, dont 5 assortirent leur décision de clauses restrictives).

En outre, une longue habitude de la clandestinité, le désir d'éviter les provocations et des considérations juridiques empêchèrent les protestants de faire état de leur appartenance religieuse. De tous les élus protestants, Marat est certainement le plus connu. Mais son origine protestante fut à l'époque un secret bien gardé, tant par ses adversaires que par lui-même. L'édit de 1787 (article premier) excluant les protestants de toute fonction publique, Barnave et Boissy d'Anglas, avocats au Parlement de Grenoble et Paris, élus députés aux Etats généraux en 1789, se gardent bien eux aussi de s'afficher comme « *non-catholiques* ».

Du reste, Rabaut Saint-Etienne, lorsqu'il avait milité pour une reconnaissance totale de la liberté religieuse, n'avait pas été suivi. L'Assemblée arbitre en faveur d'une formulation restrictive : l'article X décide que « nul ne doit être inquiété pour ses opinions, même religieuses, pourvu que leur manifestation ne trouble pas l'ordre public établi par la loi ». La seconde partie de la phrase mit en fureur les partisans des protestants. Etre patriote en 1789 n'impliquait nullement, on le voit, une attitude favorable aux protestants et à leur culte. Au slogan « *une foi, une loi, un roi* », répondit la république « *une et indivisible* ». De ce point de vue, il n'y a pas solution de continuité entre la monarchie et la république. La logique du système mis en place avec la Constitution civile du clergé, en assurant le salaire des *seuls* prêtres, en accentuant la confusion entre Eglise et Nation, joua contre la reconnaissance d'un culte autre que le catholique.

Certes, l'Assemblée n'hésita pas à prendre des décisions favorables aux droits civils des protestants : non contente de leur ouvrir (en décembre) l'accès aux fonctions publiques, elle montra l'exemple en élevant le 14 mars 1790, en la personne de Rabaut, un protestant à sa présidence. En même temps, Barère faisait rendre aux descendants des huguenots les biens confisqués en 1685 et restés entre les mains de la régie instituée pour les gérer (en fait, c'était peu de chose) ; il rendait la nationalité française aux descendants des « *religionnaires fugitifs* », ce qui permit à Benjamin Constant d'utiliser cette disposition sous l'Empire.

Mais l'Assemblée ne veut rien entendre lorsqu'il s'agit de culte public. Lorsque pendant une discussion sur la question juive, le 21 décembre 1789, le comte de Custine souleva à l'improviste le problème de la liberté des cultes, la proposition fut immédiatement rejetée comme anticonstitutionnelle. Quand la Constitution de 1791 évoque « la liberté d'exercer le culte religieux auquel [l'homme] est rattaché », le mot « *public* » n'est pas prononcé.

A partir du 10 août 1792, la Révolution se radicalise et les protestants, en matière politique, se divisent comme les autres Français. Les réformés de Nîmes et de Montpellier furent ainsi divisés en modérés et en ultra-révolutionnaires. Toutefois, les inclinations montagnardes des protestants français sont indéniables. Certes, un certain nombre de bourgeois protestants ont été « girondins » (ou fédéralistes), et à ce titre, furent exécutés (Guizot père, avocat nîmois, Rabaut Saint-Etienne...). Comme eux, ils étaient surtout originaires du Sud-Ouest ou du Sud-Est, appartenaient à la bourgeoisie « à talents » et se méfiaient des emballements de la populace (massacres de septembre 1792). Ils étaient sensibles aux intérêts de la bourgeoisie portuaire (ainsi, dès 1790, Barnave monte une coalition de colons, d'armateurs et de négriers contre Mirabeau, Siéyès et les Amis des Noirs).

Il n'en reste pas moins que les villes montagnardes furent celles où les bourgeoisies réformées étaient en position dominatrice : Montauban (ville d'origine de Jean Bon Saint-André), Sainte-Foy et La Rochelle, dont la bourgeoisie a été fidèle jusqu'au bout à la Révolution, en prenant tous les tournants : elle acheta massivement des biens nationaux de première et seconde origine (ecclésiastique et nobiliaire), principalement pendant la Terreur, où elle semblait régner sur la ville. Elle compta quelques déchristianisateurs et n'eut aucun émigré. En tant qu'acheteurs de biens nationaux, les protestants furent d'ailleurs souvent victimes de la Terreur blanche. Ils en souffrirent dans le Midi, en 1815 notamment, lors des incidents marqués par le massacre du maréchal Brune.

La Révolution n'a pas été un « *complot* » protestant. Les protestants partagent l'esprit du siècle et ont, au même titre que leurs collègues, inspiré les décisions de l'Assemblée nationale. Mais il est vrai que l'esprit du protestantisme d'un côté, partisan du libre examen individuel et victime de l'intolérance, et l'esprit de la révolution de l'autre avaient tout pour se rencontrer. Une histoire de la généalogie de la Révolution montrerait sans doute que le vrai complot contre la monarchie, c'est l'absolutisme aveugle qui avait commencé à l'ourdir, dans l'aveuglement de la révocation. Quand les rois se trompent si lourdement, c'est contre eux-mêmes, leurs trônes et leurs descendants, que se retournent leurs fautes. Dans l'histoire aussi, lorsque les parents mangeront des raisins verts, les dents des enfants en seront agacées.

Conclusion

Et nous ? Nous les lointains, nous les nomades, avons-nous quelque chose à scruter, quelque chose à méditer, dans le grand mouvement de la réforme, dans les massacres méthodiques des guerres de religion, dans la calligraphie fascinante de l'édit que le roi fit à Nantes, il y a quatre cents ans, pour ceux de la religion, prétendue réformée ? Y a-t-il quelque chose pour notre temps dans les méandres savants du paraphe d'Henri, au fil des lignes tracées sur ces feuilles de parchemin scellées « du grand sceau royal », « le grand sceau de cire verte sur lacs de soie rouge et verte ». Et le retour en arrière de la révocation, sa préparation, les accidents historiques qui la rendirent inéluctable, ont-ils quelque chose à nous apprendre sur nos drames contemporains ?

Nous les regardons sans comprendre, ces femmes et ces hommes qui s'égorgeaient, qui se brûlaient, se torturaient au nom du même Dieu. Nous les sentons si loin de nous, comme une énigme. Et d'ailleurs, le petit air de condescendance que nous affichons, sur l'autre rive du temps, par-dessus l'irréversible flot des siècles passés, nous l'avons bien mérité, n'est-ce pas ? Ce n'est pas nous, vraiment, qui laisserions trancher la gorge des enfants au sein et des femmes dans le dénuement de leur vieillesse. Ce n'est pas nous, vraiment, qui accepterions d'entendre sans broncher l'addition des dizaines de milliers de morts, de ces Saint-Barthélemy quotidiennes, dont nous n'aurions, à l'audition de la radio dans notre salle de bains du matin, qu'à faire le décompte impuissant, et déjà lassé. Ces choses ne nous concernent pas. Elles ne concernent que : les Algériens, les Hutus et les Tutsis, les Bosniaques et les Serbes, les Albanais du Kosovo, tous ceux-là que dans notre naïveté et notre suffisance nous croyons sauvages, oubliant que quelques-uns furent il y a peu nos compatriotes, et partagèrent avec nous nos ancêtres les Gaulois... Et ce n'est pas chez nous qu'on conduirait une querelle inexpiable, sur des décennies, entre des partis affrontés, qui ne rateraient aucune occasion, historique et autre, de prétendre qu'ils n'ont cessé d'avoir toujours raison et les autres, les impurs, assurément tort. Après tout, notre dernière guerre civile à nous, est éteinte depuis au moins trente ans...

Je n'exclus rien pour le siècle qui vient, même pas le meilleur. Il est possible que la marche de la civilisation soit irréversible. Et que la seule différence entre l'Algérie et nous soit dans l'érosion du sentiment religieux intégriste, vingt siècles pour nous, six de moins pour l'Hégire : les sabres des égorgeurs sont peut-être une maladie d'adolescence pour les grandes civilisations, la sagesse des hommes leur interdisant de dépasser le tournant de leur xvie siècle. J'en rêve. En tout état de cause, nous avons raison de réclamer cette paix civile à notre crédit, et de voir dans nos débats apaisés un signe de progrès. Il n'y a pas à être timide en la matière.

Mais que l'on me permette deux observations : nous sortons d'un siècle qui a fait, en trois décennies, plus de morts que toutes les guerres additionnées depuis que le monde est monde. Sacré tableau de chasse ! La tentative scientifique d'extermination du vieux peuple élu, la tactique savante du Chemin des Dames, où l'on a sérieusement pensé gagner une guerre en tuant toute l'infanterie ennemie, au risque d'un million de morts domestiques, la vitrification des uns et le napalm des autres, sans compter la tranquillité extrême qui nous fait

abandonner derrière nous deux cents ans de mines anti-
personnels sur lesquelles les petits-enfants de nos petits-
enfants iront perdre leurs membres sanguinolents en jouant
aux billes, tout cela, c'est nous, c'est notre œuvre, c'est notre
palmarès. Ce n'est pas celui des sauvages des guerres de religion, c'est le nôtre, en propre, celui que notre génération
revendiquera au visage de l'histoire. Je ne crois pas que nous
ayons accroché définitivement la sauvagerie au vestiaire. Je
ne crois pas que les Algériens soient d'une essence différente
de la nôtre. Je nous crois frères, pour le meilleur et pour le
pire. Ce qui arrive aux uns peut arriver aux autres. Nous nous
sous-estimons. Ce que nous pouvons faire le jour où nous
serons assurés d'avoir raison, je suis sûr que cela peut égaler
les charniers du xvie siècle.

Nous avons besoin de l'histoire pour comprendre notre
temps. Cette conviction m'a fait sourire et méditer un jour de
cet automne. Jean Daniel, au nom de son journal, *le Nouvel
Observateur*, nous avait invités à débattre dans les murs prestigieux de l'antique Sorbonne, sur la vocation politique,
Jacques Delors, Shimon Pérès et moi. Débat qui me rendait
heureux, pour aimer et admirer ces deux hommes qui, face à
l'histoire, ne se sont, je crois, trompés ni l'un ni l'autre. Et il
ne me déplaît pas de montrer que j'admire et que j'aime des
hommes qui, selon les catégories ordinaires, ne sont pas réputés *de mon camp*. L'honnête débat allait son cours. Quand,
tout à coup, au tournant d'une référence historique, ce fut Shimon Pérès : « Je ne comprends pas, dit-il en substance, cette
fascination que vous avez pour l'histoire ! La politique est
faite pour inventer *l'avenir*. » Je gardai pour moi la stupéfac-
tion que m'inspirait cette météorite que le leader juif venait de
faire tomber sur la Sorbonne. Qu'avait-il voulu dire exactement ? Surtout pas ce qu'il avait dit. S'il y a un peuple qui
charrie l'histoire du monde dans son sang, dans son Livre et
dans sa mémoire, c'est bien le peuple juif. Nous avons des

références centenaires. Les siennes sont millénaires. Avait-il voulu dire que l'histoire ne fournit pas aux politiques des réponses toutes faites ? Sans doute. Heureusement le monde est à inventer. Mais il est à inventer comme l'architecte invente : le matériau de l'humanité est toujours le même. L'incandescence des passions, le désir de mort, la durée d'un cycle historique, le cheminement nécessaire pour préparer une issue à un conflit, nous le comprenons mieux si nous l'avons médité dans notre histoire. Un politique qui ne connaîtrait pas l'histoire serait comme un paysan qui ne connaîtrait pas les saisons, condamné au contretemps, au désordre et à la stérilité.

Les commémorations paraissent à beaucoup un mal français. Parfois elles tournent à la caricature. A mes yeux, elles sont utiles pourtant, elles qui, par la grâce des chiffres ronds, deux cents ans, quatre cents ans, tendent à notre temps le miroir de son passé pour qu'il y reconnaisse ses racines et son visage contemporain. Il y a un grand débat autour de l'édit de Nantes. Beaucoup plaident aujourd'hui son insuffisance. Ils ont *grosso modo* trois sortes d'arguments. Ils trouvent que l'édit n'en mérite pas tant. Ils regrettent qu'il n'ait pas favorisé les protestants. Ils lui reprochent enfin de n'avoir pas su protéger les réformés du xviie siècle et même d'avoir été écrit, d'une certaine manière, bien que réputé « irrévocable », *pour* être révoqué.

J'ai montré plus haut comment la phrase qui a servi aux juristes de Louis XIV pour justifier la révocation, le fameux « s'il ne lui a plu permettre que ce soit pour encore en une même forme et religion » a été extraite de son contexte pour servir de prétexte. Que ce membre de phrase dit en réalité exactement le contraire de ce qu'on lui fait dire depuis trois siècles, qu'elle n'énonce ni un souhait, ni une politique, mais une affirmation, originale dans le temps, qui a été constamment le point de vue d'Henri IV : ce n'est pas à la charge des fidèles qu'il faut mettre la séparation des églises ; ce n'est pas à eux, pauvres hommes, qu'il faut la reprocher ; ils ne sont pas coupables de l'hérésie qu'on leur reproche ; chacun d'eux cherche de bonne foi à prier et honorer son Dieu du mieux possible, à faire son salut ; les braves gens aiment Dieu de tout leur cœur, au prêche comme à la messe. D'une certaine manière, c'est Dieu qui a permis que cette crise ait lieu. C'est lui qui doit la résoudre. La politique des hommes épris de paix doit être d'éviter entre fidèles les tensions et les troubles, puisque le sujet de la religion est hélas ! le plus dangereux et le plus brûlant de tous : « Le plus glissant et le plus pénétrant de tous les autres. » Il faut donc établir « une règle » pour qu'il n'y ait « point de troubles et de tumulte » entre les tenants des deux religions. Aucune trace dans tout cela d'une perspective politique de suppression progressive de l'hérésie, ni même d'un souhait. C'est la philosophie un peu sceptique d'un homme, Henri IV, qui a vécu dans son histoire personnelle la bonne foi de chacune des églises, qui considère les hommes comme des victimes de leur histoire, et qui sait qu'il faut cantonner la passion religieuse qui fait si facilement naître les passions meurtrières. La réunification des religions, c'est l'affaire de Dieu. L'affaire des politiques c'est l'organisation et la garantie de la coexistence pacifique, de la paix religieuse.

Henri IV pouvait-il aller plus loin ? Pouvait-il aller jusqu'à la séparation de l'Eglise et de l'Etat, inventer la laïcité contemporaine, se changer de roi Très-Chrétien en roi Très-Laïque ? Pour avoir osé ce qu'il a osé, il a subi dix-sept attentats, et, pour finir, le poignard de Ravaillac. Sa décision a fait trembler sur ses bases le royaume tout entier. Son fils et son petit-fils, pendant un siècle entier, ont jugé que cette décision était trop audacieuse et n'ont eu de cesse de retrouver l'ordre ancien, retenus cependant durant des décennies par la crainte que leur inspirait l'héritage d'Henri le Grand. L'édit de

Nantes est un compromis, mais ce compromis allait à l'extrême des possibilités du temps.

Il est vrai que l'édit de Nantes n'a pas entraîné l'expansion du protestantisme. Le nombre des protestants en 1670 est du même ordre qu'en 1598, peut-être un peu moins élevé. Que l'on en vienne à mettre cette stagnation au débit de l'édit de Nantes, on peut le comprendre. Mais il serait fort peu laïque d'en faire procès à l'édit. Les lois religieuses ne sont pas faites pour favoriser l'une ou l'autre des religions qu'elles veulent pacifier. On connaît les raisons qui expliquent cette pause démographique. La réforme a trouvé en face d'elle une Eglise catholique elle-même réformée, au dynamisme retrouvé, à l'élan renouvelé par le Concile de Trente. La création des séminaires, le renouveau du culte, la passion apologétique, avaient fait reverdir le vieil arbre. L'émulation entre les deux églises était la cause principale de cette renaissance. Le renouveau et l'authenticité de la foi n'étaient plus du seul côté protestant. Cette renaissance donnait alors tout son poids à l'importance numérique des catholiques en France, quatre-vingt-quinze pour cent de la population, exerçant une influence pour ainsi dire physique, une attraction naturelle, par la beauté des cérémonies, par la mise en scène des processions, par la magnificence des décorations de rues, sur les âmes qui hésitaient.

C'était d'autant plus vrai pour ceux des contemporains qui recherchaient non seulement une foi mais une ambition, les chemins d'une carrière. Sous Louis XIII et Louis XIV, ils mesurèrent assez vite que les grandes carrières ne seraient plus protestantes. Beaucoup se convertirent donc. En un temps où le rang est si important, ces conversions privèrent les communautés protestantes de leurs plus illustres membres, les plus attractifs aux yeux du monde extérieur. Enfin, il est vrai que la paix est peut-être un peu fade, moins propice à l'engagement que le temps des martyrs. C'est à ce titre que l'on a pu dire que la révocation avait sauvé la réforme en France et que, sans elle, les églises n'auraient pas survécu à cinquante années supplémentaires de lénifiante tranquillité.

Enfin, pour quelques-uns qui le lui reprochent, l'édit de Nantes, loin d'être un texte digne du marbre, est un compromis négocié. Même si j'en trouve le texte beau et intéressant, je ne défendrai pas l'Edit contre cette accusation. Comme Gandhi, qui s'y connaissait en combats et en révolutions, je défends la beauté du compromis lorsqu'il offre une issue à la guerre.

La négociation est une philosophie de l'action et de la société. Ce n'est pas seulement une méthode de résolution des conflits. C'est une démarche qui suppose que chacune des deux parties renonce à écraser l'autre, le plus souvent pour avoir fait l'expérience de la terrifiante vanité de cette ambition.

La négociation suppose la reconnaissance de l'autre, et plus encore la reconnaissance de sa légitimité. Tant que les protestants étaient des hérétiques, ils étaient une offense perpétuelle, un danger à poursuivre par tous les moyens, ainsi qu'y engageait le serment du sacre. Du jour où les premiers édits de tolérance les font entrer officiellement dans une « religion », leur statut a changé. On comprend l'exaspération des huguenots contre l'adjectif qu'on leur accole, ce « prétendu » qui leur est une offense. Mais le « prétendu » ne porte pas sur « religion » : ce n'est pas une prétendue religion, une religion de deuxième zone. Ce qui est « prétendu », c'est le caractère « réformé » de la religion, – combat d'arrière-garde, qui essaie de nier l'évidence.

Cette reconnaissance de légitimité est au centre de l'édit de Nantes. Réglant les affaires de justice, de sécurité, de rétrocession réciproque des biens saisis, de cimetières et de vie en commun, l'édit va plus loin que la fixation de règles de vie commune pour l'avenir et d'apurement du passé : il dit, en quelque sorte : vos temples et vos morts sont de même nature que les nôtres. Certes, nous ne changeons pas l'héritage religieux de la France qui est principalement catholique, comme l'héritage religieux du Béarn sera reconnu comme principalement protestant. Mais cette communauté garantie par le roi, ces citoyens admis à la citoyenneté, et surtout cette religion reconnue par l'Etat ont leur pleine légitimité en France.

Reconnaître la légitimité de l'autre pour négocier avec lui, c'est aussi accepter d'entrer dans sa logique. C'est le pas décisif de tous les grands compromis de l'histoire. Ce fut le courage d'Anouar el-Sadate et de Menahem Begin, celui de De Gaulle lors du drame algérien. Généralement, il fait naître la haine de ses partisans, qu'il est presque impossible de convaincre que l'on peut, que l'on doit, accepter la logique de l'autre sans renoncer à la sienne.

Plus profondément, cela signifie aussi que l'on accepte de changer quelque peu son rapport à la vérité. Car si la vérité nous *appartient*, c'est la logique de la croisade qui s'impose : assurer le salut de l'autre, fût-ce au prix de sa mort. Négocier la paix, c'est dire, même implicitement, non pas « à chacun sa vérité », qui est une déclaration de scepticisme, mais « la vérité, qui nous est commune, est devant nous ». Le Dieu qui est invoqué dans le préambule de l'édit, ce n'est le Dieu ni des catholiques ni des protestants, c'est le Dieu commun des chrétiens, et la religion, au lieu d'être identifiée comme détentrice de vérité est qualifiée de « sujet glissant ». Désormais la vérité, ce n'est pas la vérité que l'on possède, c'est la vérité que l'on recherche, d'un effort commun.

Mais tout cela suppose une condition préalable : la volonté de changer le monde. C'est la moins bien partagée des qualités politiques. Tout concourait, au xvie siècle, tout concourt aujourd'hui à expliquer que le monde ne peut pas changer.

Hier, c'était la religion, qui servait de cadre indépassable. Aujourd'hui, que sais-je, c'est la mondialisation, c'est le marché universel. Puis-je suggérer que les cadres de la religion n'apparaissaient pas plus faciles à dépasser que ceux du marché ? Et pourtant, l'effort solitaire d'un homme, décidé à sortir d'une impasse historique, permit, sans les remettre en cause, d'en faire sortir un monde plus humain, du moins pendant quelques décennies, et au-delà de sa mort même. Il y faut une dose de rébellion par rapport à l'ordre établi, à la pensée unique, présente dans tous les esprits, le genre de celle qui fit ovationner l'édit de révocation par toutes les âmes bêlantes, persuadées de bien faire, incapables de voir plus loin que le bout de leur nez, incapables en particulier de discerner ce qu'elles provoquaient d'irrémédiable contre l'ordre même qu'elles voulaient défendre.

Et il y a une deuxième condition : disposer d'une force suffisante. L'échec des « politiques » sert de contrepoint à la réussite d'Henri IV. Les premiers étaient de brillants intellectuels, juristes, philosophes. Ils avaient raison, nous le savons aujourd'hui, et nous les glorifions de cette justesse de jugement. Mais ils étaient impuissants. Henri IV a pu tâtonner. Mais il a construit sa capacité d'agir. La question des institutions qui permettent l'action doit être, nécessairement, une interrogation des hommes qui cherchent un nouveau monde.

Reste le sujet le plus difficile. L'histoire de la réforme, de l'édit de Nantes et de sa révocation nous a conduits sur le chemin des grands mouvements de l'âme des peuples. La Réforme n'est pas autre chose que le fruit de cette évolution profonde qui a substitué la vérité du libre examen à la vérité du dogme imposé, la vérité individuelle à la vérité collective. Et nous, quatre siècles après, où en sommes-nous ? Quel orage se prépare, en train de mûrir sous l'horizon, quel tremblement de terre imminent sous la croûte de nos certi-

tudes ? Comme au xvie siècle commençant, nous vivons une
révolution médiatique. L'information rare est devenue abon-
dante, et sa forme a changé : image, son, écrit électronique ont
remplacé le papier imprimé comme le papier imprimé avait
remplacé la copie manuscrite. Forcément, cela change aussi
notre rapport à la vérité. Il y a deux interprétations possibles.
Les uns pourraient soutenir que le lent glissement vers l'individuel va encore s'accélérer. Devant son écran d'Internet,
l'homme va continuer l'aventure. Il a dépouillé les dogmes
reçus, peut-être achèvera-t-il son chemin vers le scepticisme.
Ce n'est ni ma thèse, ni mon souhait. Le scepticisme généralisé est un terrible danger pour l'humanité. Il suppose qu'il n'y
a rien à croire, rien à construire ensemble, rien à partager. Ce
serait, d'une certaine manière, comme une négation de l'aventure humaine.

Je crois que ce qui revient, c'est au contraire le besoin de
vérités à partager. Besoin, non pas de vérités imposées d'en
haut, mais de croire quelque chose en commun. Ce qui frémit
dans le temps que nous vivons, c'est le rejet de la cyber-
solitude, c'est au contraire le besoin de communauté, le
besoin de présence. Toute la question est de savoir, en matière
de communauté, s'il suffit, dans un monde indifférent, de
construire chacun la sienne. A chacun son réseau, sa tribu, sa
harde. Ou si, au contraire, nos tribus, familiales, amicales,
religieuses, philosophiques sont réunies entre elles dans une
aventure commune. C'est toute la logique de l'édit de Nantes
d'avoir accepté pour la première fois dans l'histoire que
puissent vivre ensemble, dans le même Etat, et au service d'un
Dieu commun, des communautés différentes. Mais ces
communautés partagent une loi, une conception de la civilisation, une vision du bien et du mal, des institutions de justice et
d'Etat. Le roi leur est commun.

On discerne assez bien les deux glissements possibles. La
logique de la révocation de l'édit de Nantes, cet immense
retour en arrière, c'est refuser que puisse même s'envisager un

espace communautaire qui ait sa propre légitimité. C'est l'intégration forcée à une société unique. Comme s'il n'y avait pire danger pour un être humain qu'un autre être humain dont la conviction serait différente. L'intégration forcée, comme nous l'enseigne l'histoire, c'est forcément la dislocation.

Il y a un autre glissement contraire. C'est celui qui considérerait qu'entre communautés différentes, la question de vivre ensemble ne se pose plus. Qu'il n'y a plus rien à partager, sauf les lois qui protègent l'espace de chacun, que l'homme ne se reconnaît plus, ne se caractérise plus que par sa différence : les catholiques avec les catholiques, les protestants entre eux, les musulmans et les juifs à part, les athées avec les athées, les gays avec les gays. C'est la société du ghetto devenue loi commune. La loi n'y est conçue que par et pour les lobbys différents. Cette société-là conduit à l'affrontement, en tout cas à l'indifférence.

L'intégration forcée, d'un côté, le communautarisme intégriste, de l'autre : ce sont deux faces du même mal. Tous deux disent la même chose : « Seule ma vérité m'importe, tout le reste m'est indifférent. Si je le pouvais, j'imposerais ma vérité à tous, je révoquerais l'édit de Nantes et les bûchers et les massacres seraient pour le bien des victimes. Mais ne le pouvant pas, il me faut au moins imposer cette règle dans *mon* cercle de vie, ma famille ou mes amis. Et je ne veux voir, rencontrer, fréquenter, que ceux qui partagent ma loi. Quelqu'un qui pense, ou croit, différemment de moi, je ne veux pas avoir à le rencontrer, je ne veux même pas croiser son regard. » Or l'une, comme l'autre, de ces deux démarches, sont la négation de l'idéal de civilisation que nous avons construit au travers des siècles.

C'est le trésor mystérieux de l'humanisme occidental : contre la société de castes, où l'intouchable ne peut être approché que par l'intouchable, où la naissance règle, une fois pour toutes, le sort des individus, contre la société de classes, où ne jouent dans un combat sans merci que les intérêts des siens, nous avons inventé la société où l'on accepte l'autre comme un prochain, comme un frère, comme un semblable, où l'on reconnaît à l'autre le droit irréductible d'être lui-même. Ni étrangers, ni indifférents. Nous avons, dans la société que nous formons ensemble, quelque chose d'essentiel à partager. Et en même temps, nous acceptons que l'autre, celui qui ne nous ressemble pas, ait quelque chose d'irréductible. Si l'on devait inventer un mot, la société communautaire contre la société communautariste. Nous appartenons à la même communauté de destin : nous partageons les mêmes valeurs et les mêmes lois. En même temps, chacun demeure solidaire de sa famille et de sa conviction. C'est le vrai sens du mot *laïcité. Laos,* en grec, veut dire *peuple.* Est *laïque*, non pas ce qui combat la conviction personnelle, mais ce qui, par un mouvement de respect, soude en un seul ensemble les convictions différentes.

Internet est une métaphore de notre temps. Il pourrait être un instrument de rencontre et de découverte. Il menace pourtant de n'être que l'instrument d'un enfermement du semblable avec le semblable. La vieille histoire de l'homme dans ses rapports avec la Vérité, la vérité qui rassemble ou la vérité qui sépare, va connaître un épisode inédit. A la surface de la planète, les réseaux invisibles vont-ils libérer les énergies généreuses ou au contraire les prendre au filet des passions séparées, aveugles et sourdes à tout ce qui n'est pas elles-mêmes, organisées en lobbys, décidées à ne défendre que leurs intérêts et leur vision du monde ? On pourrait croire que la question est très éloignée de la vieille histoire des guerres de religion. Je ne le crois pas. A quatre siècles de distance, c'est le même combat : faire vivre *ensemble* les hommes *différents*, les appeler à se reconnaître, à se retrouver. C'est proposer à l'humanité de se choisir comme loi commune la fraternité, cet autre nom de l'amour qui féconde l'aventure humaine.

Remerciements

Rémi Boyer, Frédéric Garrigue et Camille Pascal ont guidé mes premiers pas dans la forêt documentaire. Mon ami et compatriote Joël Broustail m'a, une fois de plus, beaucoup apporté de sa science et de son intuition de la Réforme; l'une et l'autre m'ont été précieuses, particulièrement pour la période postérieure à la révocation de l'édit de Nantes. M. le Professeur Bernard Cottret m'a fait l'amitié de relire les épreuves de ce livre et de les passer au crible de son érudition. A tous, du fond du cœur, merci.

F. B.

ANNEXES

ANNEXE.

CHRONOLOGIE

1483 – Naissance de Luther.

1492 – Découverte de l'Amérique.

1506 – Michel-Ange décore la Chapelle Sixtine.

1516 – Erasme traduit du grec le Nouveau Testament.

– Le concordat de Bologne confirme la mainmise du roi de France sur les bénéfices ecclésiastiques.

1517 – Luther publie à Wittenberg ses 95 thèses contre les indulgences.

1521 – Excommunié par le pape, Luther comparaît devant la Diète de Worms, qui le met au ban de l'Empire.

1526 – Désastre de Mohacs; la Hongrie est conquise par les Ottomans.

1529 – Les Turcs mettent le siège devant Vienne; l'empereur Ferdinand de Habsbourg paie tribut à la Sublime Porte.

1534 – Affaire des Placards; François Ier entame la lutte contre l'hérésie.

1536 – Première publication, en latin, de l'*Institution de la religion chrétienne*, de Calvin.

1540 – Fondée par Ignace de Loyola six ans plus tôt, la Compagnie de Jésus est approuvée par le pape.

1541 – Les Ordonnances ecclésiastiques de Calvin instaurent la Réforme à Genève.

1543 – Parution de l'ouvrage de Copernic, *Sur les Révolutions des Orbes célestes*.

1545 – Ouverture du concile de Trente.

– Massacre des vaudois du Luberon par François Ier.

1559 – Création de la congrégation de l'Index.

– Le premier synode national des églises réformées se tient à Paris.

1561 – Echec du colloque de Poissy.

1562 – Edit de Saint-Germain, dit de Janvier (17 janvier 1562). Le massacre de Wassy inaugure les guerres de Religion.

1563 – L'édit d'Amboise met fin à la première guerre de Religion (19 mars 1563).

– Clôture du concile de Trente.

1564 – Mort de Calvin.

1567-1568 – Deuxième guerre de Religion. Edit de Longjumeau (23 mars 1568).

1568-1569 – Troisième guerre de Religion.

1570 – Edit de Saint-Germain (9 août 1570).

1571 – Victoire navale de Lépante contre les Turcs.

1572 – Les massacres de la Saint-Barthélemy inaugurent la quatrième guerre de Religion.

1573 – Edit de Boulogne (11 juillet 1573).

1574-1576 – Cinquième guerre de Religion. Edit de Beaulieu ou paix de Monsieur (6 mai 1576).

1577 – La sixième guerre de Religion se clôt par l'édit de Poitiers (17 septembre 1577).

1579-1580 – Septième guerre de Religion. Paix de Fleix (26 novembre 1580).

1584 – La mort de François d'Anjou, dernier frère de Henri III, fait de Henri de Navarre l'héritier du trône de France.

1585 – Création de la Ligue ; début de la huitième et dernière guerre de Religion.

1588 – Assassinat de Henri de Guise et de son frère, le cardinal de Lorraine, par Henri III.

1589 – Assassinat de Henri III à Saint-Cloud par le moine ligueur Jacques Clément. Henri de Navarre devient roi de France (1er août 1589).

1591 – Edit de Mantes (24 juillet 1591).

1593 – Abjuration de Henri IV.

1594 – Déclaration de Saint-Germain (novembre 1594).

1598 – Edit de Nantes.

1599 – Edit de Fontainebleau en faveur des catholiques du Béarn.

1601 – Bérulle et Madame Acarie introduisent le Carmel en France.

1603 – Retour des Jésuites à Paris.

1608 – Saint François de Sales publie son *Introduction à la Vie dévote*.

1609 – La « journée du Guichet » marque le début de la réforme de Port-Royal.

1610 – Sainte Jeanne de Chantal fonde le couvent de la Visitation à Annecy.

1618 – La « défenestration de Prague » marque le début de la guerre de Trente Ans.

1620 – Expédition militaire en Béarn qui rétablit le culte catholique.

1622 – Création de la congrégation de la Propagation de la Foi.

1627 – Fondation de la compagnie du Saint-Sacrement.

1628 – Capitulation de La Rochelle.

1629 – Edit de grâce d'Alès qui met fin au régime des places de sûreté instauré par l'édit de Nantes.

1632 – Condamnation de Galilée.

1634 – Saint Vincent de Paul et Louise de Marillac créent la congrégation des Filles de la Charité.

1636 – *Le Cid*, de Corneille.

1637 – Descartes publie le *Discours de la Méthode*.

1640 – Parution de l'*Augustinus*, bible du jansénisme.

1648 – Les traités de Westphalie donnent l'Alsace à la France.

1659 – Dernier synode national de l'Eglise réformée à Loudun.

1664 – L'abbé de Rancé réforme la Trappe.

1676 – « Caisse des conversions » instituée par Pélisson.

1677 – L'*Ethique*, de Spinoza.

1678 – La paix de Nimègue fait de Louis XIV l'arbitre de l'Europe.

1680 – Début des dragonnades.

1681 – Annexion de Strasbourg.

1682 – Newton découvre les lois de la gravitation universelle.

1683 – La défaite des Turcs devant Vienne marque le début de leur recul en Europe.

1685 – L'édit de Fontainebleau révoque l'édit de Nantes.

1686-1689 – *Lettres pastorales adressées aux fidèles qui gémissent sous la captivité de Babylone*, de Pierre Jurieu.

1688-1689 – « Glorieuse Révolution » en Angleterre.

1695 – Publication du *Dictionnaire historique et critique* de Bayle.

1702-1704 – Guerre des Camisards dans les Cévennes.

1710 – Destruction du couvent des religieuses de Port-Royal des Champs.

1715 – Synode clandestin réuni près de Nîmes par Antoine Court.

1724 – Déclaration contre les protestants.

1751 – Premier volume de l'*Encyclopédie*, dont Diderot et d'Alembert sont les maîtres d'œuvre.

1762 – Suppression de la compagnie de Jésus.
Affaire Calas et *Traité sur la tolérance* de Voltaire.

1775 – *La Religieuse*, de Diderot.
Libération des derniers galériens pour cause de religion.

1787 – Edit de Tolérance en faveur des réformés.

1789 – Déclaration des Droits de l'Homme et du Citoyen.
Les biens du clergé sont « mis à la disposition » de la Nation.

1790 – Adoption de la Constitution civile du clergé, bientôt condamnée par le pape ; l'Assemblée nationale impose aux ecclésiastiques la prestation d'un serment de fidélité.

1793-1798 – Persécution des prêtres réfractaires.

L'ÉDIT DE NANTES

Deux versions sont connues du texte de l'édit de Nantes. La première est celle que le roi Henri IV signa en avril 1598, la deuxième, celle qu'enregistra le Parlement de Paris un an plus tard. Les modifications entre les deux textes sont indiquées en italique.

Henri, par la grâce de Dieu roi de France et de Navarre. À tous présents et à venir. Salut.

Entre les grâces infinies qu'il a plu à Dieu de Nous départir, celle-ci est bien des plus insignes et remarquables, de Nous avoir donné la vertu et la force de ne céder aux effroyables troubles, confusions et désordres, qui se trouvèrent à notre avènement à ce royaume, qui était divisé en tant de parties et de factions, que la plus légitime en était quasi la moindre, et de Nous être néanmoins tellement raidi contre cette tourmente que Nous l'ayons enfin surmontée, et touchions maintenant le port de salut et repos de cet Etat ; de quoi à lui seul en soit la gloire tout entière, et à Nous la grâce et obligation qu'il se soit voulu servir de notre labeur pour parfaire ce bon œuvre auquel il a été visible à tous si Nous avons porté non seulement ce qui était de notre devoir et pouvoir mais quelque chose de plus qui n'eût peut-être pas été en autre temps bien convenable à la dignité que Nous tenons, que Nous n'ayons pas eu crainte d'y exposer, puisque Nous y avons tant de fois et si librement exposé notre propre vie. Et en cette grande occurrence de si grandes et périlleuses affaires ne se pouvant toutes composer tout à la fois et en même temps, il Nous a fallu tenir cet ordre d'entreprendre premièrement celles qui ne se pouvaient terminer que par la force, et plutôt remettre et suspendre pour quelque temps les autres qui se pouvaient et se devaient traiter par la raison et la justice comme les différents généraux d'entre nos bons sujets, et les maux particuliers des plus saines parties de l'Etat, que Nous nous estimions pouvoir bien plus aisément guérir après en avoir ôté la cause principale qui en était en la continuation de la guerre civile. En quoi Nous étant (par la grâce de Dieu) bien et heureusement succédé, les armes et hostilités étant du tout cessées en tout le dedans du royaume, Nous espérons qu'il Nous succédera aussi bien aux autres affaires qui restent à y composer, et que par ce moyen, Nous parviendrons à l'établissement d'une bonne paix et tranquille repos, qui a toujours été le but de tous nos vœux et intentions, et le prix que Nous désirons de tant de peines et travaux auxquels Nous avons passé ce cours de notre âge. Entre lesdites affaires auxquelles il Nous a fallu donner patience, et l'un des principaux, ont été les plaintes que Nous avons reçues de plusieurs de nos provinces et villes catholiques, de ce que l'exercice de la religion catholique n'était pas universellement rétabli, comme il a été porté par les édits ci-devant faits pour la pacification des troubles à l'occasion de la religion. Comme aussi les supplications et remontrances qui Nous ont souvent été faites par nos sujets de la Religion Prétendue Réformée, tant sur l'inexécution de ce qui leur a été accordé par lesdits édits, que sur ce qu'ils désiraient y être ajouté pour l'exercice de leurdite religion, la liberté de leurs consciences et la sûreté de leurs personnes et fortunes, présumant avoir juste sujet d'en avoir nouvelles et plus grandes appréhensions, à cause de ces derniers troubles et mouvements, dont le principal prétexte et fondement a été sur leur ruine. A quoi pour ne Nous charger de trop d'affaires à la fois, et aussi que la fureur des armes ne compatît point à l'établissement des lois pour bonnes qu'elles puissent être, Nous avons toujours différé de temps en temps de pourvoir. Mais maintenant qu'il plaît à Dieu commencer Nous faire jouir de quelque meilleur repos, Nous avons estimé ne le pouvoir mieux employer qu'à vaquer à ce qui peut concerner la gloire de son saint nom et service, et pourvoir qu'il puisse être adoré et prié par tous les sujets ; et s'il ne lui a plu permettre que ce soit pour encore en une même forme et religion, que ce soit au moins d'une même intention, et avec telle règle qu'il n'y ait point pour cela de trouble et de tumulte entre eux, et que Nous et ce royaume puissions toujours mériter et conserver le titre glorieux de *très chrétien*, qui a été par tant de mérites et dès si longtemps acquis, et par même moyen ôter la cause du mal et trouble qui peut advenir sur le fait de la religion, qui a toujours été le plus glissant et pénétrant de tous les autres. Pour cette occasion, ayant reconnu cette affaire de très grande importance, et digne de très bonne considération, après avoir repris les cahiers des plaintes de nos sujets catholiques, ayant aussi permis nos dits sujets de la Religion Prétendue Réformée de s'assembler par députés pour dresser les leurs, et mettre ensemble toutes lesdites remontrances, et sur ce fait conféré avec eux par diverses fois et revu les arrêts précédents. Nous avons jugé nécessaire de donner maintenant sur le tout à nos dits sujets une loi générale, claire, nette et absolue, par laquelle ils soient réglés sur tous les différends qui sont ci-devant sur ce survenus entre eux et y pourront encore survenir ci-après, et dont les uns et les autres ayant sujet de se contenter, selon que la qualité du temps le peut porter, n'étant pour notre part entré en délibération que pour le seul zèle que Nous avons au service de Dieu, et qu'il se puisse dorénavant faire et rendre par nosdits sujets et établir entre eux une bonne et perdurable paix. Sur quoi Nous implorons et attendons de sa divine bonté la même protection et faveur qu'il a toujours visiblement départie à ce royaume depuis sa naissance et pendant tout ce long âge qu'il a atteint, et qu'elle fasse la grâce à nosdits sujets de bien comprendre qu'en l'observation de cette notre ordonnance consiste (après ce qui est de leur devoir envers Dieu et envers Nous), le principal fondement de leur union et concorde, tranquillité et repos, et du rétablissement de tout cet Etat en sa première splendeur, opulence et force, comme de notre part Nous promettons de la faire exactement observer, sans souffrir qu'il y soit aucunement contrevenu. Pour ces causes, ayant avec l'avis des princes de notre sang, autres princes et officiers de la couronne, et autres grands notables personnages de notre conseil d'Etat près de Nous bien et diligemment pesé et considéré toute cette affaire, avons, par cet édit perpétuel et irrévocable, dit, déclaré et ordonné, disons, déclarons et ordonnons :

Article premier :

Que la mémoire de toutes choses passées d'une part et d'autre, depuis le commencement du mois de mars 1585 jusqu'à notre avènement à la couronne, et durant les autres troubles précédents et à l'occasion d'iceux, demeurera éteinte et assoupie, comme de chose non advenue ; et ne sera loisible ni permis à nos procureurs généraux, ni autres personnes quelconques, publiques ni privées, en quelque temps, ni pour quelque occasion que ce soit, en faire mention, procès ou poursuite en aucune cour et juridiction que ce soit.

Article 2 :

Défendons à tous nos sujets de quelque état et qualité qu'ils soient d'en renouveler la mémoire, s'attaquer, injurier ni provoquer l'un l'autre par reproche de ce qui s'est passé, pour quelque cause et prétexte que ce soit, en disputer, contester, quereller ni s'outrager ou s'offenser de fait ou de parole ; mais se contenir et vivre paisiblement ensemble comme frères, amis et concitoyens, sur peine aux contrevenants d'être punis comme infracteurs de paix et perturbateurs du repos public.

Article 3 :

Ordonnons que la religion catholique, apostolique et romaine sera remise et rétablie en tous lieux et endroits de cestui notre royaume et pays de notre obéissance, où l'exercice d'icelle a été intermis pour y être paisiblement et librement exercée sans aucun trouble ou empêchement, défendant très expressément à toutes personnes, de quelque état, qualité ou condition qu'elles soient, sur les peines que dessus, de ne troubler, molester ni inquiéter les ecclésiastiques en la célébration du divin service, jouissance et perception des dîmes, fruits et revenus de leurs bénéfices, et tous autres droits et devoirs qui leur appartiennent, et que tous ceux qui, durant les troubles, se sont emparés des églises, maisons, biens et revenus appartenant auxdits ecclésiastiques, et qui les détiennent et occupent, leur en délaissant l'entière possession et paisible jouissance, en tels droits, libertés et sûretés qu'ils avaient auparavant qu'ils en fussent dessaisis. *Défendant aussi expressément à ceux de ladite Religion Prétendue Réformée de faire prêches ni aucun exercice de ladite religion dans les églises, maisons et habitations desdits ecclésiastiques.*

Article 4 :

Sera au choix desdits ecclésiastiques d'acheter les maisons et bâtiments construits aux places sur eux occupées durant les troubles, ou contraindre les possesseurs desdits bâtiments d'acheter le fonds, le tout suivant l'estimation qui en sera faite par experts, dont les parties conviendront, et à faute d'en convenir, leur en sera pourvu par les juges des lieux, sauf auxdits possesseurs leur recours contre qui il appartiendra. Et où lesdits ecclésiastiques recevraient le prix du fonds, seront tenus de l'employer au profit de l'église. **[Dernière phrase remplacée par]** *Et où lesdits ecclésiastiques contraindraient les possesseurs d'acheter le fonds, les deniers de l'imposition ne seront mis en leurs mains, et en demeureront lesdits possesseurs chargés, pour en faire profit à raison du denier vingt, jusqu'à ce qu'ils aient été employés au profit de l'église, ce qui se fera dans un an. Et où ledit temps passé l'acquéreur ne voudrait plus continuer ladite rente, il en sera déchargé en consignant les deniers entre les mains de possesseurs solvables, avec l'autorité de la justice. Et pour les lieux sacrés, en sera donné avis par les commissaires, qui seront ordonnés pour l'exécution du présent édit, pour sur ce y être par nous pourvu.*

Article 5 :

Ne pourront toutefois les fonds et places occupées pour les réparations et fortifications des villes et lieux de notre royaume, et les matériaux y employés, être revendiqués ni répétés par les ecclésiastiques ou autres personnes publiques ou privées, que lorsque lesdites réparations et fortifications seront démolies par nos ordonnances.

Article 6 :

Et pour ne laisser aucune occasion de troubles et différends entre nos sujets, avons permis et permettons à ceux de ladite Religion Prétendue Réformée vivre et demeurer par toutes les villes et lieux de cestui notre royaume et pays de notre obéissance, sans être enquis, vexés, molestés ni astreints à faire chose pour le fait de la religion contre leur conscience, ni pour raison d'icelle être recherchés ès maisons et lieux où ils voudront habiter, en se comportant au reste selon qu'il est contenu en notre présent édit.

Article 7 :

Nous avons aussi permis à tous seigneurs, gentilshommes et autres personnes, tant régnicoles qu'autres, faisant profession de la Religion Prétendue Réformée, ayant en notre royaume et pays de notre obéissance haute justice ou plein fief de haubert (comme en Normandie), soit en propriété ou usufruit, en tout ou par moitié, ou pour la troisième partie, avoir en telle de leurs maisons desdites hautes justices ou fiefs susdits, qu'ils seront tenus nommer devant nos baillis et sénéchaux chacun en son détroit, pour leur principal domicile, l'exercice de ladite religion tant qu'ils y seront résidents, et en leur absence leurs femmes ou bien leurs familles ou partie d'icelle. Et encore que le droit de justice ou plein fief de haubert soit controversé, néanmoins l'exercice de ladite religion y pourra être fait, pourvu que les dessusdits soient en possession actuelle de ladite haute justice, encore que notre procureur général soit partie. Nous leur permettons aussi avoir ledit exercice en leurs hautes maisons de haute justice ou fiefs susdits de haubert, tant qu'ils y seront présents, et non autrement, le tout tant pour eux, leur famille, sujets qu'autres qui y voudront aller.

Article 8 :

Es maisons des fiefs où ceux de ladite religion n'auront ladite haute justice ou fief de haubert, ne pourront faire ledit exercice que pour leurs familles tant seulement. N'entendons toutefois, s'il y survenait d'autres personnes jusqu'au nombre de trente, outre leur famille, soit à l'occasion des baptêmes, visites de leurs amis, ou autrement qu'ils en puissent être recherchés ; moyennant aussi que lesdites maisons ne soient au-dedans des villes, bourgs ou villages appartenant aux seigneurs hauts justiciers catholiques autres que nous, èsquels lesdits seigneurs catholiques ont leurs maisons. Auquel cas ceux de ladite religion ne pourront dans lesdits villes, bourgs ou villages, faire ledit exercice, si ce n'est pas permission et congés desdits seigneurs hauts justiciers et non autrement.

Article 9 :

Nous permettons aussi à ceux de ladite religion faire et continuer l'exercice d'icelle en toutes les villes et lieux de notre obéissance où il a été fait publiquement par plusieurs et diverses fois en l'an 1596, et en l'année 1597, jusqu'à la fin du mois d'août, nonobstant tous arrêts et jugements à ce contraire.

Article 10 :

Pourra semblablement ledit exercice être établi et rétabli en toutes les villes et places où il a été établi, ou dû être par l'édit de pacification fait en l'année 1577, articles particuliers et conférences de Nérac et Fleix, sans lequel ledit établissement puisse être empêché ès lieux et places du domaine donnés par ledit édit, articles et conférences pour lieux de bailliages, ou qui le seront ci-après, encore qu'ils aient été depuis aliénés à personnes catholiques, ou le seront à l'avenir. N'entendons toutefois que ledit exercice puisse être rétabli ès lieux et places dudit domaine qui ont été ci-devant possédés par ceux de la Religion Prétendue Réformée, èsquels il aurait été mis en considération de leurs personnes, ou à cause du privilège des fiefs, si lesdits fiefs se trouvent à présent possédés par des personnes de ladite religion catholique, apostolique et romaine.

Article 11 :

Davantage, en chacun des anciens bailliages, sénéchaussées et gouvernements tenant lieu de bailliages, ressortissant nûment et sans moyen ès cours du parlement, nous ordonnons qu'ès faubourgs d'une ville, outre celles qui leur ont été accordées par ledit édit, articles particuliers et conférences, et où il n'y aurait des villes, en un bourg et village, l'exercice de ladite Religion Prétendue Réformée se pourra faire publiquement pour tous ceux qui y voudront aller, encore qu'èsdits bailliages, sénéchaussées et gouvernements, il y ait plusieurs lieux où ledit exercice soit à présent établi **[l'on ajoute alors cette clause]** *fors et excepté pour ledit lieu de bailliage nouvellement accordé par le présent édit, les villes èsquelles il y a archevêché et évêché, sans toutefois que ceux de ladite Religion Prétendue Réformée soient pour cela privés de pouvoir demander et* *nommer pour ledit lieu d'exercice les bourgs et villages proches desdites villes : excepté aussi les lieux et seigneuries appartenant aux ecclésiastiques, èsquelles nous n'entendons que ledit second lieu de bailliage puisse être établi, les en ayant de grâce spéciale exceptés et réservés.* Voulons et entendons sous le nom d'anciens bailliages parler de ceux qui étaient du temps du feu roi Henri, notre très honoré seigneur et beau-père, tenus pour bailliages, sénéchaussées et gouvernements ressortissant sans moyen en nosdites cours.

Article 12 :

N'entendons par le présent édit déroger aux édits et accords ci-devant faits pour la réduction d'aucuns princes, seigneurs, gentilshommes et villes catholiques, en notre obéissance, en ce qui concerne l'exercice de ladite religion, lesquels édits et accords seront entretenus et observés pour ce regard, selon qu'il sera porté par les instruction des commissaires qui seront ordonnés pour la vérification du présent édit.

Article 13 :

Défendons très expressément à ceux de ladite religion faire aucun exercice d'icelle, tant pour le ministère, règlement, discipline ou instruction publique d'enfants et autres en estui notre royaume et pays de notre obéissance, en ce qui concerne la religion, fors qu'ès lieux permis et octroyés par le présent édit.

Article 14 :

Comme aussi de faire aucun exercice de ladite religion en notre cour et suite, ni pareillement en nos terres et pays qui sont de là les monts ; ni aussi en notre ville de Paris, ni à cinq lieues de ladite ville ; toutefois ceux de ladite religion demeurant ès dites terres et pays au-delà des monts et en notre dite ville et cinq lieues autour d'icelle ne pourront être recherchés en leurs maisons, ni astreints à faire chose pour le regard de leur religion contre leur conscience, en se comportant au reste selon qu'il est contenu en notre présent édit.

Article 15 :

Ne pourra aussi l'exercice public de ladite religion être fait aux armées, sinon aux quartiers des chefs qui en feront profession, autres toutefois que celui où sera le logis de notre personne.

Article 16 :

Suivant l'article 2 de la conférence de Nérac, nous permettons à ceux de ladite religion de pouvoir bâtir des lieux pour l'exercice d'icelle aux villes et places où il leur sera accordé, et leur seront rendus ceux qu'ils ont ci-devant bâtis, ou le fond d'iceux, en l'état qu'il est à présent, même ès lieux où ledit exercice ne leur est permis, sinon qu'ils eussent été convertis en une autre nature d'édifices, auquel cas leur seront baillés par les possesseurs desdits édifices des lieux et places de même prix et valeur qu'ils étaient avant qu'ils y eussent été bâtis, ou la juste estimation d'iceux à dire d'experts, sauf auxdits propriétaires ou possesseurs leurs recours contre qui il appartiendra.

Article 17 :

Nous défendons à tous prêcheurs, lecteurs ou autres qui parlent en public, user d'aucunes parole, discours et propos tendant à exciter le peuple à sédition, ains leur avons enjoint et enjoignons de se contenir et comporter modestement et de ne rien dire qui ne soit à l'instruction et édification des auditeurs, et à maintenir le repos et tranquillité par nous établie en notredit royaume, sur les peines portées par les précédents édits ; enjoignons très expressément à nos procureurs généraux et leurs substituts d'informer d'office contre ceux qui y contreviendront, à peine d'en répondre en leurs propres et privés noms, et de privation de leurs offices.

Article 18 :

Défendons aussi à tous nos sujets, de quelque qualité et condition qu'ils soient, de baptiser ou faire rebaptiser les enfants qui auraient été baptisés en ladite Religion Prétendue Réformée, comme aussi d'enlever par force et induction, contre le gré de leurs parents, les enfants de ladite religion pour les faire baptiser ou confirmer en l'Eglise catholique, apostolique et romaine, le tout à peine d'être punis exemplairement.

Article 19 :

Ceux de ladite Religion Prétendue Réformée ne seront aucunement astreints ni demeureront obligés pour raison des abjurations, promesses et serments qu'ils ont ci-devant faits ou cautions par eux baillées, concernant le fait de ladite religion, et n'en pourront être molestés ni travaillés en quelque sorte que ce soit.

Article 20 :

Seront aussi tenus de garder et observer les fêtes indites en l'Eglise catholique, apostolique et romaine, et ne pourront ès jours d'icelles besogner, vendre ni étaler à boutiques ouvertes, *ni pareillement les artisans travailler hors leurs boutiques, et en chambres et maisons fermées, èsdits jours de fête, et autres jours de fêtes, en aucuns métiers, dont le bruit puisse être entendu au-dehors des passants ou des voisins – dont la recherche néanmoins ne pourra être faite que par les officiers de la justice.*

Article 21 :

Ne pourront en notredit royaume, pays, terres et seigneuries de notre obéissance, être vendus aucuns livres sans être premièrement vus par nos officiers des lieux, excepté les livres concernant ladite Religion Prétendue Réformée, dont la visitation et connaissance appartiendra aux chambres ci-après ordonnées pour juger les procès de ceux de ladite religion, lesquels ne seront recherchés pour raison desdits livres qu'ils auront pour leur usage, impression ou vente d'iceux, sinon qu'ils eussent été prohibés par lesdites chambres, défendant très expressément l'impression, publication et vente de tous leurs libelles et écrits diffamatoires sur les peines contenues en nos ordonnances, et enjoignant à tous nos juges et officiers d'y tenir la main. **[Remplacé par]** *Ne pourront les livres concernant ladite Religion Prétendue Réformée être imprimés et vendus publiquement qu'ès lieux et lieux où l'exercice public de ladite religion est permis ; et pour les autres livres qui seront imprimés ès autres villes seront vus et visités tant par nos officiers que théologiens, ainsi qu'il est porté par nos ordonnances. Défendons très expressément l'impression, publication et vente de tous livres, libelles et écrits diffamatoires, sur les peines contenues en nos ordonnances. En oignons à tous nos juges et officiers d'y tenir la main.*

Article 22 :

Ordonnons qu'il ne sera fait différence ni distinction pour le regard de ladite religion, à recevoir les écoliers pour être instruits ès universités, collèges et écoles, et les malades et pauvres ès hôpitaux, maladreries et aumônes publiques.

Article 23 :

Ceux de ladite Religion Prétendue Réformée seront tenus de garder les lois de l'Eglise catholique, apostolique et romaine, reçues en cestui notre royaume, pour les faits de mariages contractés et à contracter ès degrés de consanguinité et affinité.

Article 24 :

Pareillement ceux de ladite religion paieront les droits d'entrée, comme il est accoutumé pour les charges et offices dont ils seront pourvus, sans être contraints à assister à aucunes cérémonies contraires à leurdite religion ; et ne seront aussi tenus de prendre dispense du serment par eux prêté en passant des contrats et obligations.

Article 25 :

Voulons et ordonnons que tous ceux de ladite religion Prétendue Réformée, et autres qui ont suivi leur parti, de quelque état, qualité ou condition qu'ils soient, soient tenus et contraints par toutes voies dues et raisonnables, et sous les peines contenues aux édits sur ce fait, payer et acquitter les dîmes aux curés et autres ecclésiastiques, et à tous autres à qui elles appartiennent, selon l'usage et coutume des lieux.

Article 26 :

Les exhérédations et privations, soit par dispositions d'entre vifs ou testamentaires, faites seulement en haine ou pour cause de religion, n'auront lieu tant pour le passé que pour l'avenir entre nos sujets.

Article 27 :

Afin de réunir d'autant mieux les volontés de nos sujets, comme est notre intention, et ôter toutes plaintes à l'avenir, déclarons tous ceux qui font ou feront profession de ladite Religion Prétendue Réformée, capables de tenir et exercer tous états, dignités, offices et charges publiques quelconques, royales, seigneuriales ou des villes de notredit royaume, pays, terres et seigneuries de notre obéissance, nonobstant tous serments à ce contraire, et d'être indifféremment admis et reçus en iceux ; et se contenteront nos cours de parlements et autres juges, d'informer et enquérir sur la vie, mœurs, religion et honnêtes conversations de ceux qui sont ou seront pourvus d'office, tant d'une religion que d'autre, sans prendre d'eux autre serment que de bien et fidèlement servir le roi en l'exercice de leurs charges, et garder les ordonnances, comme il a été observé de tous temps. **[Supprimé ultérieurement]** *Et la clause dont il a été ci-devant usé aux provisions d'offices, après qu'il sera apparu que l'impétrant est de la religion catholique apostolique et romaine, ne sera plus mise ni insérée ès lettres de provision.* Advenant aussi vacations desdits états, charges et offices, pour le regard de ceux qui seront en notre disposition, il y sera par nous pourvu indifféremment et sans distinction de religion, de personnes capables, comme chose qui regarde l'union de nos sujets. Entendons aussi que ceux de la Religion Prétendue Réformée puissent être admis et reçus en tous conseils, délibérations, assemblées et fonctions qui dépendent des choses dessusdites ; sans que pour raison de ladite religion ils en puissent être rejetés, ou empêchés d'en jouir.

Article 28 :

Ordonnons pour l'enterrement des morts de ceux de ladite religion, pour toutes les villes et lieux de ce royaume, qu'il leur sera pourvu promptement en chacun lieu par nos officiers magistrats, et par les commissaires que nous députerons à l'exécution de notre présent édit, d'une place la plus commode que faire se pourra. Et les cimetières qu'ils avaient par ci-devant, et dont ils ont été privés à l'occasion des troubles, leur seront rendus, sinon qu'ils se trouvent à présent occupés par édifices et bâtiments de quelque qualité qu'ils soient, auquel cas leur en sera pourvu d'autres gratuitement.

Article 29 :

Enjoignons très expressément à nosdits officiers de tenir la main à ce qu'auxdits enterrements il ne se commette aucun scandale, et seront tenus dans quinze jours après la réquisition qui en sera faite, pourvoir à ceux de ladite religion de lieu commode pour lesdites sépultures, sans user de longueur et remise, à peine de cinq cents écus en leurs propres et privés noms. Sont aussi faites défenses, tant auxdits officiers que tous autres, de rien exiger pour la conduite desdits corps morts, sur peine de concussion.

Article 30 :

Afin que la justice soit rendue et administrée à nos sujets, sans aucune suspicion, haine ou faveur, comme étant un des principaux moyens pour les maintenir en paix et concorde, avons ordonné et ordonnons qu'en notre cour de parlement de Paris sera établie une chambre composée d'un président et seize conseillers, savoir : un président et dix conseillers catholiques qui seront par nous pris et choisis du nombre de ceux de ladite cour, et les autres six seront de ladite Religion Prétendue Réformée, desquels six y en aura quatre qui seront dès à présent pourvus de quatre offices de conseillers de la dernière création qui a été faite en ladite cour, et les deux autres seront aussi pourvus des deux premiers offices de conseillers lais de ladite cour qui vaqueront ci-après par mort ou fortaiture. Laquelle cour ainsi composée connaîtra non seulement des causes et procès de ceux de ladite relition qui seront dans l'étendue de ladite cour, mais aussi des ressorts de nos parlements de Normandie et Bretagne, selon la juridiction qui lui sera ci-après attribuée par le présent édit.

Article 31 :

Outre les chambres ci-devant établies à Castres pour le ressort de notre cour de parlement de Toulouse, laquelle sera constituée en l'état qu'elle est, nous avons pour les mêmes considérations ordonné et ordonnons qu'en chacune de nos cours de parlement de Grenoble et Bordeaux sera pareillement établie une chambre composée de deux présidents, l'un catholique et l'autre de la Religion Prétendue Réformée, et de douze conseillers dont six seront catholiques et les autres de ladite religion ; lesquels présidents et conseillers catholiques seront par nous pris et choisis des corps de nosdites cours. Et quant à ceux de ladite religion, sera fait création d'un président et six conseillers pour le parlement de Bordeaux, et d'un président et trois conseillers pour celui de Grenoble, lesquels avec les trois conseillers de ladite religion, qui sera à présent audit parlement, seront employés en ladite chambre de Dauphiné, à Grenoble.

Article 32 :

Ladite chambre de Dauphiné connaîtra des causes de ceux de la Religion Prétendue Réformée du ressort de notre parlement de Provence, sans qu'ils y aient besoin de prendre lettres d'évocation, ni autres provisions qu'en notre chancellerie de Dauphiné, comme aussi ceux de ladite religion de Normandie et Bretagne ne seront tenus de prendre lettres d'évocation, ni autres provisions qu'en notre chancellerie de Paris.

Article 33 :

Nos sujets de la religion du parlement de Bourgogne auront le choix et option de plaider en la chambre ordonnée au parlement de Paris. Et ne seront aussi tenus prendre lettres d'évocation, ni autres provisions qu'ès dites chancelleries de Paris ou Dauphiné, selon l'option qu'ils feront.

Article 34 :

Toutes lesdites chambres composées comme dit est, connaîtront et jugeront en souveraineté et dernier ressort par arrêt, privativement à tous autres, des procès et différends mus et à mouvoir, èsquels ceux de ladite Religion Prétendue Réformée seront parties principales ou garants, en demandant ou défendant en toutes matières, tant civiles que criminelles, soient lesdits procès par écrit ou appellations verbales, et ce si bon semble auxdites parties, et l'une d'icelles le requiert avant contestation en cause, pour le regard des procès à mouvoir. Connaîtront aussi lesdites chambres en temps de vacations, des matières attribuées par les édits et ordonnances aux chambres établies en temps de vacation, chacune en son ressort, si ceux de ladite religion le requièrent, nonobstant tous règlements à ce contraires.

Article 35 :

Seront les chambres de Paris et Grenoble dès à présent unies et incorporées aux corps desdites cours de parlement, et les présidents et conseillers de ladite Religion Prétendue Réformée, nommés présidents et conseillers desdites cours, tenus du rang et nombre d'iceux. Et à ces fins seront premièrement distribués par les autres chambres, puis extraits et tirés d'icelles, pour être employés et servir en celles que nous ordonnons de nouveau ; à la charge toutefois qu'ils assisteront et auront voix et séance en toutes les délibérations qui se feront, les chambres assemblées, et jouiront des mêmes gages, autorités et prééminences que font les autres présidents et conseillers desdites cours.

Article 36 :

Voulons et entendons que lesdites chambres de Castres et Bordeaux soient réunies et incorporées en iceux parlements, en même forme que les autres quand besoin sera, et que les causes qui nous ont mu d'en faire l'établissement cesseront, et n'auront plus de lieu en nos sujets ; et seront à ces fins les conseillers et présidents d'icelles de ladite religion, nommés et tenus pour présidents et conseillers desdites cours.

Article 37 *[disparaît ultérieurement]* :

Sera par nous érigé de nouveau un office de substitut de notre procureur général en ladite chambre de Paris, à la charge de la suppression du premier office de substitut audit parlement qui vaquera par mort ci-après.

Article 38 *[devient article 37]* :

Seront aussi créés et érigés de nouveau en la chambre ordonnée par le parlement de Bordeaux deux substituts de nos procureurs et avocats généraux, dont celui de procureur sera catholique, et l'autre de ladite religion, lesquels seront pourvus desdits offices aux gages compétents.

Article 39 *[devient article 38]* :

Ne prendront tous lesdits substituts autre qualité que de substituts ; et lorsque les chambres ordonnées pour les parlements de Toulouse et de Bordeaux seront unies et incorporées auxdits parlements, seront lesdits substituts pourvus d'offices et conseillers en iceux.

Article 40 *[article 39]* :

Les expéditions de la chancellerie de Bordeaux se feront en présence de deux conseillers d'icelle chambre, dont l'un sera catholique et l'autre de la Religion Prétendue Réformée, en l'absence d'un des maîtres des requêtes de notre hôtel ; et l'un des notaires et secrétaires de ladite cour de parlement de Bordeaux fera résidence au lieu où ladite chambre sera établie, ou bien l'un des secrétaires ordinaires de la chancellerie, pour signer les expéditions de ladite chancellerie.

Article 41 *[article 40]* :

Voulons et ordonnons qu'en ladite chambre de Bordeaux il y ait deux commis du greffier dudit parlement, l'un au civil et l'autre au criminel, qui exerceront leurs charges par nos commissions, et seront appelés commis au greffe civil et criminel, et pourtant ne pourront être destitués ni révoqués par lesdits greffiers du parlement. Toutefois, seront tenus de rendre l'émolument desdits greffes auxdits greffiers, lesquels commis seront salariés par lesdits greffiers, selon qu'il sera avisé et arbitré par ladite chambre. Plus y sera ordonné des huissiers catholiques, qui seront pris en ladite cour, ou d'ailleurs, selon notre bon plaisir, outre lesquels en sera de nouveau érigé deux de ladite religion, et porvus gratuitement ; et seront tous lesdits huissiers réglés par ladite chambre, tant en l'exercice et département de leurs charges, qu'ès émoluments qu'ils devront prendre. Sera aussi expédiée commission d'un payeur des gages et receveur des amendes de ladite chambre, pour en être pourvu tel qu'il nous plaira, si ladite chambre est établie ailleurs qu'en ladite ville ; et la commission ci-devant accordée au payeur des gages de la chambre de Castres sortira son plein et entier effet, et sera jointe à ladite charge la commission de la recette des amendes de ladite chambre.

Article 42 *[article 41] :*
Sera pourvu de bonne et suffisante assignation pour les gages des officiers des chambres ordonnées par cet édit.

Article 43 *[article 42] :*
Les présidents, conseillers et autres officiers catholiques desdites chambres, seront continués le plus longuement que faire se pourra, et comme nous verrons être à faire pour notre service et le bien de nos sujets ; et en licenciant les uns, sera pourvu d'autres en leur place avant leur département, sans qu'ils puissent durant le temps de leur service se départir ni absenter desdites chambres, sans le congé d'icelles, qui sera jugé sur les causes de l'ordonnance.

Article 44 *[article 43] :*
Seront lesdites chambres établies dedans six mois, pendant lesquels (si tant l'établissement demeure à être fait) les procès mus et à mouvoir, où ceux de la religion seront parties, des ressorts de nos parlements de Paris, Rouen, Dijon et Rennes, seront évoqués en la chambre établie présentement à Paris, en vertu de l'édit de l'an 1577, ou bien au Grand Conseil, au choix et option de ceux de ladite religion, s'ils le requièrent, ceux qui seront au parlement de Bordeaux, en la chambre établie à Castres, ou audit Grand Conseil, à leur choix, et ceux qui seront de Provence, au parlement de Grenoble. Et si lesdites chambres ne sont établies dans lesdits six mois, sera auxdits parlements, Grand Conseil et chambre de l'édit à Paris, interdit de connaître et juger des causes de ceux de ladite religion.

Article 45 *[article 44] :*
Les procès non encore jugés, pendant èsdites cours de parlements et Grand Conseil de la qualité susdite, seront renvoyés, en quelque état qu'ils soient, èsdites chambres, chacun en son ressort, si l'une des parties de ladite religion le requiert, dedans quatre mois après l'établissement d'icelles. Et quant à ceux qui seront discontinués et ne sont en état de juger, lesdits de la religion seront tenus de faire déclaration à la première intimation et signification qui leur sera faite de la poursuite ; et ledit temps passé, ne seront plus reçus à requérir lesdits renvois.

Article 46 *[article 45] :*
Lesdites chambres de Grenoble et Bordeaux, comme aussi celle de Castres, garderont les formes et style des parlements, au ressort desquels elles seront établies et jugeront en nombre égal d'une et d'autre religion, si les parties ne consentent au contraire. Ne voulons toutefois qu'en la chambre qui sera établie à Paris ensuite du présent édit, les juges d'icelle soient astreints à garder aucune proportion de nombre aux jugements qu'ils feront.

Article 47 *[article 46] :*
Tous les juges auxquels l'adresse sera faite des exécutions des arrêts, commissions desdites chambres et lettres obtenues ès chancelleries d'icelles, ensemble tous huissiers et seront tenus les mettre à exécution, et lesdits huissiers et sergents faire tous exploits par tout notre royaume, sans demander placet, *visa ne pareatis*, à peine de suspension de leurs états, et des dépens, dommages et intérêts des parties, dont la connaissance appartiendra auxdites chambres.

Article 48 *[article 47] :*
Ne seront accordées aucune évocations des causes dont la connaissance est attribuée auxdites chambres, sinon ès cas des ordonnances, dont le renvoi sera fait à la plus prochine chambre établie suivant notre édit. Et les partages des procès desdites chambres

seront jugés en la plus prochaine, observant la proportion et forme desdites chambres, dont les procès seront procédés **[Ajouté ultérieurement]**, *excepté pour la chambre de l'édit de notre parlement de Paris, où les procès partis seront départis en la même chambre, par les juges qui seront par nous nommés par nos lettres particulières pour cet effet, si mieux les parties n'aiment attendre le renouvellement de ladite chambre*. Et advenant qu'un même procès soit parti en toutes les chambres mi-parties, le partage sera renvoyé à ladite chambre de Paris.

Article 49 *[article 48]* :

Les récusations qui seront proposées contre les présidents et conseillers des chambres mi-parties pourront être jugées au nombre de six auquel nombre les parties seront tenues de se restreindre. Autrement sera passé outre, sans avoir égard auxdites récusations.

Article 50 *[article 49]* :

L'examen des présidents et conseillers nouvellement érigés èsdites chambres mi-parties sera fait en notre privé conseil, ou par lesdites chambres, chacune en son détroit, quand elles seront en nombre suffisant. Et néanmoins le serment accoutumé sera par eux prêté ès cours où lesdites chambres seront établies, et à leur refus, en notre conseil privé – excepté ceux de la chambre de Languedoc, lesquels prêteront le serment ès mains de notre chancelier, ou en icelle chambre.

Article 51 *[article 50]* :

Voulons et ordonnons que la réception de nos officiers de ladite religion soit jugée ès dites chambres mi-parties par la pluralité des voix, comme il est accoutumé ès autres jugements, sans qu'il soit besoin que les opinions surpassent des deux tiers, suivant l'ordonnance, à laquelle pour ce regard est dérogé.

Article 52 *[article 51]* :

Seront faites auxdites chambres mi-parties les propositions, délibérations et résolutions qui appartiendront au repos public, et pour l'état particulier et police où icelles chambres seront.

Article 53 *[article 52]* :

L'article de la juridiction desdites chambres ordonnées par le présent édit sera suivi et observé selon sa forme et teneur, même en ce qui concerne l'exécution et inexécution ou infraction de nos édits, quand ceux de ladite religion seront parties.

Article 54 *[article 53]* :

Les officiers subalternes royaux ou autres, dont la réception appartient à nos cours de parlements, s'ils sont de ladite Religion Prétendue Réformée, pourront être examinés et reçus ès dites chambres, à savoir ceux des ressorts des parlements de Paris, Normandie et Bretagne, en ladite chambre de Paris ; ceux de Dauphiné et Provence, en la chambre de Grenoble ; ceux de Bourgogne, en ladite chambre de Paris ou de Dauphiné, à leur choix ; ceux du ressort de Toulouse, en la chambre de Castres ; et ceux du parlement de Bordeaux, en la chambre de Guyenne – sans qu'autres se puissent opposer à leurs réceptions et rendre parties, que nos procureurs généraux et les substituts, et les pourvus ès dits offices. Et néanmoins, le serment accoutumé sera par eux prêté ès cours de parlements, lesquels ne pourront prendre aucune connaissance de leurs dites réceptions, et au refus desdits parlements, lesdits officiers prêteront le serment ès dites chambres, après lequel ainsi prêté, seront tenus présenter par un huissier ou notaire l'acte de leurs réceptions aux greffiers desdites cours de parlement, et en laisser copie collationnée auxdits greffiers, auxquels il est enjoint d'enregistrer lesdits actes à peine de tous dépens, dommages et intérêts des parties ; et où lesdits greffiers seront refusant de ce faire, suffira auxdits officiers de rapporter l'acte de ladite sommation, expédié par lesdits huissiers ou notaires, et icelle faire enregistrer au greffe de leursdites juridictions, pour y avoir recours quand besoin sera, à peine de nullité de leurs procédures et jugements. Et quant aux officiers dont la réception n'a accoutumé d'être faite en nosdits parlements, en cas que ceux à qui elle appartient fissent refus de procéder auxdits examen et réception, se retireront lesdits officiers par devers lesdites chambres, pour leur être pourvu comme il appartiendra.

Article 55 *[article 54]* :

Les officiers de ladite Religion Prétendue Réformée qui seront pourvus ci-après pour servir dans les corps de nosdites cours de parlements, grand conseil, chambre des comptes, cour des aides, bureaux des trésoriers généraux de France et autres officiers des finances, seront examinés et reçus ès lieux où ils ont accoutumé de l'être et, en cas de refus ou déni de justice, leur sera pourvu en notre conseil privé.

Article 56 *[article 55]* :

Les réceptions de nos officiers faites en la chambre ci-devant établie à Castres demeureront valables nonobstant tous arrêts et ordonnances à ce contraires. Seront aussi valables les réceptions des juges, conseillers, élus et autres officiers de ladite religion, faites en notre privé conseil, ou par commissaires par nous ordonnés sur le refus de nos cours de parlements, des aides et chambres des comptes, tout ainsi que si elles étaient faites ès dites cours et chambres, et par les autres juges à qui la réception appartient. Et seront leurs gages alloués par les chambres des comptes sans difficulté, et si d'aucuns ont été rayés, seront rétablis, sans qu'il soit besoin d'avoir autre jussion que le présent édit, et sans que lesdits officiers soient tenus de faire apparoir d'autre réception, nonobstant tous arrêts donnés au contraire, lesquels demeureront nuls et de nul effet.

Article 57 *[article 56]* :

En attendant qu'il y ait moyen de subvenir aux frais desdites chambres sur les deniers des amendes, sera par nous pourvu d'assignations valables et suffisantes pour fournir auxdits frais, sauf d'en répéter les données sur les biens des condamnés.

Article 58 *[article 57]* :

Les présidents et conseillers de ladite Relition Prétendue Réformée ci-devant reçus en notre cour de parlement du Dauphiné, et en la chambre de l'édit incorporée en icelle, continueront et auront leurs séances et ordre d'icelle, savoir est les présidents comme ils en ont joui et jouissent à présent, et les conseillers, suivant les arrêts et provisions qu'ils en ont obtenus en notre conseil privé.

Article 59 *[article 58]* :

Déclarons toutes sentences, jugements, arrêts, procédures, saisies, ventes et décrets faits et donnés contre ceux de ladite Religion Prétendue Réformée, tant vivants que morts, depuis le trépas de feu Henri II°, notre très honoré seigneur et beau-père, à l'occasion de ladite religion, tumultes et troubles depuis advenus, ensemble l'exécution d'iceux jugements et décrets dès à présent casés, révoqués et annulés, et iceux cassons, révoquons et annulons. Ordonnons qu'ils seront rayés et ôtés des registres des cours, tant souveraines qu'inférieures. Comme nous voulons aussi être ôtées et effacées toutes marques, vestiges et monuments desdites exécutions, livres et actes diffamatoires contre leurs personnes, mémoire et postérité, et que les places èsquelles ont été faites pour cette occasion démolition ou rasement soient rendues en tel état qu'elles sont aux propriétaires d'icelles, pour en jouir et en disposer à leur volonté. Et généralement avons cassé, révoqué et annulé toutes procédures et informations faites pour entreprises quelconques, prétendues crimes de lèse-majesté et autres, nonobstant lesquelles procédures arrêts et jugements contenant réunion, incorporation et confiscation, voulons que ceux de ladite religion et autres qui ont suivi leur parti, et leurs héritiers rentrent en la possession réelle et actuelle de tous et chacuns leurs biens.

Article 60 *[article 59]* :

Toutes procédures faites, jugements et arrêts donnés durant les troubles contre ceux de ladite religion qui ont porté les armes, ou se sont retirés hors de notre royaume, ou dedans icelui ès villes et pays par eux tenus, en quelque autre matière que de la religion et troubles, ensemble toutes péremptions d'instances, prescriptions tant légales, conventionnelles que coutumières, et saisies féodales échues pendant lesdits troubles, ou par empêchements légitimes provenus d'iceux, et dont la connaissance demeurera à nos juges, seront estimées comme non-faites, données ni advenues. Et telles les avons déclarées et déclarons, et icelles mises et mettons à néant, sans que les parties s'en puissent aucunement aider, ains seront remises en l'état qu'elles étaient auparavant, nonobstant lesdits arrêts et l'exécution d'iceux et leur sera rendue la possession en laquelle ils étaient pour ce regard. Ce que dessus aura pareillement lieu, pour le regard des autres qui ont suivi le parti de ceux de ladite religion, ou qui ont été absents de notre royaume pour le fait des troubles. Et pour les enfants mineurs de ceux de la qualité susdite, qui sont morts pendant les troubles, remettons les parties au même état qu'elles étaient auparavant, sans refonder les dépens, ni être tenus de consigner les amendes, n'entendant toutefois que les jugements donnés par les juges présidiaux ou autres juges inférieurs contre ceux de ladite religion ou qui ont suivi leur parti, demeurent nuls, s'il ont été donnés par juges séant ès villes par eux tenues, et qui leur étaient de libre accès.

Article 61 *[article 60]* :

Les arrêts donnés en nos cours de parlement, ès matières dont la connaissance appartient aux chambres ordonnées par l'édit de l'an 1577 et articles de Nérac et Fleix, èsquelles cours les parties n'ont procédé volontairement, c'est-à-dire ont allégué et proposé fins déclinatoires, ou qui ont été donnés par défaut ou forclusion, tant en matière civile que criminelle, nonobstant lesquelles fins lesdites parties ont été contraintes de passer outre, seront pareillement nuls et de nulle valeur. Et pour le regard des arrêts donnés contre ceux de ladite religion qui ont procédé volontairement, et sans avoir proposé fins déclinatoires, iceux arrêts demeureront. Et néanmoins, sans préjudice de l'exécution d'iceux, se pourront, si bon leur semble, pourvoir par requête civile devant les chambres données par le présent édit, sans que le temps porté par les ordonnances ait couru à leur préjudice, et jusqu'à ce que lesdites chambres et chancelleries d'icelles soient établies, les appellations verbales ou par écrit, interjetées par ceux de ladite religion devant les juges, greffiers ou commis, exécuteurs des arrêts et jugements, auront pareil effet que si elles étaient relevées par des lettres royales.

Article 62 *[article 61]* :

En toutes enquêtes qui se feront pour quelque cause que ce soit ès matières civiles, si l'enquêteur ou commissaire est catholique, sera tenu prendre un adjoint de ladite Religion Prétendue Réformée qui lui sera nommé par la partie de ladite religion, et si ledit enquêteur ou commissaire est d'icelle religion, sera loisible à la partie catholique de nommer un adjoint catholique, le tout à la charge que ledit adjoint vaquera aux dépens de celle qui l'aura nommé, sans espoir de répétition.

Article 63 *[article 62]* :

Voulons et ordonnons que nos juges puissent connaître de la validité des testaments auxquels ceux de ladite religion auront intérêt s'ils le requièrent, et les appellations desdits jugements pourront être relevées auxdites chambres ordonnées pour le procès de ceux de ladite religion, nonobstant toutes coutumes à ce contraires, même celle de Bretagne.

Article 64 *[article 63]* :

Pour obvier à tous différends qui pourraient subvenir entre nos cours de parlement et les chambres d'icelles cours ordonnées par notre présent édit, sera par nous fait un bon et ample règlement entre lesdites cours et chambres, et tel que ceux de ladite Religion Prétendue Réformée jouiront entièrement dudit édit, lequel règlement sera gardé et observé sans avoir égard aux précédents.

Article 65 *[article 64]* :

Inhibons et défendons à toutes nos cours souveraines et autres de ce royaume de connaître et juger les procès civils et criminels de ceux de ladite religion dont par notre édit est attribuée la connaissance auxdites chambres.

Article 66 *[article 65]* :

Voulons aussi par manière de provision et jusqu'à ce qu'en ayons autrement ordonné qu'en tous procès mus ou à mouvoir où ceux de ladite religion seront en qualité de demandeurs ou défendeurs, parties principales ou garants, ès matières civiles, èsquelles nos officiers et sièges présidiaux ont pouvoir de juger en dernier ressort, leur soit permis de requérir que ceux de la chambre où les procès se devront juger, s'abstiennent du jugement d'iceux ; lesquels sans expression de cause seront tenus s'en abstenir, nonobstant l'ordonnance par laquelle les juges ne se peuvent tenir pour récusés sans cause, leur demeurant outre ces récusations de droit contre les autres. Et ès matières criminelles, èsquelles aussi lesdits présidiaux et autres juges royaux subalternes jugent en dernier ressort, pourront les prévenus étant de ladite religion requérir que trois desdits juges s'abstiennent du jugement de leurs procès, sans expression de cause. Et les prévôts des maréchaux de France, vibaillifs, visénéchaux, lieutenants de robe courte et autres officiers de semblable qualité jugeront suivant les ordonnances et règlements ci-devant donnés pour le regard des vagabonds. Et quant aux domiciliés, chargés et prévenus de cas prévôtaux, s'ils sont de ladite religion, pourront requérir que trois desdits juges qui en peuvent connaître, s'abstiennent du jugement de leurs procès, et seront tenus s'en abstenir, sans aucune expression de cause, sauf si en la compagnie où lesdits procès se jugeront, se trouvaient jusqu'au nombre de deux en matière civile, et trois en matière criminelle, de ladite religion, auquel cas ne sera permis de récuser sans expression de cause. N'entendons toutefois que les juges présidiaux, prévôts des maréchaux, vibaillifs, visénéchaux et autres qui jugent en dernier ressort, prennent, en vertu de ce qui est dit, connaissance du fait des troubles depuis le commencement du mois de mars de l'année 1585 jusqu'à la fin de l'année 1597 en cas qu'ils en prennent connaissance, voulons qu'il y puisse avoir appel de leurs jugements par devant les chambres ordonnées par le présent édit. **[Dernière phrase remplacée par]** *Ce qui sera commun et réciproque aux catholiques en la forme que dessus, pour le regard desdites récusations de juges où ceux de la dite Religion Prétendue Réformée seront en plus grand nombre. N'entendons toutefois que lesdits sièges présidiaux, prévôts des maréchaux, vibaillifs, visénéchaux et autres qui jugent en dernier ressort, prennent, en vertu de ce qui est dit, connaissance des troubles passés. Et quant aux crimes et excès advenus pour autre occasion que du fait des troubles, depuis le commencement du mois de mars de l'année 1585, jusqu'à la fin de l'année 1597, en cas qu'ils en prennent connaissance, voulons qu'il y puisse avoir appel de leurs jugements par devant les chambres ordonnées par le présent édit, comme il se pratiquera en semblable pour les catholiques complices, et où ceux de ladite Religion Prétendue Réformée seront parties.*

Article 67 *[article 66]* :

Voulons aussi et ordonnons que dorénavant en toutes instructions autres qu'informations de procès criminels, ès sénéchaussées de Toulouse, Carcassonne, Rouergue, Loraguais ; Béziers, Montpellier et Nîmes, le magistrat ou commissaire député pour ladite instruction, s'il est catholique, sera tenu prendre un adjoint qui soit de ladite Religion Prétendue Réformée, dont les parties conviendront, et où elles n'en pourraient convenir, en sera pris d'office un de ladite religion par le susdit magistrat ou commissaire, comme en semblable, si ledit magistrat ou commissaire est de ladite religion, il sera tenu en la même forme dessus dite, prendre un adjoint catholique.

Article 68 *[article 67]* :

Quand il sera question de faire procès criminels par les prévôts des maréchaux, ou leurs lieutenants, à quelqu'un de ladite religion domicilié, qui sera chargé et accusé d'un crime prévôtal, ledit prévôt et leursdits lieutenants, s'ils sont catholiques, seront tenus d'appeler à l'instruction dudit procès un adjoint de ladite religion, lequel adjoint assistera aussi au jugement de ladite compétence et au jugement définitif du procès, laquelle compétence ne pourra être jugée qu'au plus prochain siège présidial, en l'assemblée, avec les principaux officiers dudit siège, qui seront trouvés sur les lieux, à peine de nullité, sinon que les prévenus requissent que la compétence fût jugée ès dites chambres ordonnées par le présent édit, auquel cas pour le regard des domiciliés ès provinces de Guyenne, Languedoc, Provence et Dauphiné, les substituts de nos procureurs généraux èsdites chambres feront à la requête d'iceux domiciliés apporter en icelles les charges et importations faites contre iceux pour connaître et juger si les causes sont prévôtables ou non, pour après, selon la qualité des crimes, être par icelles chambres renvoyés à l'ordinaire, ou jugés prévôtalement, ainsi qu'ils verront être à faire par raison, en observant le contenu de notre présent édit, et seront tenus les juges présidiaux, prévôts des maréchaux, vibaillifs, visénéchaux et autres qui jugent en dernier ressort, de respectivement obéir et satisfaire aux commandements qui leur seront faits par lesdites chambres, tout ainsi qu'ils ont accoutumé de faire èsdits parlements, à peine de privations de leurs états.

Article 69 *[article 68]* :

Les criées, affiches et subhastations des héritages dont l'on poursuit le décret seront faites ès lieux et heures accoutumées, si faire se peut, suivant nos ordonnances, ou bien ès marchés publics si au lieu où sont assis lesdits héritages il y a marché ; et où il n'y en aurait point, seront faites au prochain marché du ressort du siège où l'adjudication se doit faire, et seront les affiches mises au poteau dudit marché, et à l'entrée de l'auditoire dudit lieu, et par ce moyen seront bonnes et valables lesdites criées, et passé outre à l'interposition du décret sans s'arrêter aux nullités qui pourraient être alléguées pour ce regard.

Article 70 *[article 69]* :

Tous titres, papiers, enseignements et documents qui ont été pris seront rendus et restitués de part et d'autre à ceux auxquels ils appartiennent, encore que lesdits papiers, ou les châteaux et maisons èsquels ils ont été gardés, aient été pris et saisis, soit par spéciales commissions du feu roi dernier décédé, notre très honoré seigneur et beau frère, ou nôtre, ou par les mandements des gouverneurs et lieutenants généraux de nos provinces, ou de l'autorité des chefs de l'autre part, ou sous quelque prétexte que ce soit.

Article 71 *[article 70]* :

Les enfants de ceux qui se sont retirés hors de notre royaume, depuis la mort du feu roi Henri deuxième, notre très honoré seigneur et beau-père, pour cause de la religion et troubles, encore que lesdits enfants soient nés hors de cestui notre royaume, seront tenus pour vrais Français et régnicoles ; et tels les avons déclarés et déclarons, sans qu'il leur soit besoin prendre lettres de naturalité, ou autres provisions que le présent édit, nonobstant toutes lettres à ce contraire, auxquelles nous avons dérogé ou dérogeons **[l'on ajoute alors cette clause]**, *à la charge que lesdits enfants nés ès pays étrangers seront tenus, dans dix ans après la publication du présent édit, de venir demeurer dans ce royaume.*

Article 72 *[article 71]* :

Ceux de ladite Religion Prétendue Réformée et autres qui ont servi leur parti, lesquels auront pris à ferme avant les troubles aucuns greffes ou autres domaines, gabelles, imposition foraine et autres droits à nous appartenant, dont ils n'ont pu jouir à cause d'iceux troubles, demeureront déchargés, comme nous les déchargeons de ce qu'ils auront reçu desdites fermes, ou qu'ils auront sans fraude payé ailleurs qu'ès recettes de nos finances, nonobstant toutes obligations sur ce par eux passées.

Article 73 *[article 72]* :
Toutes places, villes et provinces de notre royaume, pays, terres et seigneuries de notre obéissance, useront et jouiront des mêmes privilèges, immunités, libertés, franchises, foires, marchés, juridictions et sièges de justice, qu'elles faisaient auparavant les troubles, commencés au mois de mars 1585, et autres précédents, nonobstant toutes lettres à ce contraire, et les translations d'aucuns desdits sièges, pourvu qu'elles aient été faites seulement à l'occasion des troubles, lesquels sièges seront remis et rétablis ès villes et lieux où ils étaient auparavant.

Article 74 *[article 73]* :
S'il y a encore quelques prisonniers qui soient détenus par autorité de justice ou autrement, même ès galères, à l'occasion des troubles ou de ladite religion, seront élargis et mis en pleine liberté.

Article 75 *[article 74]* :
Ceux de ladite Religion Prétendue Réformée ne pourront ci-après être surchargés et foulés d'aucunes charges ordinaires, ou extraordinaires, plus que les catholiques, et selon la proportion de leurs biens et facultés, et pourront les parties qui prétendront être surchargées se pouvoir par devant les juges auxquels la connaissance en appartient, et seront tous nos sujets, tant de la religion catholique que prétendue réformée, indifféremment déchargés de toutes charges qui ont été imposées de part et d'autre, durant les troubles, sur ceux qui étaient de contraire parti, et non consentant ; ensemble des dettes crées et non payées, frais faits sans le consentement d'iceux sans toutefois pouvoir répéter les fruits qui auront été employés au paiement desdites charges.

Article 76 *[article 75]* :
N'entendons aussi que ceux de ladite religion, et autres qui ont suivi leur parti, ni les catholiques qui étaient demeurés ès villes et lieux par eux occupés et détenus, et qui leur ont contribué, soient poursuivis pour le paiement des tailles, aides, octrois, crues, taillons, ustensiles, réparations et autres impositions et subsides échus, et imposés durant les troubles advenus devant et jusqu'à notre avènement à la couronne, soit par les édits, mandements des feux rois nos prédécesseurs, ou par l'avis et délibération des gouverneurs et états de provinces, cours de parlements et autres, dont nous les avons déchargés et déchargeons, en défendant aux trésoriers généraux de France et de nos finances, receveurs généraux et particuliers, leurs commis, entremetteurs et autres intendants et commissaires de nosdites finances les en rechercher, molester, ni inquiéter directement ou indirectement, en quelque sorte que ce soit.

Article 77 *[article 76]* :
Demeureront tous chefs, seigneurs, chevaliers, gentilhommes, officiers, corps de villes et communautés, et tous les autres qui les ont aidés et secourus, leurs veuves, hoirs et successeurs, quittes et déchargés de tous deniers qui ont été par eux et leurs ordonnances pris et levés, tant des deniers royaux à quelque somme qu'ils se puissent monter que des villes et communautés, et particuliers, des vents, revenus, argenterie, vente de biens meubles ecclésiastiques et autres, bois de haute futaie, soit du domaine ou autres, amendes, butins, rançons ou autre nature de deniers par eux pris, à l'occasion des troubles commencés au mois de mars 1585, et autres troubles précédents jusqu'à notre avènement à la couronne, sans qu'ils, ni ceux qui auront été commis à la levée desdits deniers, ou qui les ont baillés ou fournis par leurs ordonnances, en puissent être

aucunement recherchés à présent, ni pour l'avenir, et demeureront quittes, tant eux que leurs commis, de tout le maniement et administration desdits deniers, en rapportant pour toute décharge, dedans quatre mois après la publication du présent édit, faite en notre cour de parlement de Paris, acquis dûment expédiés des chefs de ceux de ladite religion, ou de ceux qui auraient été par eux commis à l'audition et clôture des comptes ou des communautés des villes qui ont eu commandement et charges durant lesdits troubles. Demeureront pareillement quittes et déchargés de tous actes d'hostilité, levée et conduite de gens de guerre, fabrication et évaluation de monnaie, faite selon l'ordonnance desdits chefs, fonte et prise d'artillerie et munitions, confections de poudres et salpêtre, prise, fortifications, démantèlement et démolition de villes, châteaux ; bourgs et bourgades, entreprises sur icelles, brûlements et démolitions d'églises et maisons, établissement de justices, jugements et exécutions d'iceux, soit en matière civile ou criminelle, police et règlement fait entre eux, voyages et intelligence, négociations, traités et contrats faits avec tous princes et communautés étrangères et introduction desdits étrangers ès villes, et autres endroits de notre royaume, et généralement de tout ce qui a été fait, géré et négocié durant lesdits troubles, depuis la mort de feu roi Henri deuxième, notre très honoré seigneur et beau-père, par ceux de ladite religion, et autres qui ont suivi leur parti, encore qu'il dût être particulièrement exprimé et spécifié.

Article 78 *[article 77]* :

Demeureront aussi déchargés ceux de ladite religion de toutes assemblées générales et provinciales par eux faites et tenues, tant à Mantes que depuis ailleurs jusqu'à présent, ensemble des conseils par eux établis et ordonnés par les provinces, délibérations, ordonnances et règlements faits auxdites assemblées et conseils, établissement et augmentation de garnison, assemblées de gens de guerre, levée et prise de nos deniers, soit entre les mains des receveurs généraux ou particuliers, collecteurs des paroisses ou autrement, en quelque façon que ce soit, arrête de sel, continuation ou érection nouvelle de traites et péages, et recettes d'iceux, même à Royan et sur les rivières de Charente, Garonne, le Rhône et Dordogne, armements et combats par mer, et tous accidents et excès advenus pour faire payer lesdites traites, péages et autres deniers, fortifications de villes, châteaux et places, impositions de deniers et corvées, recettes d'iceux deniers, destitution de nos receveurs et fermiers, et autres officiers, établissement d'autres en leurs places, et de toutes unions, dépêches et négociations faites tant au dedans qu'en dehors du royaume, et généralement de tout ce qui a été fait délibéré, écrit et ordonné par lesdites assemblées et conseil, sans que ceux qui ont donné leur avis, signé, exécuté fait signer et exécuter lesdites ordonnances, règlements et délibérations en puissent être recherchés, ni leurs veuves, héritiers et successeurs, ores ni à l'avenir, encore que les particularités n'en soient ici amplement déclarées. Et sur le tout sera imposé silence perpétuel à nos procureurs généraux, leurs substituts et tous ceux qui pourraient y prétendre intérêt, en quelque façon et manière que ce soit, nonobstant tous arrêts, sentences, jugements, informations et procédures faites au contraire.

Article 79 *[article 78]* :

Approuvons en outre, validons et autorisons les comptes qui ont été ouïs, clos et examinés par les députés de ladite assemblée. Voulons qu'iceux, ensemble les acquis et pièces qui ont été rendues par les comptables, soient portés en notre chambre des comptes de Paris, trois mois après la publication du présent édit, et mises ès mains de notre procureur général pour être délivrés au garde des livres et registres de notre chambre pour y avoir recours toutes fois et quantes que besoin sera, sans que lesdits comptes puissent être revus, ni les comptables tenus en aucune comparaison, ni correction, sinon en cas d'omission de recette ou faux acquis, imposant silence à notredit procureur général pour le surplus que l'on voudrait dire être défectueux, et les formalités n'avoir été bien gardées, défendant aux gens de nos comptes, tant de Paris que des autres provinces où elles sont établies, d'en prendre aucune connaissance en quelque sorte ou manière que ce soit.

Article 80 *[article 79]* :

Et pour le regard des comptes qui n'auront encore été rendus, voulons iceux être ouïs, clos et examinés par les commissaires qui à ce seront par nous députés, lesquels sans difficulté passeront et alloueront toutes les parties payées par lesdits comptables, en vertu des ordonnances de ladite assemblée, ou autres ayant pouvoir.

Article 81 *[article 80]* :

Demeureront tous collecteurs, receveurs, fermiers et tous autres, bien et dûment déchargés de toutes les sommes de deniers qu'ils ont payées auxdits commis de ladite assemblée, de quelque nature qu'ils soient, jusqu'au dernier jour de ce mois. Voulons le tout être passé et alloué aux comptes qui s'en rendront en nos chambres des comptes purement et simplement, en vertu des quittances qui seront rapportées, et si aucunes étaient ci-après expédiées ou délivrées, elles demeureront nulles, et ceux qui les accepteront ou délivreront seront condamnés à l'amende de faux emploi. Et où il y aurait quelques comptes déjà rendus sur lesquels seraient intervenues aucunes radiations ou charges, pour ce regard avons icelles ôtées et levées, rétabli et rétablissons lesdistes parties entièrement, en vertu de ces présentes, sans qu'il soit besoin pour tout ce que dessus de lettres particulières, ni autres choses que l'extrait du présent article.

Article 82 *[article 81]* :

Les gouverneurs, capitaines, consuls et personnes commises au recouvrement des deniers, pour payer les garnisons des places tenues par ceux de ladite religion, auxquels nos receveurs et collecteurs des paroisses auraient fourni par prêt sur leurs cédules et obligations, soit par contrainte ou pour obéir aux commandements, qui leur ont été faits par les trésoriers généraux, les deniers nécessaires pour l'entretenement desdites garnisons, jusqu'à la concurrence de ce qui était porté par l'état que nous avons fait expédier au commencement de l'an 1596, et augmentation depuis par nous accordée, seront tenus quittes et déchargés de ce qui a été payé pour l'effet susdit, encore que par lesdites cédules et obligations n'en soit faite expresse mention, lesquelles leur seront rendues comme nulles. Et pour y satisfaire, les trésoriers généraux en chacune généralité feront fournir par les receveurs particuliers de nos tailles leurs quittances auxdits collecteurs et par les receveurs généraux leurs quittances aux receveurs particuliers, pour la décharge desquels receveurs généraux, seront les sommes dont ils auront tenu compte, ainsi que dit est, dossées sur les mandements levés par le trésorier de l'épargne, sous les noms des trésoriers généraux de l'extraordinaire de nos guerres, pour le paiement desdites garnisons. Et où lesdits mandements ne montreront autant que porte notredit état de l'année 1596, et augmentation, ordonnons que pour y suppléer seront expédiés nouveaux mandements de ce qui s'en défaudrait pour la décharge de nos comptables, et restitutions desdites promesses et obligations, en sorte qu'il ne soit rien demandé à l'avenir à ceux qui les auront faites, et que toutes lettres de validations qui seront nécessaires pour la décharge des comptables, seront expédiées en vertu du présent article.

Article 83 *[article 82]* :

Aussi ceux de ladite religion se départiront et désisteront dès à présent de toutes pratiques, négociations et intelligences, tant dedans que dehors notre royaume, et lesdites assemblées et conseils établis dans les provinces se sépareront promptement, et seront toutes ligues et associations faites ou à faire, sous quelques prétextes que ce soit, au préjudice de notre présent édit, cassées et annulées, comme nous les cassons et annulons, défendant très expressément à tous nos sujets de faire dorénavant aucunes cotisations et levées de deniers sans notre permission, fortifications, enrôlements d'hommes, congrégations et assemblées, autres que celles qui leur sont permises par notre présent édit, et sans armes, ce que nous leur prohibons et défendons, sur peine d'être punis rigoureusement et comme contempteurs et infracteurs de nos mandements et ordonnances.

Article 84 *[article 83]* :

Toutes prises qui ont été faites par mer durant les troubles en vertu des congés et aveux donnés et celles qui ont été faites par terre, sur ceux de contraire parti, et qui ont été jugées par les juges et commissaires de l'amirauté, ou par les chefs de ceux de ladite religion, ou leur conseil, demeureront assoupies sous le bénéfice de notre présent édit, sans qu'il en puisse être fait aucune poursuite, ni les capitaines et autres qui ont faites lesdites prises, leurs cautions et lesdits juges, officiers, leurs veuves et héritiers, recherchés ni molestés en quelque sorte que ce soit, nonobstant tous arrêts de notre conseil privé, et des parlements, et toutes lettres de marques et saisies pendantes et non-jugées, dont nous voulons leur être faite pleine et entière main levée.

Article 85 *[article 84]* :

Ne pourront semblablement être recherchés ceux de ladite religion, des oppositions et empêchements qu'ils ont donnés par ci-devant, même depuis les troubles, à l'exécution des arrêts et jugements donnés pour le rétablissement de la religion catholique, apostolique et romaine en divers lieux du royaume.

Article 86 *[article 85]* :

Et quant à ce qui a été fait ou pris durant les troubles, hors la voie d'hostilité, ou par hostilité contre les règlements publics ou particuliers des chefs ou des communautés des provinces qui avaient commandement, en pourra être fait poursuite par la voie de justice.

Article 87 *[article 86]* :

D'autant néanmoins que si ce qui a été fait contre les règlements d'une part et d'autre, est indifféremment excepté et réservé de la générale abolition portée par notre présent édit, et est sujet à être recherché, il n'y a homme de guerre qui ne puisse être mis en peine – dont pourrait advenir renouvellement de troubles. A cette cause, nous voulons et ordonnons que seulement les cas exécrables demeureront exceptés de ladite abolition, comme ravissement et forcement de femmes et filles, brûlements, meurtres et voleries par prodition et de guet-apens, hors les voies d'hostilité, et pour exercer vengeances particulières, contre le devoir de la guerre, infraction de passeports et sauvegardes, avec meurtres et pillages, sans commandement, pour le regard de ceux de ladite religion, et autres qui ont suivi le parti des chefs qui ont eu autorité sur eux, fondée sur particulières occasions qui les ont mus à le commander et ordonner.

Article 88 *[article 87]* :

Ordonnons aussi que punition sera faite des crimes et délits commis entre personnes de même parti, si ce n'est en actes commandés par les chefs d'une part et d'autre, selon la nécessité, loi et ordre de la guerre. Et quant aux levées et exactions de deniers, ports d'armes et autres exploits de guerre faits d'autorité privée, et sans aveu, en sera faite poursuite par voie de justice.

Article 89 *[article 88]* :

Es villes démantelées pendant les troubles, pourront les ruines et démantèlements d'icelles être par notre permission rééedifiées et réparées par les habitants, à leurs frais et dépens, et les provisions octroyées ci-devant pour ce regard tiendront et auront lieu.

Article 90 *[article 89]* :

Ordonnons, voulons et nous plaît que tous les seigneurs, chevaliers, gentilshommes et autres, de quelque qualité et condition qu'ils soient, de ladite Religion Prétendue Réformée, et autres qui ont suivi leur parti, rentrent et soient effectivement conservés en la jouissance de tous et chacuns leurs biens, droits, noms, raison et actions, nonobstant les jugements ensuivis durant lesdits troubles, et à raison d'iceux, lesquels arrêts, saisies, jugements et tout ce qui s'en serait ensuivi nous avons à cette fin déclarés, et déclarons nuls, et de nul effet et valeur.

Article 91 *[article 90]* :

Les acquisitions que ceux de ladite Religion Prétendue Réformée et autres qui ont suivi leur parti auront faites par autorité d'autres que des feux rois nos prédécesseurs pour les immeubles appartenant à l'Eglise n'auront aucun lieu ni effet, ainsi ordonnons, voulons et nous plaît que lesdits ecclésiastiques rentrent incontinent et sans délai, et soient conservés en la possession et jouissance réelle et actuelle desdits biens ainsi aliénés, sans être tenus de rendre le prix desdites ventes, et ce nonobstant lesdits contrats de vendition, lesquels à cet effet nous avons cassés et révoqués comme nuls, sans toutefois que lesdits acheteurs puissent avoir aucun recours contre les chefs par l'autorité desquels lesdits biens auront été vendus. Et néanmoins, pour le remboursement des deniers par eux véritablement et sans fraude déboursés, seront expédiées nos lettres patentes de permission à ceux de ladite religion, d'imposer et égaler sur eux les sommes à quoi se monteront lesdites ventes, sans qu'iceux acquéreurs puissent prendre aucune action pour leurs dommages et intérêts à faute de jouissance, ains se contenteront du remboursement des deniers par eux fournis pour le prix desdites acquisitions, précomptant sur icelui prix les fruits par eux perçus en cas que ladite vente se trouvât faite à trop vil et injuste prix.

Article 92 *[article 91]* :

Et afin que tant nos justiciers, officiers qu'autres nos sujets soient clairement et avec toute certitude avertis de nos vouloir et intention, et pour ôter toutes ambiguïtés et doutes qui pourraient être faits au moyen des précédents édits, pour la diversité d'iceux, nous avons déclaré et déclarons tous autres précédents édits, articles secrets, lettres, déclarations, modifications, restrictions, interprétations, arrêts et registres, tant secret qu'autres délibérations ci-devant par nous, ou les rois nos prédécesseurs, faites en nos cours de parlements et ailleurs, concernant le fait de ladite religion, et des troubles advenus en notredit royaume, être de nul effet et valeur, auxquels et aux dérogatoires y contenues, nous avons par cestui notre édit dérogé et dérogeons, et dès à présent, comme pour lors, les cassons, révoquons et annulons, déclarant par exprès, que nous voulons que cestui édit soit ferme et inviolable, gardé et observé, tant par nosdits justiciers, officiers, qu'autres sujets, sans s'arrêter ni avoir aucun regard à tout ce qui pourrait être contraire, ou dérogeant à icelui.

Article 93 *[article 92]* :

Et pour plus grande assurance de l'entretenement et observation que nous désirons d'icelui, nous voulons, ordonnons et nous plaît que tous les gouverneurs et lieutenants généraux de nos provinces, baillifs, sénéchaux, et autres juges ordinaires des villes de notredit royaume, incontinent après la réception d'icelui édit, jurent de le faire garder et observer chacun en leur détroit, comme aussi les maires, échevins, capitouls, consuls et jurats des villes, annuels et perpétuels. Enjoignons aussi à nosdits baillifs, sénéchaux, ou leurs lieutenants, et autres juges, faire jurer aux principaux habitants desdites villes, tant d'une que d'autre religion, l'entretenement du présent édit, incontinent après la publication d'icelui. Mettant tous ceux desdites villes en notre protection et sauvegarde, et les uns à la garde des autres, les chargeant respectivement et par actes publics de répondre civilement des contraventions qui seront faites à notre édit dans lesdites villes, par les habitants d'icelles, ou bien représenter et mettre ès mains de justice lesdits contrevenants.

Article 94 *[article 92 suite]* :

Mandons à nos aimés et féaux les gens tenant nos cours de parlement, chambres des comptes, et cours des aides, qu'incontinent après le présent édit reçu, ils aient, toutes choses cessantes, et sur peine de nullité des actes qu'ils feraient autrement, à faire pareil serment que dessus, et icelui notre édit faire publier et enregistrer en nosdites cours selon la forme et teneur d'icelui, purement et simplement, sans user d'aucunes modifications, restrictions, déclarations ou registres secrets, ni attendre autre jussion, ni mandement de nous, et à tous nos procureurs généraux, en requérir et poursuivre incontinent et sans délai ladite publication.

Article 95 [*article 92 fin*] :
Si donnons en mandement auxdits gens de nosdites cours de parlement, chambres de nos comptes et cours de nos aides, baillifs, sénéchaux, prévôts et autres nos justiciers et officiers qu'il appartiendra, et à leurs lieutenants qu'ils fassent lire, publier et enregistrer cestui notre présent édit et ordonnance en leurs cours et juridictions, et icelui entretenir, garder et observer de point en point, et du contenu en icelui faire jouir et user pleinement et paisiblement tous ceux qu'il appartiendra, cessant et faisant cesser tous troubles et empêchements au contraire. Car tel est notre plaisir. En témoin de quoi, nous avons signé les présentes de notre propre main et à icelles, afin que ce soit chose ferme et stable à toujours, nous avons fait mettre et adosser notre scel.

Donné à Nantes, au mois d'avril, l'an de grâce 1598, et de notre règne le neuvième. *Signé :* Henri. *Et au dessous :* Par le roi, étant en son conseil, Forget.

N° XCIV

RÉVOCATION DE L'ÉDIT DE NANTES

Louis, etc. Le roi Henry-le-Grand, notre ayeul de glorieuse mémoire, voulant empêcher que la paix qu'il avoit procurée à ses sujets après les grandes pertes qu'ils avoient souffertes par la durée des guerres civiles et étrangères, ne fût troublée à l'occasion de la R. P. R, comme il étoit arrivé sous les règnes des rois ses prédécesseurs, auroit, par son édit donné à Nantes au mois d'avril 1598, réglé la conduite qui seroit à tenir à l'égard de ceux de ladite religion, les lieux dans lesquels ils en pourroient faire l'exercice, étably des juges extraordinaires pour leur administrer la justice, et enfin pourvu même par des Articles particuliers à tout ce qu'il auroit jugé nécessaire pour maintenir la tranquillité dans son royaume, et pour diminuer l'aversion qui étoit entre ceux de l'une et de l'autre religion, afin d'être plus en état de travailler, comme il avoit résolu de faire, pour réunir à l'Eglise ceux qui s'en étoient si facilement éloignez. Et comme l'intention du roy notredit ayeul, ne put être effectuée à cause de sa mort précipitée, et que l'exécution dudit édit fut même interrompue pendant la minorité du feu roy, notre très-honoré seigneur et père de glorieuse mémoire, par de nouvelles entreprises desdits de la R. P. R, elles donnèrent occasion à les priver de divers avantages qui leur avoient été accordez par ledit édit. Néanmoins le roy, notredit feu seigneur et père, usant de sa clémence ordinaire, leur accorda encore un nouvel édit à Nismes, au mois de juillet 1629, au moyen duquel la tranquillité ayant de nouveau été rétablie, ledit feu roy animé du même esprit et du même zèle pour la religion que le roy notredit ayeul, avoit résolu de profiter de ce repos pour essayer de mettre son pieux dessein à exécution ; mais les guerres avec les étrangers étant survenues peu d'années après, en sorte que, depuis 1635 jusqu'à la trève conclue en l'année 1684 avec les princes de l'Europe, le royaume ayant été peu de temps sans agitation, il n'a pas été possible de faire autre chose pour l'avantage de la religion que de diminuer le nombre des exercices de la R. P. R. par l'interdiction de ceux qui se sont trouvez établis au préjudice de la disposition des Edits et par la suppression des Chambres my-parties, dont l'érection n'avoit été faite que par provision. Dieu ayant enfin permis que nos peuples jouissant d'un parfait repos, et que nous-même n'étant pas occupez du soin de les protéger contre nos ennemis, ayons pu profiter de cette trève que nous avons facilitée à l'effet de donner notre entière application à rechercher les moyens de parvenir au succez du dessein des rois nosdits ayeul et père, dans lequel nous sommes entrez dès notre avènement à la couronne. Nous voyons présentement avec la juste reconnaissance que nous devons à Dieu, que nos soins ont eu la fin que nous nous sommes proposée, puisque la meilleure et la plus grande partie de nos sujets de ladite R. P. R. ont embrassé la Catholique : et d'autant qu'au moyen de ce, l'exécution de l'édit de Nantes, et de tout ce qui a été ordonné en faveur de ladite R. P. R. demeure inutile, nous avons jugé que nous ne pouvions rien faire de mieux pour effacer entièrement la mémoire des troubles, de la confusion et des maux que le progrès de cette fausse religion a causez dans notre royaume, et qui ont donné lieu audit édit, et à tant d'autres édits et déclarations qui l'ont précédé ou ont été faits en conséquence, que de révoquer entièrement ledit édit de Nantes et les Articles particuliers qui ont été accordez en suite d'iceluy et tout ce qui a été fait depuis en faveur de ladite religion.

I. Sçavoir faisons que nous, pour ces causes et autres à ce nous mouvant, et de notre certaine science, pleine puissance et autorité royale, avons par ce présent édit perpétuel et irrévocable, supprimé et révoqué, supprimons et révoquons l'édit du roy, notredit ayeul, donné à Nantes au mois d'avril 1598 en toute son étendue ; ensemble les Articles particuliers arrêtez le 2 may ensuivant, et les lettres-patentes expédiées sur iceux, et l'édit donné à Nismes au mois de juillet 1629 ; les déclarons nuls et comme non avenus, ensemble toutes les concessions faites tant par iceux, que par d'autres édits, déclarations et arrêts, aux gens de ladite R. P. R., de quelque nature qu'elles puissent être, lesquelles demeureront pareillement comme non avenues : et en conséquence voulons et nous plaît, que tous les temples de ceux de ladite R. P. R. situez dans notre royaume, païs, terres et seigneuries de notre obéissance soient incessamment démolis.

II. Défendons à nosdits sujets de la R. P. R. de plus s'assembler pour faire l'exercice de ladite religion en aucun lieu ou maison particulière, sous quelque prétexte que ce puisse être, même d'exercices réels ou de bailliages, quand bien lesdits exercices auroient été maintenus par des arrêts de notre Conseil.

III. Défendons pareillement à tous seigneurs, de quelque condition qu'ils soient, de faire l'exercice dans leurs maisons et fiefs, de quelque qualité que soient lesdits fiefs, le tout à peine, contre tous nosdits sujets qui feroient ledit exercice, de confiscation de corps et de biens.

IV. Enjoignons à tous ministres de ladite R. P. R. qui ne voudront pas se convertir et embrasser la R. C. A. et R., de sortir de notre royaume et terres de notre obéissance, quinze jours après la publication de notre présent édit, sans y pouvoir séjourner au-delà, ny pendant ledit tems de quinzaine, faire aucun prêche, exhortation ny autre fonction à peine des galères.

V. Voulons que ceux desdits ministres qui se convertiront, continuent à jouir, leur vie durant, et leurs veuves après leur décès, tandis qu'elles seront en viduité, des mêmes exemptions de taille et logements de gens de guerre dont ils ont jouy pendant qu'ils faisoient la fonction de ministres ; et en outre, nous ferons payer ausdits ministres, aussi leur vie durant, une pension qui sera d'un tiers plus forte que les appointemens qu'ils touchoient en qualité de ministres, de la moitié de laquelle pension leurs femmes jouiront aussi après leur mort, tant qu'elles demeureront en viduité.

VI. Que si aucuns desdits ministres désirent de se faire avocats ou prendre les degrés de docteurs ès-loi, nous voulons et entendons qu'ils soient dispensez des trois années d'étude prescrites par nos déclarations, et après avoir suby les examens ordinaires, et par iceux été jugez capables, ils soient reçus docteurs en payant seulement la moitié des droits que l'on a accoutumé de percevoir pour cette fin en chacune Université.

VII. Défendons les écoles particulières pour l'instruction des enfans de ladite R. P. R. et toutes les choses généralement quelconques, qui peuvent marquer une concession, quelle que ce puisse être, en faveur de ladite religion.

VIII. A l'égard des enfans qui naîtront de ceux de ladite R. P. R., voulons qu'ils soient dorénavant baptisez par les curez des paroisses. Enjoignons aux pères et mères de les envoyer aux églises à cet effet-là, à peine de cinq cens livres d'amende, et de plus grande, s'il y échet ; et seront ensuite les enfans élevez en la R. C. A. et R., à quoi nous enjoignons bien expressément aux juges des lieux de tenir la main.

IX. Et pour user de notre clémence envers ceux de nos sujets de ladite R. P. R. qui se seront retirez de notre royaume, païs et terres de notre obéissance, avant la publication de notre présent édit, nous voulons et entendons qu'en cas qu'ils y reviennent dans le tems de quatre mois, du jour de ladite publication, ils puissent et leur soit loisible de rentrer dans la possession de leurs biens et en jouir tout ainsi comme ils auroient pu faire s'ils y étoient toujours demeurez ; au contraire, que les biens de ceux qui, dans ce tems-là de quatre mois, ne reviendront pas dans notre royaume, ou païs et terres de notre obéissance, qu'ils auroient abandonnez, demeurent et soient confisquez en conséquence de notre Déclaration du vingtième du mois d'aoust dernier.

X. Faisons très-expresses et itératives défenses à tous nos sujets de ladite R. P. R. de sortir, eux, leurs femmes et enfans, de notredit royaume, païs et terres de notre obéissance, ny d'y transporter leurs biens et effets, sous peine pour les hommes des galères, et de confiscation de corps et de biens pour les femmes.

XI. Voulons et entendons que les déclarations rendues contre les relaps soient exécutées selon leur forme et teneur.

Pourront au surplus lesdits de la R. P. R., en attendant qu'il plaise à Dieu les éclairer comme les autres, demeurer dans les villes et lieux de notre royaume, païs et terres de notre obéissance, et y continuer leur commerce, et jouir de leurs biens, sans pouvoir être troublez ny empéchez, sous prétexte de ladite R. P. R., à condition, comme dit est, de ne point faire d'exercice, ny de s'assembler, sous prétexte de prières ou de culte de ladite religion, de quelque nature qu'il soit, sous les peines cy-dessus de corps et de biens.

Si donnons en mandement, etc. Donné à Fontainebleau au mois d'octobre 1685 et de notre règne le quarante-troisième. Signé LOUIS. Et sur le reply, *visa*, LE TELLIER, et à côté, par le roy, COLBERT. Et scellé du grand sceau de cire verte, sur lacs de soye rouge et verte.

Enregistré, etc. Signé DE LA BAUNE.

BIBLIOGRAPHIE

« L'amiral de Coligny et son temps », Actes du colloque tenu en 1972, Paris, 1974.

J.-P. BABELON, *L'Edit de Nantes*, notes de J. Garrisson, Biarritz, J. et D. et Société Henri-IV, 1997.

– *Henri IV*, Paris, Fayard, 1982.

Ph. BENEDICT, « Un Roi, une loi, deux fois : Parameters for the History of Catholic-Protestant Co-Existence in France, 1555-1685 », in O.P. Grell et B. Scribnes, *Tolerance and Intolerance in the European Reformation*, Cambridge, 1996.

E. BENOIST, *Histoire de l'édit de Nantes et sa révocation*, Delft, 1693-1695, 5 vol.

F. BLUCHE, *Louis XIV*, Paris, Fayard, 1986.

Bulletin de la Société de l'Histoire du protestantisme français, n° 134 (avril-juin 1988). La même société a assuré l'édition des actes du colloque consacré à : « La Révocation de l'édit de Nantes et le protestantisme français en 1685 », Paris, 1986 » et « Les Protestants et la Révolution française », Paris, 1990.

J.-L. BOURGEON, « L'Edit de Nantes », dans A. Croix (s. d.), *Nantes dans l'histoire de la France*, Nantes, Ouest-Edition, 1991.

P. CHAUNU, *Le Temps des Réformes*, Paris, Fayard, 1975, 2 vol. (rééd. aux Editions Complexe), 1984.

– *Eglise, Culture et Société. Essais sur Réforme et Contre-Réforme (1517-1620)*, Paris, SEDES, 1981.

O. CHRISTIN, *La Paix de religion. L'autonomisation de la raison politique au xvie siècle*, Paris, Le Seuil, 1997.

– *Une révolution symbolique. L'iconoclasme huguenot et la restauration catholique*, Paris, Minuit, 1991.

J.-M. CONSTANT, *La Ligue*, Paris, Fayard, 1996.

B. COTTRET, *1598, L'Edit de Nantes*, Paris, Perrin, 1997.

D. CROUZET, *Les Guerriers de Dieu. La violence au temps des troubles de Religion (vers 1525-vers 1610)*, Seyssel-Champ Vallon, 1990, 2 vol.

– *La Nuit de la Saint-Barthélemy. Un rêve perdu de la Renaissance*, Paris, Fayard, 1994.

– *La Genèse de la Réforme française, 1520-1562*, Paris, SEDES, 1996.

J. DELUMEAU et Th. WANEGFFELEN, *Naissance et affirmation de la Réforme*, Paris, PUF, 1997 (1re éd., 1965).

C. DESPLAT, « Edit de Fontainebleau du 15 avril 1599 en faveur des catholiques du Béarn », in *Colloque Henri IV*, t. IV, Pau, 1989.

B. DOMPNIER, *Le Venin de l'hérésie, Image du protestantisme et combat catholique au xviie siècle*, Paris, Le Centurion, 1985.

G. Duby, *Fondements d'un nouvel humanisme, 1280-1440*, Genève, 1966.

A. Fliche et V. Martin (s. d.), *Histoire de l'Eglise des origines à nos jours*, Paris-Tournai, Bloud et Gay, 1937-1964, tomes XIV : *L'Eglise au temps du Grand Schisme et de la crise conciliaire (1378-1449)* à XVII : *L'Eglise à l'époque du concile de Trente*.

M. Forissier, *Histoire de la Réforme en Béarn*, Pau, Editions d'Albret, 1953.

J. Garrisson, *Protestants du Midi (1559-1598)*, Toulouse, Privat, 1980, rééd. 1991.

– *L'Edit de Nantes et sa révocation. Histoire d'une intolérance*, Paris, Le Seuil, 1985, rééd. « Points-Histoire », 1987.

J. Garrisson et M. Rocard, *L'Edit de Nantes ou l'art de la paix*, Biarritz, Atlantica, 1998.

G. Gusdorf, *Les Origines des sciences humaines*, Paris, 1969.

H. Hauser, *La Naissance du protestantisme*, Paris, 1930.

J. Huizinga, *L'Automne du Moyen Age*, trad. fr. Paris, 1948.

« Les Huguenots », catalogue de l'exposition tenue aux Archives Nationales, Paris, 1985.

A. Jouanna, *La France au xvi⁰ siècle*, Paris, PUF, 1996.

Ph. Joutard, *Les Camisards*, Paris, Gallimard-Julliard, 1976, « Archives », rééd. Folio, 1994.

– *La Légende des Camisards. Une sensibilité au passé*, Paris, Gallimard, 1977.

Ph. Joutard *et alii*, *La Saint-Barthélemy ou les résonances d'un massacre*, Neuchâtel, Delachaux & Niestlé, 1976.

P. Joxe, *L'Edit de Nantes*, Paris, Hachette, 1998.

E. Labrousse, *La Révocation de l'Edit de Nantes. « Une foi, une loi, un roi ? »*, Genève-Paris, Labor et Fides-Payot, 1985, rééd. « Petite Bibliothèque Payot », 1996.

J. Le Goff, *La Civilisation de l'Occident médiéval*, Paris, Arthaud, 1967.

J. Le Goff et R. Rémond (s. d.) *Histoire de la France religieuse*, tome II : *Du christianisme flamboyant à l'aube des Lumières, xiv⁰-xviii⁰ siècle*, Paris, Le Seuil, 1988.

E.-G. Léonard, *Histoire générale du protestantisme*, Paris, PUF, 1961, rééd. 1980, 3 vol., « Quadrige ».

E. Le Roy-Ladurie, « Longue durée et comparatisme : révocation de l'édit de Nantes et " Glorieuse Révolution " d'Angleterre », *Revue de la Bibliothèque nationale*, automne 1988, n⁰ 29.

F. Lestringant, *Une sainte horreur. Le voyage en Eucharistie (xvi⁰-xviii⁰ siècle)*, Paris, PUF, 1996.

D. Ligou, *Le Protestantisme en France de 1598 à 1715*, Paris, sedes, 1968.

M. Magdelaine, R. von Thadden *et alii*, *Le Refuge huguenot*, Paris, A. Colin, 1985.

J. Michelet, *Renaissance et Réforme*, Paris, 1855, rééd. Robert Laffont, 1982, « Bouquins ».

P. Miquel, *Les Guerres de Religion*, Paris, Fayard, 1980, rééd. 1991.

S. Mours et D. Robert, *Le Protestantisme français du xviii⁰ siècle à nos jours (1685-1970)*, Paris, Librairie protestante, 1972.

R. Mousnier, *L'Assassinat d'Henri IV*, Paris, Gallimard, 1964, rééd. Folio, 1992.

J. Orcibal, *Louis XIV et les protestants*, Paris, Vrin, 1951.

M. Pernot, *Les Guerres de Religion en France, 1559-1598*, Paris, sedes, 1987.

A. Peyrefitte, *La Société de confiance. Essai sur les origines et la nature du développement*, Paris, Odile Jacob, 1995 (rééd. Poche 1998).

C. Piétri, A. Vauchez, M. Venard et J.-M. Mayeur (s. d.), *Histoire du Christianisme des origines à nos jours*, Paris, Desclée de Brouwer, tome VIII, *Le Temps des confessions (1530-1620/1630)*, 1992 et tome IX, *L'Age de raison (1620-1630-1750)*, 1997.

Protestantisme et révolution, Actes du colloque de l'Université Paul-Valéry, Montpellier, Sauramps Editions, 1990.

J. QUÉNIART, *La Révocation de l'édit de Nantes. Protestants et catholiques français de 1598 à 1685*, Paris, Desclée de Brouwer, 1985.

F. RAPP, *L'Eglise et la vie religieuse en Occident à la fin du Moyen Age*, Paris, PUF, 1971 (2ᵉ éd. 1980).

Réforme et révocation en Béarn, xviiᵉ-xxᵉ siècle, Pau, J. et D. Editions, 1986.

J. SOLÉ, *Les Origines intellectuelles de la révocation de l'édit de Nantes*, Saint-Etienne, Publications de l'Université de Saint-Etienne, 1997, 4 vol.

P. TAVENAUX, *Le Catholicisme dans la France classique (1610-1715)*, 2 vol., Paris, SEDES, 1980.

« Vous avez dit tolérance... » Les protestants français au xviiiᵉ siècle, catalogue de l'exposition, Bibliothèque municipale de Toulouse, nov. 1987.

M. YARDENI, *La Conscience nationale en France pendant les guerres de Religion (1559-1598)*, Paris-Louvain, Nauwelaerts, 1971.

— *Le Refuge protestant*, Paris, PUF, 1985.

A. ZYSBERG, *Les Galériens. Vies et destins de 60 000 forçats sur les galères de France, 1680-1748*, Paris, Le Seuil, 1987, repris en 1991 dans « L'Univers historique », chez le même éditeur.

TABLE

Cet ouvrage a été réalisé par la
SOCIÉTÉ NOUVELLE FIRMIN-DIDOT
Mesnil-sur-l'Estrée
pour le compte des Éditions Grasset
en avril 1998

Imprimé en France
Dépôt légal : mai 1998
N° d'édition : 10753 – N° d'impression : 42214
ISBN : 2-246-55981-2